« L'ÉCRITURE DE VONARBURG EST D'UNE GRANDE SOBRIÉTÉ, NERVEUSE, PRESQUE CARDIAQUE, PRÉCISE, LIMPIDE ET, BIEN SÛR, SANS FIORITURES. »
Lettres québécoises

« VONARBURG A UN OEIL ACÉRÉ POUR LES SINGULARITÉS PSYCHOLOGIQUES ET ELLE SAIT PLACER LES DÉTAILS RÉVÉLATEURS ; ELLE EST CONSCIENTE DES PIÈGES MORAUX OÙ MÈNENT LES INTRIGUES DE SES ROMANS, ET L'ABSENCE DU PRÊCHE Y EST ADMIRABLE. »
Interzone

À PROPOS DU *SILENCE DE LA CITÉ*...

« ...PÉNÉTRÉ D'UNE MATURITÉ PSYCHOLOGIQUE TROP RARE DANS LA SCIENCE-FICTION. »
William Gibson

À PROPOS DE *CHRONIQUES DU PAYS DES MÈRES*...

« UNE EXPÉRIENCE MENTALE EXCITANTE, EXIGEANTE ET SATISFAISANTE – DE LA SCIENCE-FICTION SÉRIEUSE ACCOMPLISSANT CE QUE SEULE PEUT ACCOMPLIR LA SCIENCE-FICTION. »
Ursula K. Le Guin

À PROPOS DES *VOYAGEURS MALGRÉ EUX*...

« LES *VOYAGEURS MALGRÉ EUX*, LE TROISIÈME ROMAN D'ÉLISABETH VONARBURG (DU MOINS EN ANGLAIS), PORTE TOUTES SES MARQUES CARACTÉRISTIQUES : LA RÉFLEXION, LA PROFONDEUR, UNE GRANDE SUBTILITÉ ET, MÊME EN TRADUCTION, LA POÉSIE. »
The New York Review of Science Fiction

LE JEU DE LA PERFECTION
TYRANAËL –2

Du même auteur

L'Oeil de la nuit. Recueil.
  Longueuil: Le Préambule, Chroniques du futur 1, 1980.

Le Silence de la Cité. Roman.
  Paris: Denoël, Présence du futur 327, 1981.

Janus. Recueil.
  Paris: Denoël, Présence du futur 388, 1984.

Comment écrire des histoires: guide de l'explorateur. Essai.
  Beloeil: La Lignée, 1986.

Histoire de la princesse et du dragon. Novella.
  Montréal: Québec/Amérique, Bilbo 29, 1990.

Ailleurs et au Japon. Recueil.
  Montréal: Québec/Amérique, Littérature d'Amérique,
  1990.

Chroniques du Pays des Mères. Roman.
  Montréal: Québec/Amérique, Littérature d'Amérique,
  1992.

Les Contes de la chatte rouge. Roman.
  Montréal: Québec/Amérique, Gulliver 45, 1993.

Les Voyageurs malgré eux. Roman.
  Montréal: Québec/Amérique, Sextant 1, 1994.

Les Contes de Tyranaël. Recueil.
  Montréal: Québec/Amérique, Clip 15, 1994.

Chanson pour une sirène. [avec Yves Meynard] Novella.
  Hull: Vents d'Ouest, Azimuts, 1995.

Tyranaël
  1- *Les Rêves de la Mer*. Roman.
     Beauport: Alire, 1996.

Le Jeu de la Perfection

Tyranaël –2

Élisabeth Vonarburg

ÉDITIONS ALIRE

Données de catalogage avant publication (Canada)

Vonarburg, Élisabeth, 1947–

    Tyranaël

    L'ouvrage complet comprendra 5 v.
    Sommaire: 1. Les rêves de la mer - 2. Le jeu de la perfection

    ISBN 2-922145-02-6 (v.1) - ISBN 2-922145-03-4 (v.2)

    I. Titre. II. Titre: Les rêves de la mer. III. Titre: Le jeu
    de la perfection.

PS8593.O53T97 1996   C843'.54   C96-940935-4
PS9593.O53T97 1996
PQ3919.2.V69T97 1996

Illustration de couverture
PORTE FOLIO

Photographie
ROBERT LALIBERTÉ

Diffusion et Distribution pour le Canada
Québec Livres

Pour toutes informations supplémentaires
LES ÉDITIONS ALIRE INC.
C. P. 67, Succ. B, Québec (Qc) Canada G1K 7A1
Télécopieur: 418-667-5348
www.alire.com   (à compter du 15/12/96)

Dépôt légal: 4e trimestre 1996
Bibliothèque nationale du Québec
Bibliothèque nationale du Canada

À Danielle, avec deux ailes

Remerciements

Le récit qui continue avec ce volume est mon premier rêve de science-fiction qui se soit transformé en une histoire, le premier que j'aie écrit – et réécrit, et réécrit... En trente ans, il a subi bien des métamorphoses en même temps que moi. Mais certaines de ces métamorphoses lui sont venues plus spécifiquement de rencontres, et je désire remercier ici ces visiteuses et ces visiteurs après lesquels le paysage se réorganisait autrement.

Dans l'ordre d'apparition: René Ferron-Wherlin, Jean-Joël Vonarburg, François Duban, Bertrand Méheust, Aliocha Kondratiev, Danielle Martinigol, Bruno Chaton, Maximilien Milner, René Beaulieu, Serge Mailloux, Gérard Klein (pour les licornes), Daniel Sernine, Jean-Claude Dunyach, Wildy Petoud, Joël Champetier, Jean-François Moreau, Yves Meynard, Jean Pettigrew, Sylvie Bérard, Denis Rivard, Guy Sirois.

Et enfin, et surtout, le dernier visiteur, la source des ultimes métamorphoses – les plus essentielles – Norman Molhant, écosystématicien et encyclopédie extraordinaire. Plongeant avec abnégation dans mon paysage au détriment du sien, il m'a donné l'occasion d'éprouver ce rare plaisir, que seule la science-fiction sait m'offrir, de voir mes fantasmes et mes rêves correspondre parfois à ceux de l'univers. Sans lui, cette histoire n'aurait jamais été ce qu'elle devait être. Si elle ne l'est pas, j'en suis seule responsable.

Ceux qui connaissent le jour de Brahma
qui dure mille âges
et sa nuit, qui ne prend fin qu'après mille âges
ceux-là connaissent le jour et la nuit.
Et la foule des êtres,
indéfiniment ramenée à l'existence,
se dissout à la tombée de la nuit
et renaît au lever du jour (...)

TABLE DES MATIÈRES

TYRANAËL...

Au début du XXIe siècle, la Terre a connu des catastrophes climatiques et écologiques qui ont bouleversé
l'économie et la politique mondiales. Le grand élan
généreux de la Reconstruction a duré environ un siècle ;
on a établi des colonies sur la Lune et sur Mars, puis
l'une des sondes du programme Forward a décelé une
planète de type terrestre autour d'Altaïr, dans la constel-
lation de l'Aigle. La première expédition découvre une
planète apparemment désertée depuis au moins trois siècles par ses indigènes humanoïdes et où se manifeste un
phénomène inexplicable, dont la première apparition
imprévue décime l'expédition, laissant des naufragés qui
vont devenir les premiers colons. Ce phénomène apparaît
lors d'une éclipse totale de lune, recouvre toute la planète
jusqu'à une altitude de mille mètres, annihile l'énergie
électrique sur mille mètres supplémentaires et absorbe
toute matière organique vivante ; à cause de sa couleur
bleue, les colons lui donnent le nom de "Mer", d'autant
que les anciens indigènes y naviguaient ; ces derniers
avaient par ailleurs remodelé l'immense continent principal
en bâtissant de nombreuses digues pour faire obstacle à
cette "Mer". Celle-ci est présente pendant la moitié de la
longue année de la planète, soit un peu plus de deux ans
terrestres, puis disparaît lors d'une éclipse totale de
soleil. Après la seconde expédition, on commence à
coloniser la planète, qu'on nomme Virginia, du nom de
la première enfant qui y est née. La non-disponibilité de

l'électricité pendant la moitié de l'année force les colons à utiliser des technologies archaïques astucieusement modernisées (vapeur, air comprimé, gaz, ballons, etc.). On a depuis le début délibérément fermé les yeux sur les nombreuses énigmes irrésolues de Virginia, à commencer par la disparition des indigènes, mais quelques chercheurs plus audacieux s'entêtent. L'un d'eux, Wang Shandaar, découvre des indices portant à croire qu'une autre race différente des indigènes a très longtemps vécu sur Virginia ; il s'embarque sur la Mer pour disparaître avec elle, persuadé qu'il est possible de survivre à cette disparition, et malgré l'expérience malheureuse de l'*Entre-deux*, un bateau en voyage expérimental sur la Mer, dont l'équipage a péri le cerveau brûlé ; on n'entendra plus jamais parler de Shandaar. Des dizaines de saisons plus tard, les sphères métalliques des pylônes, un vaste réseau d'artefacts indigènes, se mettent à briller sur tout le continent lorsque Simon Rossem, un adolescent apparemment autistique, pénètre dans une île du nord jusqu'alors interdite par une barrière mortelle pour les humains. Et Simon semble manifester par la suite des capacités psychiques inhabituelles...

Tout cela, c'est Eïlai qui le voit et nous le voyons avec elle dans le premier tome de *Tyranaël*, *Les Rêves de la Mer*. Eïlai est une Rani, une humanoïde pourvue d'un don bien difficile à supporter : elle Rêve d'autres univers. Et elle a Rêvé l'arrivée de Terriens sur sa planète, Tyranaël, avec des conséquences funestes pour les siens comme pour les nouveaux venus. Mais, comme toujours, elle ignore si ses Rêves se réaliseront dans son propre univers. Cependant, ce Rêve-là a bouleversé la vie de tout son peuple, comme il a bouleversé la sienne et, pendant toute sa vie, tout en essayant de comprendre les humains à travers ses Rêves et ceux d'autres Rêveurs, Eïlai s'est efforcée de faire la paix avec ce qui doit être – et avec ce qui ne sera peut-être jamais.

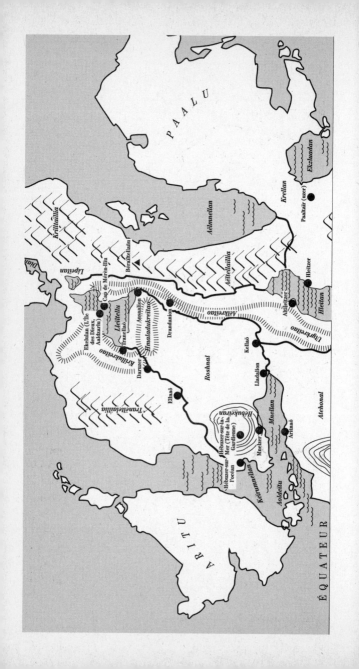

ÉQUATEUR

NIKÉRU

Alykreïtao

Atrikéru

Atrikaïllia

Llellaïllia

Dnaaoer

Elpuumelleu

Elhaïtzer

HÉBU

Lhaïtzer

Liellanu

Elnikaïllia

Elnikéru

Hanaïzaö

Eïtyrhondaï

Ekolkaö

Lipmellau

Markhallon-sur-la-Mer

Alehonaïllia

Laleïtan

Kriteïlj

Tsualañon

Kriszaö-sur-l'océan   Kriszaö-sur-la-Mer

Markhallon-sur-l'océan

N

E · O

S

TYRANAËL

SANS LA MER

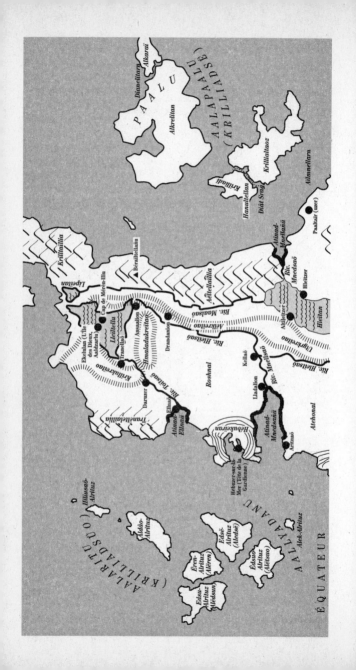

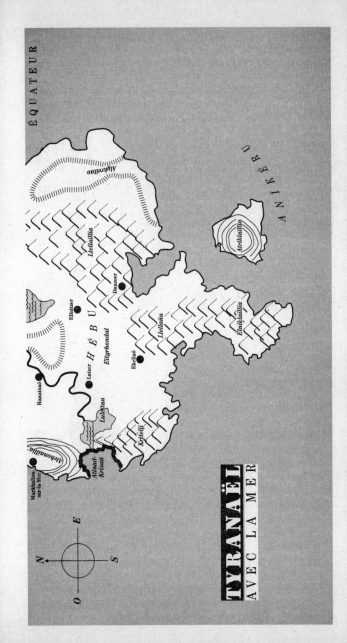

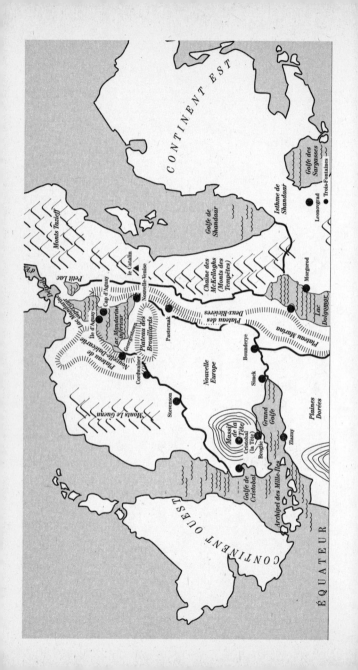

ÉQUATEUR

Licornia

Aéroport de Dalloway

Montagnes Rouges

Vichenska

Breughel

CONTINENT PRINCIPAL

Plaines Bleues

Joristown

Bellac

Arcimboldo

New Sonora

Monts Schoelzer

Fjord Blanc

Massif du Finistou

Finistou

Chaîne du Finisterre

Finisterre

Golfe de Vriès

Bird City

Massif Stanley

Lac Doré

Monts Alcubierre

Thinatoo

Baie des Fraîcheurs

Southern City

ANTARCTIQUE

VIRGINIA

SANS LA MER

N
E
O
S

ÉQUATEUR

OCÉAN ANTARCTIQUE

Lacrimia

Astroport de Dalloway

Montagnes Rouges

Massif du Finistoll

Brueghel

Vichenska

CONTINENT PRINCIPAL

Joristown

Bellac

Arcimboldo

Plaines Bleues

Monts Schoelzer

New Sonora

Chaîne du Finistère

Massif Stanley

Bird City

Lac Doré

Monts Alcubierre

Digue Verte (Digue de Tihuanco)

N E O S

VIRGINIA
AVEC LA MER

PREMIÈRE PARTIE

1

Les licornes sont couchées dans un repli des collines basses qui descendent vers l'océan. En ces heures chaudes, elles se reposent ; elles reprendront leur route à la tombée du soleil. C'est un de ces petits groupes qui migrent vers le continent Est quand l'isthme le rattachant au continent principal se trouve à découvert. La Mer a disparu depuis déjà presque un Mois, on arrive à la cinquième lunaison de Juillet, dans l'hémisphère nord même si l'équateur n'est pas très loin. Les licornes ont de quoi se nourrir : si les buissons et les arbustes commencent à peine à pointer, l'herbe a largement eu le temps de repousser sur le sol dénudé – une peau ondoyante, d'un jaune éclatant, mais où le vent fait déjà courir des vagues bleutées.

Simon s'adosse de nouveau dans son fauteuil et continue à se laisser bercer sans rien dire par le ronronnement du moteur. Le petit avion de brousse croise à quatre mille mètres d'altitude, les licornes sont au moins à la même distance plus à l'est : sans ses lunettes, il n'est censé voir qu'un flou impressionniste, et il les a retirées pour somnoler.

Olga Greszec, la pilote, a dû aussi voir le troupeau : elle a infléchi la course de l'avion. L'unique autre passager, de l'autre côté de l'allée, se colle soudain le nez au hublot en comprenant à son tour que ces taches blanches et brunes, là-bas, sont des licornes. Il va sûrement en faire toute une affaire. Un compagnon de route bavard, ce jeune homme ; Simon aurait tout su de lui sans même avoir à le pousser. Sven Ledellin ; vingt-deux saisons ; célibataire ; ingénieur forestier récemment nommé dans la région, ne commence pas à travailler avant le début d'Août ; en profite pour faire du tourisme. Il est allé visiter l'astroport de Dalloway, et maintenant il retourne à Leonovgrad par le chemin le plus long, avec l'avion-taxi qui dessert en zigzag les ultimes communautés installées le long d'une étroite bande d'ouest en est, de part et d'autre de l'équateur, jusqu'à la limite de la Mer.

Le garçon est tout excité, bien sûr, et Olga fait obligeamment descendre l'appareil, en prévenant : « Elles vont nous repérer très vite ! »

De fait, les licornes prennent le galop bien avant que l'avion ne puisse les survoler.

« Je croyais qu'elles restaient bien plus au sud, très loin des installations humaines.

— Non, certaines migrent après le départ de la Mer. Elles sont originaires du continent Est. Elles retournent chez elles, en quelque sorte.

— Mais pas toutes. C'est bizarre. »

La pilote se met à rire : le garçon est là où elle le voulait. « Les licornes sont bizarres. Presque toutes les bestioles indigènes sont bizarres, hein, Nathan ? »

Simon acquiesce sans rien dire en jouant son rôle de vieillard bienveillant un peu abruti par le voyage ; Olga aime bien faire le coup de l'exotisme aux touristes, mais il n'a pas envie d'entrer dans son jeu aujourd'hui. Elle se lance dans son discours type, et il passe en mode d'attention flottante, la tête tournée vers le hublot. Les noms peuvent paraître bizarres, sans doute : oiseaux-parfums, plumetiers, poissons-poisons... Mais bizarres pour qui, par rapport à quoi ? Certes, les limites entre les règnes semblent quelque peu poreuses sur Virginia : les essaims de minuscules oiseaux-parfums se plantent en terre pour pondre des fleurs-à-cœur, les plumetiers passent des Années à déambuler sur tout le continent avant de prendre racine... Les colons ont cependant vite appris, et leurs descendants savent, que là où s'arrête la grosse boule duveteuse d'un plumetier se trouve une nappe aquifère toute proche, que les fleurs-à-cœur changent le rythme de leurs pulsations à l'approche d'un orage, que les poissons-poisons deviennent comestibles quand la saison du frai répand à la surface de leurs écailles la neurotoxine qui rend le reste du temps leur chair mortelle. Rien de bizarre, juste l'ordre normal des choses.

Et apercevoir une licorne au loin porte bonheur.

Le gamin semble cependant ne pas trop se laisser prendre au numéro d'Olga et poursuit son idée : « Le plus bizarre, pour moi, c'est qu'elles se soient peu à peu presque toutes rassemblées dans le Sud-Est. On n'en voit pratiquement plus ailleurs depuis des décennies.

— Bien sûr, elles sont allées là où nous n'allons pas. »

Et où nous ne sommes pas près d'aller avant très longtemps, se dit Simon : rien de très intéressant par là pour les humains. Il y a les mines de minerais concentrées le long des montagnes Rouges, sur le versant est, avec l'astroport de Dalloway au nord-est ; et la région de Leonovgrad au-dessus de l'équateur, avec ses forêts de bois précieux et ses cultures de café et de cacao ; mais le reste du district de Dalloway, c'est plus d'un million de kilomètres carrés de forêts trop denses au pied des Rouges, puis des terres peu fertiles, collines herbeuses et buissonneuses en altiplano, et enfin une savane interminable qui se transforme en steppes à mesure qu'on descend vers le sud. Même les anciens indigènes n'avaient guère peuplé cette région, eux qui s'étaient pressés partout ailleurs : pas de grandes cités, seulement une poussière de villages reliés plus souvent par des pistes que par les routes dallées de paragathe sillonnant le reste du continent.

« Mais si elles nous ont évité si systématiquement, ça suppose qu'elles soient intelligentes ! » est en train de dire le jeune homme ; Simon dresse soudain l'oreille.

« Mais non, c'est juste qu'elles ne peuvent pas nous sentir ! »

Et Olga éclate de rire à sa propre plaisanterie, parce que ce n'en est pas une : il y a bel et bien dans le métabolisme humain quelque chose qui semble le rendre repoussant pour une grande partie de la faune indigène.

« Tous les animaux ne réagissent pas comme ça », insiste le gamin, et Simon l'observe à la dérobée, intéressé malgré lui : un citadin de l'Ouest qui est curieux ? « Les chachiens, oui, les cabals, les oiseaux-parfums, les oiseaux-de-clochers... »

Olga hausse une épaule : « Tous des animaux qui vivaient très proches des Anciens, comme les licornes...

— Après tout ce temps, quarante-deux Années de colonisation, près de deux cents ans terrestres, quand même ! Notre métabolisme aurait dû s'adapter assez pour...

— Les Anciens ont sélectionné ces bestioles pendant des *millénaires* comme animaux domestiques, mon gars ! Nous ne leur conviendrons jamais, faut croire. »

Simon se retourne vers le hublot avec un soupir intérieur. Quelque chose dans les émotions d'Olga, ce regret inversé en rancune moqueuse, même encore maintenant... Au tout début de la colonisation officielle, on a choisi les licornes en premier quand on a décidé quels animaux indigènes seraient les plus propres à la domestication : elles produisaient du lait, leur pelage pouvait se travailler comme de la laine... Pas un choix si logique, en réalité. Les Anciens avaient utilisé comme animal domestique un parent des licornes, un véritable herbivore plus petit, plus massif, aux propriétés identiques à celles de ses cousines mais de mœurs bien plus placides – et dépourvu de corne ; les colons les ont vite baptisés "cabals", leur nom scientifique étant vraiment trop ridicule. Mais les licornes... étaient des licornes, même si on se refusait alors à les appeler ainsi (d'ailleurs, officiellement, on dit toujours "unicornes"). Un animal qui n'avait jamais existé ailleurs que dans les légendes terriennes. Domestiquer des licornes – et ces licornes-là, si dédaigneuses des humains –, c'était affirmer la primauté du réel sur les rêves et les cauchemars que pouvait faire naître chez les humains une planète désertée sans raison apparente par ses anciens habitants.

On en avait capturé une au tout début – par accident, semblait-il : elle avait été handicapée par une blessure ; mais elle s'était aussitôt échappée du corral trop fragile où on l'avait enfermée, et on n'en avait plus capturé une seule vivante ensuite. On était incapable de les approcher à moins de deux, parfois trois kilomètres sur terre ou dans les airs. S'il était impossible de les capturer pour les domestiquer, on pouvait sûrement les chasser, avaient pensé les bureaucrates du ComSec et du BIAS – un gibier peu commun, une bonne source de revenu ; on avait émis des permis de chasse. C'était compter sans les protestations des Vieux-Colons virginiens, et sans les hurlements outragés des associations de défense de l'environnement sur Terre. On avait agité le spectre des baleines, des éléphants, des ours, de toutes les autres espèces terrestres disparues avant même les Catastrophes. Les bureaucrates avaient renoncé.

Intelligentes, les licornes ? Peut-être. On n'en sait rien, en fait, puisqu'on n'a jamais pu les étudier d'assez près. Assez intelligentes en tout cas pour déjouer les efforts des chasseurs, et tous les pièges et appâts placés sur leur chemin. Et après la fin de la colonisation officielle, elles ont commencé à migrer en masse et de leur propre chef vers le Sud-Est, qui du coup est devenu – officieusement – "Licornia". Pour Simon et bien d'autres, c'est une preuve suffisante d'intelligence. Curieux que les officiels préfèrent s'en tenir à l'interprétation pourtant nettement plus déplaisante, "Nous puons".

« Vous devez en voir plus souvent, Monsieur Légaré, vous qui habitez par ici », remarque le jeune homme.

Personnellement pris à partie, Simon marmonne d'une voix ensommeillée que oui, bien sûr, il en a vu parfois, de loin, de très loin.

Et il ferme les yeux sur le souvenir qui se déploie soudain malgré lui.

Samuel finit de s'installer à plat ventre sur l'escarpement dominant le creux de la savane où, à huit cents mètres environ, se trouve le petit groupe de licornes ; il aurait vraiment chaud si le vent ne soufflait avec régularité – ils l'ont de face, bien sûr ; Maura Fergus, la jeune fille qui les guide, ne se vantait pas : c'est la limite pour les missiles armés de dards anesthésiants, mais elle les a amenés plus près des licornes que quiconque l'a jamais été depuis la colonisation.

Starling, le représentant du BIAS, commanditaire et responsable de toute l'expédition, est un Américain, le genre auquel il faut sans cesse rappeler que la planète n'a pas été nommée d'après la Virginie américaine mais d'après la première enfant humaine qui y est née ; pis encore, c'est un Texan, fier de son (quasi mythique maintenant) héritage de cow-boy ; il est déjà installé et contemple les licornes à la jumelle en murmurant des paroles indistinctes mais excitées en anglam. Colchak, l'autre employé du BIAS, finit d'armer les fusils lance-missiles et en tend un à Samuel, qui le prend et ajuste le viseur pour contempler à son tour les licornes.

C'est une grande famille, la formation habituelle : cinq guetteuses détachées en cercle du gros de la troupe, le reste, une vingtaine de bêtes, en train de brouter, de dormir ou de jouer. Mais un peu à l'écart, et les plus proches d'eux, leurs cibles : la licorne qui vient de mettre bas et son petit. Allons bon, un mâle vient les rejoindre. Peut-être le père, puisque les licornes mâles ne sont pas, au contraire des éléphants dont l'organisation sociale semble pourtant si voisine, exclues du troupeau dominé par les femelles.

« *Magnificent, magnificent!* » murmure Starling. L'allure générale est assez celle d'un cheval pour éveiller en lui des désirs ataviques de lasso, sans doute. La taille d'un gros demi-sang, ce mâle, un mètre quatre-vingt-dix au garrot, mais Starling ne voit-il pas le reste ? Toutes les proportions sont subtilement faussées. Samuel suit les lignes de l'imposante silhouette avec une insistante impression d'étrangeté, un vague malaise : la robe laineuse est brune, vaguement zébrée de bandes plus foncées, en contraste avec la longue crinière blanche et la queue également blanche et flottante ; l'arrière-train et les pattes postérieures bien trop puissants et musclés, le cou arqué évoquant plus le cerf que le cheval, le museau entre celui du cheval et celui du berger allemand, la tête bien plus massive que celle d'un vrai cheval. Et bien sûr, plantée entre les sourcils, au-dessus des grands yeux ronds un peu protubérants (sans doute le trait le plus chevalin de tout l'animal, avec la crinière et la queue fournies), il y a la corne : lisse et aiguë, au moins soixante-dix centimètres de long, légèrement arquée vers le haut comme celle d'un rhinocéros.

Et rouge : couverte de sang. Le mâle vient de chasser. Par la peau du cou, entre ses dents, il tient le cadavre d'une mariotte, un des petits quadrupèdes au sourire de hyène qui partagent la savane avec les licornes. Il s'immobilise devant la femelle, tête basse, corne offerte. L'autre licorne donne un coup de langue dessus, pousse son petit du museau jusqu'à ce qu'il renifle puis lèche le sang avec enthousiasme. Une fois la corne nettoyée, le mâle laisse tomber la proie par terre, pose dessus ses pattes antérieures aux trois doigts pourvus d'ongles tranchants et commence à la déchiqueter de ses dents également coupantes, tendant les morceaux à la femelle ; celle-ci les cueille du bout de ses lèvres agiles, et les donne à son tour au petit.

« Elles mangent vraiment de la viande ! » ne peut s'empêcher de murmurer Samuel, stupéfait ; il croyait encore que c'était une légende. Il y a longtemps que les licornes ont quitté le Nord du continent, il n'en avait jamais vu avant de venir dans le Sud-Est, seulement dans des envirosims, à Cristobal. Et les envirosims se contentent de montrer, avec des commentaires lénifiants ; ils ne disent pas grand-chose des licornes, ni d'ailleurs de tout ce qui résiste avec obstination aux humains sur leur planète d'adoption.

Starling étale son érudition – c'est un cadre du BIAS, il vient d'être nommé sur Virginia, il est très fier de son projet (comme si cette idée, essayer à nouveau de domestiquer les licornes, ne refaisait pas surface presque à chaque changement d'administration, sur Terre ou sur Virginia !) ; apparemment il se doit de briller même aux yeux d'un parfait subalterne : « Elles étaient omnivores, à l'origine. Une sorte de petit quadrupède fouisseur, un peu comme les pécaris. Faute de grands prédateurs, elles ont développé pendant un temps des comportements de carnivores, tout en augmentant de taille. Même maintenant qu'elles consomment essentiellement des végétaux, elles ont encore besoin de certains acides aminés qu'elles ne trouvent pas dans le reste de leur alimentation et sont incapables de synthétiser. Un peu de viande de temps en temps, et le tour est joué. »

Samuel l'écoute à peine : abasourdi, il regarde la licorne donner la sanglante becquée à son petit. Le mâle, sa tâche accomplie, s'est couché à une distance respectable.

« Il serait peut-être temps de s'y mettre », murmure Colchak en se trémoussant un peu pour mieux creuser son berceau d'herbe ; il a posé le lance-missiles sur son trépied et ajuste le viseur. Samuel, tiré en sursaut de sa contemplation, en fait autant. La jeune guide s'est étendue dans l'herbe près de lui ; il la sent se raidir ; même s'ils n'en ont pas parlé, il sait qu'elle désapprouve cette expédition – mais en tant qu'employée du gouvernement, elle n'est pas censée avoir d'états d'âme.

Lui, il ne sait pas trop. Ce n'est pas comme si on allait les tuer, ces licornes : juste les anesthésier, les capturer et les étudier – d'une manière non destructive : c'est une espèce protégée depuis le grand scandale de l'An 11, quand un autre intelligent du BIAS a tenté de les éliminer en les infectant (vainement, au reste) d'un virus. Et puis, il est stagiaire, pas d'états d'âme non plus pour lui s'il veut pouvoir entrer définitivement dans les gardes forestiers. Il ne s'est pas enfui du Nord pour revenir la queue entre les jambes faute d'avoir réussi à gagner sa vie ailleurs. Son père serait trop content. Déjà qu'il n'a pas pu tenir le coup à Cristobal, ni dans les champs pétrolifères du Dolgomor... Les mines, il ne veut même pas y penser. Il a besoin d'espace et d'air propre, c'est tout. Garde forestier, même dans le Sud-Est si loin de ses Hivers, c'est l'idéal. Pas question de rater ça par sentimentalisme.

On l'a choisi parce qu'il est tireur d'élite, mais il n'a même pas vraiment besoin d'en être un : le missile est thermosensible et capable d'aller trouver lui-même sa cible pourvu qu'elle soit dans les limites spatiales programmées ; étant donné le coût de ces projectiles, cependant, on a préféré emmener des bons tireurs.

Starling active son cellulaire et prévient à mi-voix l'équipe de récupération, qui attend à deux kilomètres de là avec le gros hélijet et les camions.

« On y va », souffle Colchak.

Samuel essuie la sueur qui a commencé à lui couler sur le front – ainsi couchés dans les hautes herbes, ils sont à l'abri du vent –, cadre le licorneau dans son viseur, arme le petit missile.

« Prêt », murmure-t-il.

« À trois. Un, deux... »

Trois.

La femelle doit entendre le sifflement du projectile, elle se dresse à demi, alarmée. Trop tard. Le petit aussi a levé la tête, juste pour bien offrir son cou. Il accuse le choc, essaie de se lever, mais le somnifère fait déjà effet. La dose a été bien calculée. Pour la femelle aussi : malgré tous ses efforts, elle n'arrive pas à se relever, se couche en bavant – un effet secondaire de l'anesthésique. Enfin ses yeux se révulsent et elle ne bouge plus.

« Vous pouvez venir chercher la marchandise », dit Starling dans son cellulaire, extrêmement content de lui.

Un brusque mouvement, une masse brune occulte le viseur de Samuel, qui tressaille en ajustant de nouveau sur l'ensemble de la scène : le mâle a bondi auprès de la femelle et du petit, il les pousse du museau, une fois. Puis relève la tête et lance un cri d'alarme, un étrange grondement sifflant qui porte loin dans le vent, jusqu'à Samuel. Panoramique rapide du viseur sur le reste de la troupe : les licornes sont toutes debout, les guetteuses en formation d'attaque du côté de l'alerte. Puis, d'un même mouvement, elles tournent toutes les talons et s'enfuient au galop.

« Eh, il reste ! » dit la voix surprise de Starling.

Samuel déplace la lunette. Le grand mâle est en effet toujours debout près de la femelle et du petit anesthésiés. Juste au moment où Samuel le retrouve dans son viseur, il part au grand trot, la corne haute, dans le sens opposé à celui de la troupe, en oblique par rapport à l'escarpement où les chasseurs sont embusqués, une trajectoire qui l'en rapproche.

« Mais qu'est-ce qu'il fait ? » murmure Maura Fergus, incrédule.

Samuel suit la licorne dans son viseur : la queue et la crinière blanches flottent au vent de la course, l'animal

semble flotter aussi au-dessus des longues herbes, mouvements fluides et élastiques, grâce aérienne, une telle
masse pourtant...

La bête oblique brusquement, prend le galop, arrive
au point le plus bas de l'escarpement, saute...

Et continue sa course. Droit sur eux.

« EH ! » crie Starling en se levant. Maura Fergus en a
fait autant, Colchak aussi. Samuel se dresse à son tour,
les yeux écarquillés : la licorne est à moins de cinq cents
mètres, ce n'est pas possible, elle ne va pas se rapprocher
davantage, elle ne peut pas être en train de les attaquer,
aucune licorne ne s'est jamais approchée assez d'un
humain pour *l'attaquer* !

Colchak a jeté son lance-missiles et il est en train
d'armer fiévreusement son fusil, tandis que le martèlement du galop se rapproche à toute allure.

« Non ! » dit Maura. Elle arme le lance-missiles avec
un des projectiles de secours, le plaque dans les mains
de Samuel, lui offre son épaule comme support.

Samuel ajuste le viseur, la tête bourdonnante. La
licorne lui saute brusquement aux yeux, énorme : la
corne en avant, les naseaux dilatés, l'écume blanchâtre
qui dégouline de la bouche... Mais sous la bande sombre
des sourcils, le regard brun n'est pas affolé, plutôt rempli
d'une détermination farouche. Samuel avale sa salive,
abaisse le viseur, cadre le poitrail. Son doigt se crispe
sur la détente...

« Mais tirez, bon sang ! » glapit Starling.

Il tire. Il voit le missile s'enfoncer dans le poitrail de
la licorne. L'animal n'a même pas dévié de sa course. Il
continue à foncer sur eux. Quoi, la dose est insuffisante ?
Maura aurait-elle choisi par erreur le projectile de secours
destiné au licorneau ?

Non : le mâle est plus gros que la femelle, voilà tout,
la dose met plus longtemps à agir. La bête commence à
ralentir, sa course se désaccorde, devient lourde et mala-
droite. L'animal trébuche, se rattrape, c'est comme une
profanation. Samuel ne veut pas voir. Il baisse son viseur –
mais bien sûr il voit encore, à cent mètres à peine, la
licorne qui trotte maintenant, de plus en plus lentement,
trébuche encore, tombe sur les genoux, se relève... Au pas

maintenant, en vacillant. Cinquante mètres, quarante... Un vrombissement sec dans le ciel : l'hélijet. L'animal l'a peut-être entendu. Il s'arrête en titubant, la tête basse, le museau dégoulinant de bave. Il reste immobile une fraction de seconde, puis ses pattes plient sous son poids et il s'effondre d'un seul bloc sur le flanc, à dix mètres des humains, un choc qui fait vibrer le sol sous les pieds de Samuel.

Samuel se rend compte qu'il a lâché le lance-missiles. Il est à bout de souffle, la poitrine douloureuse, comme si c'était lui qui venait de courir. Devant lui, il y a les épaules de Maura Fergus. Il pose les mains sur ces épaules, il ne sait pourquoi mais rien n'est plus important en cet instant que de la toucher, toucher quelqu'un. Elle se retourne vers lui. Pour la première fois il remarque ses yeux, si clairs que dans le soleil on en voit presque seulement la pupille contractée. Il sait qu'elle a envie de pleurer. Lui aussi.

Ensuite, après les indignités scientifiques habituelles, mesures, pesées, prélèvements, on transporte les trois licornes dans le corral spécialement aménagé pour elles. Starling a bien appris ses leçons, il a consulté les documents du début de la colonisation et n'a pas refait les mêmes erreurs. Ce corral-ci n'est pas simplement en bois : des plaques de béton sont insérées dans la coque de planches, le tout enterré à un mètre au moins de profondeur, et des madriers gros comme la cuisse, plantés en oblique, consolident le pourtour de l'installation à intervalles réguliers. Il n'y a pas de barrière ouvrant et fermant le corral – elle aussi a été aisément réduite en allumettes par les ruades d'une jeune licorne captive, alors, pensez, deux licornes adultes ! À la place, une armature en dur profondément ancrée dans le sol aussi, où coulisse une porte de dix centimètres d'épaisseur, renforcée de métal et actionnée par un piston à air comprimé. Le tout fait six mètres de haut, et le corral n'est pas très large, guère plus de vingt mètres de diamètre : elles ne pourront pas vraiment prendre d'élan.

Les membres de l'expédition, une trentaine de personnes, ont escaladé l'armature de bois pour contempler les licornes. Samuel aussi, et Maura, de chaque côté de la porte. Samuel peut sentir l'excitation trouble qui court sous les commentaires, les interjections, les plaisanteries qu'on échange d'un bord à l'autre du corral.

Puis tout le monde se tait : les pattes de la femelle s'agitent par saccades ; ses flancs se soulèvent plus rapidement ; la tête masquée par la crinière emmêlée se soulève tandis que les sabots noirs cherchent un appui sur le sol. La bête se relève d'une torsion puissante de l'arrière-train, reste un moment agenouillée sur ses pattes antérieures.

Elle est debout, maintenant. Elle reste immobile. Puis la tête au museau trop fin se tourne avec lenteur vers la droite, vers la gauche, les naseaux dilatés aspirent sans doute les odeurs haïssables des humains qui s'accrochent, silencieux, aux parois du corral. Des yeux verts se fixent un instant sur Samuel, qui tressaille malgré lui.

La licorne avance d'un pas lent jusqu'à la limite sud du corral. Ceux qui sont perchés sur la paroi reculent d'instinct quand elle tend la tête et renifle les planches ; la pointe de la corne n'est pourtant pas à leur niveau.

La femelle fait posément le tour de l'enclos, revient près de son petit qui est en train de se réveiller et s'agite faiblement. Elle baisse la tête et, d'un seul élan, elle l'embroche de part en part. Puis, d'une torsion puissante du cou, elle rejette la tête en arrière, et le petit cadavre va s'écraser avec un bruit mou contre la paroi à sa gauche, où il laisse une tache sanglante.

Les spectateurs ont poussé un cri inarticulé, quelques-uns ont sauté à terre, à la recherche de fusils anesthésiants. La licorne a pris le galop, elle tourne de plus en plus vite autour du corral, en poussant une sorte de sifflement rauque. Et puis au dernier tournant elle ne tourne pas, elle continue tout droit, de toute sa vitesse, de toute sa masse. Samuel ferme les yeux en entendant le claquement sec de la corne, le fracas des planches explosées où se perd celui du crâne fracassé de l'animal.

Un soupir collectif des spectateurs lui fait rouvrir les yeux : le mâle est réveillé. Il est debout au centre du corral. Il n'accorde pas un regard au cadavre de la femelle, à celui du petit. C'est à peine si sa tête bouge tandis qu'il observe la partie du corral en face de lui : la porte, à gauche de laquelle se tient Samuel, agrippé des deux mains au rebord de bois, la poitrine broyée d'un étau. Pourquoi pense-t-il qu'il le voit, ce mâle, qu'il le *regarde* ?

Un soupir étranglé fait le tour du corral : le mâle a pris le trot, puis le galop. Il tourne dans l'enclos à son tour, de plus en plus vite. Quelqu'un crie : « Où ils sont, ces fusils, bon Dieu ! ? »

Samuel se laisse glisser le long de la paroi ; les doigts brûlants d'échardes, il boule à terre, se précipite vers le système d'ouverture de la porte. Se retrouve face à Maura qui a déjà la main sur le poussoir, plaque sa main sur la sienne, entend la détente du piston, sent la porte s'ébranler.

Quelqu'un l'attrape par derrière, le secoue, une voix hystérique hurle : « Qu'est-ce que vous faites ? ! » Au moment où il se retourne en laissant son poing partir, il voit que c'est Starling, mais il ne retient pas son élan, accepte presque joyeusement la douleur qui explose dans sa main lorsqu'elle arrive au contact. Maura est près du mécanisme d'ouverture, un bout de planche dans les mains, tenant en respect un des biologistes qui n'a pas tellement l'air de vouloir insister. Samuel a envie de s'arc-bouter contre la porte, même s'il sait que cela ne la fera pas ouvrir plus vite, conscient du tonnerre des sabots qui se rapprochent...

Et soudain une grande forme brune et blanche se rue dans l'ouverture, au ras de la porte, il a juste le temps de voir passer le flanc rebondi au poil laineux brillant de sueur, de respirer une puissante odeur de musc et d'urine, et puis il se retourne pour voir la licorne s'éloigner au grand galop à travers le campement, et Colchak l'arme à l'épaule, qui ne tire pas, et qui ne tire pas, et il n'est plus temps de tirer, la licorne a disparu dans un repli de la savane.

2

Lorsque Simon est certain que ses larmes ne couleront pas, il rouvre les yeux en tournant la tête vers le hublot. Il regarde ses mains tavelées, il voit encore, il sent encore les mains de Samuel brûlantes d'échardes, il se sent encore dans le grand corps solide du jeune Samuel. Incroyable comme ce souvenir est intense et vivace après tout ce temps. Trente et un Ans. Cent vingt-quatre saisons. Cent quarante années terrestres, dirait Sven Ledellin – c'est vrai qu'en comptant ainsi, on profite mieux du sentiment de légitimité conféré par la durée. Mais Simon n'aime pas compter en années terrestres, et pas seulement parce qu'il est un Vieux-Colon descendant de trois générations de Vieux-Colons rétifs aux décisions administratives du gouvernement virginien et de la Terre. C'est plus court, un peu, en saisons. Il a une trop longue mémoire. Et ce n'est pas seulement la sienne.

Ce souvenir ne lui appartient pas. Il appartient à son père, Samuel Rossem. Son unique rencontre avec les licornes, loin de chez lui, alors qu'il s'était fâché avec son père à lui, Oswald, et s'était juré de ne jamais remettre les pieds dans le Nord. Samuel ne l'a jamais racontée à ses fils ; une terrible culpabilité a toujours été liée pour lui à cet incident. Pourtant c'est aussi le souvenir de sa rencontre avec celle qui deviendrait sa femme, leur mère, Maura Fergus, l'Irlandaise aux yeux clairs, ces yeux que Simon a vu toute sa vie dans des miroirs, qu'il peut deviner dans le plastex du hublot, ces yeux si pâles que certains, parfois, se précipitent avec sollicitude pour aider ce vieillard qu'ils croient aveugle.

Et Maura, la mère qu'il n'a jamais connue, et qu'il a vue pour la première fois dans ce souvenir de Samuel, Simon n'a jamais pu en parler avec son père. Même après l'île.

Simon a senti venir le mauvais temps. Certes, le temps n'existe pas de la même façon, rien n'existe de la même façon pour lui et pour les autres : ils parlent, et lui ne parle pas ; il n'y pense pas ainsi, bien entendu, il ne connaît pas le mot "parler", ni aucun autre. Il peut rire, il peut pleurer, il peut crier, mais les mots se sont toujours refusés à lui, ou lui à eux, ce n'est pas clair – même les mots par signes qu'on a essayé de lui apprendre comme aux sourds. Il n'est pas sourd. Il n'est pas stupide. Il se souvient très bien de ce qu'on lui montre une fois, objets, actions, il est capable de faire ce qu'on lui demande : il sent toujours ce qu'on désire de lui. Les sons émis par les bouches n'en ont jamais été qu'un aspect très secondaire.

Et il a senti venir le mauvais temps. Ce mauvais temps est revenu déjà trois fois au moins, à de très longs intervalles réguliers – Simon ne connaît pas non plus le mot "anniversaire", il ne distingue pas "jour, Mois, saison, Année", mais les alternances de la lumière et de l'obscurité, les mille nuances exactes de leurs transfusions réciproques, les lentes métamorphoses de la forêt, du lac et des prairies qui le bordent, des arbres et des plantes sur la terrasse de la maison. Et les transformations invisibles aux yeux mais pour lui intensément présentes, vivantes, multicolores, des paysages qui sont à la fois en lui et hors de lui, les seules réalités constantes de son univers auxquelles il a consenti à associer des sons, même s'il ne les prononce jamais.

Il y a *Caleb*, aux couleurs rousses et orange et brunes et bleu-vert de la forêt et des prairies quand la lumière s'éteint plus tôt, quand les feuilles jonchent les chemins : c'est le temps où Caleb est le plus heureux, il s'en va pendant longtemps, très loin, avec ses chiens, et il revient juste avant la neige, quelquefois avec des peaux d'animaux morts, mais pas toujours.

Il y a *Joseph*, qui vient de reparaître, il avait été parti longtemps ; le paysage de Joseph n'est pas très plaisant, gris, noir et blanc, avec beaucoup de choses dures partout, qui font mal ; mais il y a encore un peu de l'ancien Joseph au travers, celui que Simon se rappelle d'avant son absence, un Joseph aux couleurs mouvantes, comme les pierres qu'ils allaient chercher ensemble dans la forêt lorsque la lumière était neuve et durait de plus en plus longtemps : on les tient dans sa main, ou on les met sur le poêle, et elles glissent de couleur en couleur, lentement.

Il y a *Abraham*, le paysage préféré de Simon, ciel et eau, terre et herbe, toujours calme et paisible : Abraham, c'est le lac tout lisse après la disparition du soleil, parfois, quand la lumière orange du ciel s'attarde en faisant sembler de refléter la couleur de l'eau ; Abraham, c'est quand la neige est dehors et qu'il fait chaud dedans, le pain quand on a faim, le lit quand on a sommeil. S'il n'y avait Abraham, le mauvais temps serait trop douloureux, Simon ne pourrait pas le supporter.

Car il y a *Samuel*. Avec Samuel, c'est presque comme s'il faisait toujours mauvais temps, un orage en perpétuelle rumination, la lumière qui s'alourdit, des bourrasques de vent froid. Au mieux, Samuel, c'est la forêt silencieuse sous la neige, quand tout ce qui ne bouge pas est mort, ou endormi.

Et quand le mauvais temps arrive pour de bon, avec les bourgeons et l'herbe nouvelle, Simon ne veut pas se trouver dans le paysage de Samuel, ni dehors ni dedans. Joseph aussi s'est retiré plus loin dans son propre paysage un peu plus triste, un peu plus dur – Joseph qui ressemble autant à Samuel au-dedans que Caleb lui ressemble au-dehors. Seul Abraham n'a pas changé, ou bien il est encore plus Abraham que d'habitude, comme s'il voulait compenser tout ce noir par sa lumière, alléger les gros nuages qui grondent en se rapprochant.

Caleb non plus ne veut pas rester là même s'il ignore pourquoi il décide d'aller trapper à ce moment-là – Simon l'a senti partir dans la forêt avec ses chiens, de plus en plus léger à mesure qu'il s'éloignait de la maison. En réalité, Caleb n'y va pas si souvent, dans la forêt – c'est pour cela qu'il est si heureux chaque fois qu'il s'y enfuit ; comme Abraham et Samuel, et Joseph maintenant qu'il est revenu, il doit travailler à la ferme, s'occuper des animaux, entretenir le potager, bricoler dans la maison, pêcher dans le lac. Simon n'a pas autant de tâches : il aide quand on le lui demande, et on le lui demande quand il est là ; alors, il s'arrange pour ne pas être trop là. Ce n'est pas qu'il n'aime pas travailler ; mais vivre avec tous ces paysages qui se bousculent en lui, et surtout l'orage toujours grondant de Samuel, c'est trop dur. Simon se sent mieux dans la forêt, quand le seul paysage est celui des arbres et des buissons, des herbes, des fleurs, des rochers, avec les petites touches affairées des animaux ici et là, qu'il ne dérange pas et qui ne le dérangent pas.

Parfois, pourtant, la forêt le dérange : quand elle l'appelle. Il est à la maison, plus souvent il se trouve déjà dehors, mais c'est pareil : la forêt l'appelle, et il doit y aller. Il ne sait jamais où. Il comprend ce qui arrive parce qu'il a mal tout d'un coup, un peu comme une lancinante rage de dents – mais la douleur s'efface à mesure qu'il approche de l'endroit où la forêt l'attend. Il arrive et... il ne se rappelle jamais rien, sinon sa propre curiosité toujours frustrée qui n'a pas le temps de se transformer en crainte. Il y a une sorte de souffle, et un trou noir, et puis plus rien. Après, il se réveille couché dans l'herbe ou dans les feuilles mortes, jamais exactement au même endroit, et la lumière n'est plus la même : il a dormi longtemps. En revenant à la maison, il sent comme tout le monde est inquiet, et quand ils le voient, ils sont tous contents et soulagés, même Samuel. Deux ou trois fois, il s'est réveillé à la maison, dans sa chambre, avec Caleb, Abraham et Samuel autour ; ils l'avaient trouvé endormi dans la forêt et ils étaient inquiets parce qu'il ne se réveillait pas.

Il ne sait pas pourquoi la forêt l'endort. Ça ne lui fait pas peur, mais il n'est pas sûr d'aimer ça.

Ce mauvais temps-ci est différent. Caleb est parti plus tôt, Joseph est parti plus loin ; la lumière d'Abraham est si forte que Simon ne sait plus si elle le réchauffe ou le brûle, même s'il ne peut s'empêcher de la suivre partout, comme un phalène. Samuel... Samuel est parti au lever du soleil, mais quand il reviendra, tout à l'heure, oh, le nuage sera plus sombre et plus grondant que jamais. Pourtant, Simon ne veut pas se sauver dans la forêt. Simon a peur d'aller dans la forêt aujourd'hui. Simon a peur même dans la maison, même dans le sillage d'Abraham. À travers la brume qui ne s'est pas totalement dissipée avec le soleil, la maison, la forêt immobile, le lac aux reflets étouffés, le ciel presque invisible sont comme une boîte, et quelque chose se trouve à l'extérieur, autour, partout, qui pousse, qui pousse, et les parois s'incurvent, les parois fléchissent, les parois vont sauter sous la pression, il n'y aura plus nulle part où se cacher. Simon ne savait pas qu'il se cachait. Mais il sent – comment, pourquoi ? – qu'il ne peut pas éviter ce qui s'en vient. Alors, résigné, il suit Abraham, il le touche à la dérobée chaque fois qu'il le peut, parce qu'Abraham a toujours été son refuge, même s'il soupçonne que cette fois Abraham ne pourra pas le protéger.

Abraham se trouve dans la cuisine ; il a demandé à Simon de l'aider à éplucher des pommes de terre. Joseph s'est levé tard, il prépare son petit déjeuner. Samuel revient, il est sur la route, dans la cour, dans le couloir – Simon peut sentir la tempête approcher et il se recroqueville en poussant un petit gémissement. Les deux autres le regardent d'un air étonné. En entrant dans la cuisine, Samuel passe à côté de la chaise de Simon.

Simon suffoque. Il n'y a pas d'air à respirer pour lui dans l'ouragan de Samuel. Il se dresse d'un mouvement convulsif en renversant sa chaise, essaie de retrouver son équilibre, se prend les pieds dans le panier de pommes de terre, s'étale de tout son long, le souffle broyé, le cœur qui explose.

Les mains de Samuel se referment sur ses bras, le tirent brutalement debout. Le nuage de Samuel l'enveloppe, la haine et l'amour et la souffrance et la culpabilité de Samuel, autant de nœuds qui se resserrent, qui veulent l'étrangler, *tu devrais être mort, je devrais être mort, elle serait vivante*, les parois ont volé en éclats, l'avalanche roule sur Simon, il voit Samuel maintenant, le paysage qui est Samuel, qui est son père, et il comprend, il comprend, les mots sont là dans sa tête, ils ont toujours été là mais il ne le savait pas, et maintenant ils sont réveillés, et il sait ce qu'ils veulent dire : *elle est morte, il voudrait être mort, il voudrait que je sois mort*.

Ça fait mal, bien plus mal que l'appel de la forêt. Pourtant, avec la douleur, avec la culpabilité qui est maintenant la sienne parce qu'il sait, parce qu'il comprend, parce qu'il a tué sa mère en naissant, Simon, pour la première fois, éprouve un sentiment inconnu dont la violence l'effraie mais aussi, étrangement, le soutient. *Ce n'est pas vrai, ce n'était pas ma faute, je ne suis pas mort, je ne veux pas être mort, tu n'as pas le droit de me faire mal !* Pas un son. Il a crié de toutes ses forces, pourtant. Pas un son, mais Samuel recule en portant les mains à sa tête, les traits contractés.

Et brusquement, l'ouragan qui est Samuel a perdu tout pouvoir sur Simon, qui bondit vers la porte, et le couloir, et la cour.

Il ne sait pas où il va, seulement qu'il est libre et qu'il a mal. Il n'est pas encore sorti de la cour qu'il a perçu l'appel. Ça ne vient pas de la forêt, cette fois. Ça fait encore mal, mais il n'y a plus de place en Simon pour davantage de douleur : sa colère, son désespoir, l'occupent tout entier, le protègent.

Presque. Une graine de curiosité a germé en lui, peut-être un autre aspect de la colère salvatrice, mais elle croît, elle oriente sa course vers le lac et la rive, et la petite barque qu'il pousse à l'eau. Il saute dans l'embarcation et, en trois ou quatre coups de rames vigoureux, il s'éloigne, face à la berge. Vers l'île d'où provient l'appel. Vers l'île où il n'a absolument pas le droit d'aller, l'île et sa Barrière qui tue, mais pourquoi l'appel viendrait-il de l'île si elle devait le tuer ?

Et qu'est-ce que ça peut faire, puisqu'il devrait être mort ?

Samuel et Joseph ont sauté dans l'autre barque, la plus grande, ils filent derrière lui, plus vite que lui avec leurs deux paires de rames. S'il voulait, il saurait ce qu'ils ressentent, ce qu'ils pensent, mais il lui suffit de ne pas vouloir et il ne perçoit rien. Ils pourraient aussi bien ne pas être là. Juste deux marionnettes, tirant sur des rames.

Les écharpes de brume se lèvent, des éclats sourds chatoient sur le lac. Simon regarde par-dessus son épaule : la Barrière n'est pas aussi diaphane que d'habitude, des reflets métalliques courent dans ses teintes d'arc-en-ciel ; elle se perd dans le ciel, à mesure qu'elle se rapproche elle est le ciel lui-même. Est-ce son appel qui résonne en Simon ? Comme une attente vibrante, une impatience difficilement maîtrisée, quelqu'un qui voudrait parler mais se retient...

Il a ralenti sans s'en rendre compte : l'autre barque l'a presque rejoint. Samuel lâche ses rames, se lève pour attraper le plat-bord de la barque de Simon... La colère et la crainte se réveillent en Simon en même temps qu'il pèse à nouveau sur ses rames, et Samuel s'affaisse brusquement. Joseph cesse de ramer, se penche vers lui, mais il se relève en secouant la tête d'un air un peu hébété, reprend ses rames avec des gestes maladroits.

Simon ne veut plus les regarder. D'ailleurs, sa barque est entrée dans les remous écumeux du courant qui encercle l'île, elle tourne et il lève machinalement une rame pour aider le mouvement. À présent, la tête renversée en arrière, il contemple la Barrière miroitante qui se rapproche à toute allure ; la peau de son visage, ses doigts, tout son corps fourmillent d'une énergie invisible, et pourtant il n'a pas peur. Le nez de la barque entre dans la Barrière...

Comme deux mains qui claquent sur lui. Des mâchoires qui se referment, et il est dedans. Plus de temps, ou bien une éternité brûlante, aveuglante, qui lui crève les tympans et l'éparpille sans pitié. Plus d'espace, ou bien son corps est partout, retourné comme un gant et dispersé en millions de molécules hurlantes où la douleur commence pourtant à s'éteindre, et avec elle la conscience...

Mais dans le non-espace, dans le non-temps, loin, tout au fond, un éclat minuscule palpite encore et Simon qui n'est presque plus Simon rampe vers lui, obstinément, et quand il est assez près il voit que c'est un éclat de colère, ou de curiosité, peut-être aussi un souvenir, il ne sait de quoi, mais un souvenir de lumière. Il se love autour de cette poussière d'existence et il peut respirer à nouveau. Il respire, et la graine de lumière s'en nourrit, se gonfle en désir de vivre, en volonté, en droit de vivre. Il respire plus à fond et le fruit de lumière dont il est à présent le cœur s'arrondit en bouclier autour de lui, repoussant les mains implacables qui s'écartent, desserrant les mâchoires meurtrières, et Simon respire, et Simon est vivant, et Simon roule à nouveau dans l'espace et le temps.

Ses souvenirs de l'île, ensuite, ne sont pas les siens. Ils appartiennent à Samuel et à Joseph. Ils ne forment pas un récit continu ; c'est comme si son père et son frère avaient été de l'eau et que, oiseau plongeur, il les avait effleurés à intervalles irréguliers, sans vraiment le désirer, en mouillant ses plumes de sensations et de perceptions disparates impossibles à replacer dans un ordre logique, ou même à attribuer précisément, parfois, à l'un ou à l'autre. Mais ces souvenirs de l'île n'ont pas la même saveur, la même profondeur, la même charge de réalité que leurs autres souvenirs où il s'est également baigné par moments, sans le vouloir non plus, ceux de leur existence passée – les licornes de Samuel, ou l'après-midi où Joseph rentré trop tôt a trouvé sa femme dans leur lit avec un autre homme. Ils ont souvent un aspect étrange, ces souvenirs de l'île, comme une image légèrement décalée, non pas brouillée mais double – et la deuxième image ne correspond pas à la première.

Après avoir débarqué sur la plage de sable rose, ils voient le dos de Simon disparaître dans la pente, entre les arbres, et courent derrière lui en l'appelant, en vain. Ils le perdent presque dans la forêt. Dans leur souvenir, c'est une forêt de racalous et d'arbres-rois très anciens, qui ressemble à un parc trop bien entretenu : pas de branches mortes, pas de parfums de feuilles moisies ; entre les arbres, l'herbe égale est d'un jaune frais et printanier ; des tremblements lumineux courent entre les troncs, une vie invisible bouge et chuchote autour d'eux. Mais dans l'autre image, plus pâle, au travers de leur souvenir, c'est la même forêt que sur les bords du lac : un silence total, le silence habituel des forêts autour des humains qui s'y aventurent, quelques arbres-rois et des racalous au ras de la plage, mais ensuite surtout des résineux en rangs serrés, des buissons denses, un sous-bois presque impénétrable où il faut se battre pour avancer. Et Simon n'est nulle part.

À un autre moment, ils se trouvent, toujours sans Simon, au milieu d'un labyrinthe circulaire d'énormes rochers dorés, sculptés de motifs impossibles à bien distinguer : quand on les regarde, ils fluent comme du mercure ; il faut les regarder du coin de l'œil, et alors on voit presque des silhouettes humanoïdes, des animaux, des villes, et des globes lumineux qui flottent dans un ciel, ou un océan de bleu.

Mais en même temps, Samuel et Joseph se tiennent au pied d'une grande colline trop régulière, couronnée par un vaste édifice hémisphérique. Il pleut. Ils ont marché longtemps, ils ont faim, ils sont très fatigués. Sur les pentes, convergeant vers l'édifice, des lignes serrées de blocs cristallins disposés en cercles concentriques, des rectangles aux arêtes coupées en biseau, tous de la même taille, où s'accrochent des reflets lisses. Dans les blocs, visibles à travers le matériau bleu translucide, reposent des corps nus à la peau brune, bistre ou dorée, des hommes, des femmes, des enfants, des Anciens de tous âges. Les mains posées sur la poitrine, les yeux ouverts – les yeux de chat des Anciens, à la pupille verticale –, ils semblent dormir. Plusieurs portent des traces de blessures, soigneusement refermées.

Samuel et Joseph trouvent Simon couché en chien de fusil au pied d'un grand pylône, sur une place ronde, au centre du labyrinthe formé par les rochers dorés aux sculptures réticentes. Ils courent vers lui, mais rencontrent une résistance élastique qu'il leur faut combattre pied à pied. Un battement sourd leur pulse aux tempes. Avec des gestes lents de nageurs, ils arrivent enfin près de lui, le retournent sur le dos. Il est très pâle, les yeux fixes, mais un pouls presque imperceptible bat au creux de sa gorge. Joseph le prend dans ses bras, s'éloigne avec Samuel. Ils trébuchent en même temps quand la force invisible disparaît.

Pas de double exposition pour cette image. Pourtant l'image suivante a l'air plus solide, plus colorée, plus réelle : le dos de Samuel, à la chemise plaquée par la sueur sur des muscles au travail. Joseph rame en rythme, les yeux fixés sur cette tache de sueur et au-delà, encadrant les épaules de Samuel, sur la plage rose de l'île qui s'éloigne. Simon est étendu entre eux dans le fond de la barque. Il n'a pas repris conscience. La brume a complètement disparu, le ciel est d'un bleu frais et pâle au-dessus des eaux orangées du lac.

Et soudain la plage et l'île disparaissent derrière le mur phosphorescent de la Barrière réapparue. Joseph et Samuel sont secoués d'un violent frisson et laissent un moment flotter leurs rames, saisis de vertige, un grand vide dans l'estomac. Ils se remettent en hâte à ramer – heureusement, ils sont déjà loin du courant – mais avec des gestes maladroits, affaiblis. Ensemble ils se demandent à haute voix : « Quelle heure est-il ? » et ensemble ils se répondent du même haussement d'épaules incertain.

Plus tard, ils trouveront Abraham endormi les yeux grands ouverts devant les pommes de terre noircies, et ils se rendront compte que trois jours ont passé. Caleb arrivera du Nord affolé, certain que "quelque chose est arrivé à la ferme". Et plus tard encore Simon se réveillera sous les yeux de Joseph en train de le veiller, il dira « Joseph ? », il dira « Qu'est-ce qui m'est arrivé ? », et sa vie, leur vie à tous aura en cet instant changé pour toujours.

Mais Simon ne s'y attarde pas, à ce retour de l'île, à son réveil, à ce qui a suivi ; ces souvenirs-là sont d'une autre nature, pris depuis trop longtemps dans un filet trop serré de causes et de conséquences, dans la logique amoncelée des actions qui ont fini par constituer sa vie. Ce sont des souvenirs normaux, en quelque sorte. Non, c'est à l'île qu'il revient toujours quand il évoque ce moment de sa seconde naissance, à ces étranges souvenirs au carré.

Et à cet autre souvenir dont il s'est longtemps demandé à qui il appartenait réellement, d'où il lui était venu.

Un visage. Un simple visage. Un homme, un humain, plutôt jeune malgré les cheveux mi-longs d'un beau gris argenté. Seulement un visage, en fait, qui flotte sans corps, sans décor. Une longue face brune aux traits vaguement barbares – front droit, nez fort, menton, mâchoire bien marqués –, en contraste une bouche sensuelle au dessin ironique et, sous les sourcils noirs et fournis, de grands yeux intensément verts au regard peut-être curieux, peut-être étonné, peut-être calculateur.

Peut-être. Simon n'en sait rien. C'était là l'étrangeté du souvenir, qu'il fût si net, si précis – après vingt-trois

Années Simon pourrait encore dessiner ce visage ; il l'a
d'ailleurs fait pour glisser à plusieurs reprises la requête
dans les banques de données gouvernementales, sans
succès – mais qu'en soit en même temps absent ce
paysage qu'il a toujours associé aux autres humains,
avant même d'avoir des mots pour mieux décrire le
phénomène : sensations, perceptions, émotions, sentiments, l'incessante activité subliminale de la conscience
émergeant du corps pour s'informer au langage du
monde, y replongeant pour aller explorer la mémoire.

D'une certaine façon, le visage de cet inconnu est
plus encore une *image* que toutes celles de l'île, auxquelles les émotions ressenties par Samuel et Joseph
confèrent au moins pour Simon un certain relief. Cet
homme n'a jamais rien évoqué pour eux quand Simon le
leur a décrit, le leur a dessiné : ils n'avaient rien vu de tel
dans l'île. Et rien n'indiquait non plus à Simon que cette
image lui vînt de l'île – sinon qu'il ne s'était jamais rappelé ce visage avant d'en être revenu. Pendant toute sa
vie, pendant toute une vie, c'est demeuré pour lui une
énigme.

Ce n'en est pas moins une maintenant, à vrai dire,
même s'il sait désormais où il a déjà vu l'inconnu.

L'Anse-aux-Belles. Personne ne sait qui a ainsi nommé cette baie située à l'extrémité du cap, le point le plus
proche de l'île. Le cap et l'île, tous les deux "d'Aguay",
on sait : le malheureux biologiste responsable de l'équipe
d'exploration portait ce nom, au tout début de la colonisation – il est mort le cerveau grillé par la Barrière, avec
deux de ses collègues, mais lui, le courant a rendu son
cadavre. "L'Anse-aux-Belles", cependant... Le nom se
trouvait déjà sur la carte lorsque le premier Rossem,
Réginald, est venu s'installer au cap. Sur les rives de
l'anse, au printemps, poussent en buissons de grandes
fleurs à la corolle en cloche, d'un bleu violacé, où les
sonnettes viennent inlassablement puiser du nectar pendant l'unique semaine de leur floraison. Elles ressemblent
à des jacinthes, "bluebells" en anglam. D'après Oswald
Rossem, c'est sans doute l'origine du mot. Mais quand
Samuel a amené Maura pour la première fois dans

l'anse, il a évoqué des fantômes d'Anciennes éplorées hantant les brumes du lac. Maura lui a adressé un regard à la fois amusé et surpris : Samuel, son raisonnable Samuel, préférait comme hypothèse des spectres à la botanique ? « On se racontait des histoires, quand on était petits, Éliane et moi. » Il a presque rougi et elle l'a embrassé, attendrie, heureuse aussi qu'il ait évoqué ainsi la sœur tragiquement morte dont le nom n'est jamais prononcé à la maison.

Peu importe l'origine du nom de l'anse. Dès qu'elle a vu l'endroit, Maura a su que ce serait le but de ses promenades, son lieu de prédilection, son refuge. C'est un décor austère, pourtant ; comme le cap Middledom sur la rive d'en face, le cap d'Aguay étrangle le lac Mandarine sur l'île presque jusqu'à le refermer en deux bassins distincts : on n'y voit pas s'ouvrir devant soi, comme ailleurs sur le pourtour du lac, un espace quasiment maritime à l'horizon sans limites. Au contraire, l'eau orangée du lac est presque immédiatement occultée par le mur tout proche de la Barrière qui se perd dans le ciel et s'étend à perte de vue, horizontale et verticale élémentaires reprises comme en leitmotiv par l'anse elle-même, une crique étroite et profonde entourée de berges abruptes, et par les arbres dressés sur ces berges : des sapins zébrés étendant leurs branches d'un vert sombre, presque noir, en alternance avec leurs branches albinos, les saules-rouille dont les longues branches aux minuscules feuilles rouge sombre retombent comme une pluie autour de leur haut tronc moucheté. Seules les fausses jacinthes bleues et l'éclatante herbe jaune du Printemps peuvent alléger le décor, mais on est en Été, et même à la fin de l'Été, les fleurs sont en graines, l'herbe tourne au bleu turquoise...

Maura s'assied sur son rocher favori, une pierre plate au pied du pylône qui se dresse, énigmatique relique des Anciens, à l'extrémité nord de l'anse. Elle s'adosse au métal tiède et observe un instant le halo complexe du soleil dans le ciel toujours un peu brumeux, anneau et croix, avec les fragments d'arc-en-ciel aux points d'intersection, à peine visibles aujourd'hui. Puis elle renverse la tête en arrière et suit des yeux la courbe du pylône qui s'effile jusqu'à la sphère plantée à son sommet, elle aussi de métal, et elle aussi presque intacte malgré les siècles. C'est la première phase du rituel. Ensuite, Maura ferme les yeux, elle s'imagine qu'elle flotte dans un œuf translucide, au repos, parfaitement détendue ; elle essaie de se visualiser complètement ainsi, puis de sentir à la surface de sa peau la pression des limites invisibles mais élastiques de l'œuf. Quand elle a ainsi réussi à matérialiser l'œuf dans sa conscience, elle imagine chaque souffle comme une traînée de lumière, qui pénètre bleue dans son corps, en fait le tour puis en ressort diversement teintée de mauve, emportant tous les soucis, toutes les peines, toutes les colères. Quand l'œuf est entièrement mauve – ou violet foncé, ou pourpre, selon les jours – elle ouvre les bras, les doigts tendus, et fait ainsi exploser la membrane, dispersant toutes ses émotions négatives.

C'est un rituel qu'elle observe depuis sa toute petite enfance – sa mère le lui a enseigné, qui le tenait de sa grand-mère et ainsi de suite : apparemment, toutes les femmes de la lignée ont un caractère explosif qui a besoin d'être contrôlé ! C'est un exercice mental efficace, en tout cas, peu importe l'imagerie, et Maura ne l'a pas abandonné en vieillissant. Si elle a des filles, elle le leur apprendra : entre ses gènes et ceux de Samuel, les pauvres petites ne seront sûrement pas du genre placide ! Des garçons non plus d'ailleurs, à en juger par les rapports entre Samuel et son père.

Maura soupire. Elle vient encore de servir d'arbitre, ou plutôt de tampon, entre Samuel et Oswald. Un Mois seulement qu'ils sont arrivés du Sud, elle et Samuel, et Samuel avait quitté la maison familiale depuis plus de quatre saisons, mais son père et lui semblent reprendre leurs querelles exactement là où ils les avaient laissées. Ils s'aiment tant, et si mal. Heureusement qu'elle est là, maintenant. Elle n'est pas sûre de vraiment vouloir se couler trop souvent dans le rôle pacificateur d'Éliane la disparue, pourtant – de toute évidence c'est la place que lui a dévolue Oswald dans son paysage intérieur dès qu'elle est arrivée. Ça ne la dérange pas qu'Oswald la traite comme sa fille – après tout, elle est l'épouse de son fils. Il ne faudrait pas que Samuel s'avise de trop la traiter comme une sœur, cependant !

Pour l'instant, le danger semble écarté. Elle sourit involontairement en se rappelant leur nuit précédente, rouvre les yeux...

Et se rend compte, avec un violent sursaut, qu'elle n'est pas seule.

Un homme se tient à quelques pas, très grand, très mince, la peau très brune, vêtu d'une combinaison ordinaire de travail, d'un gris neutre. Il a l'air jeune, malgré les épais cheveux gris argentés que la brise lui fait voler dans la figure. Il se tient debout de profil, en appui sur une jambe, les mains croisées dans le dos ; il regarde la Barrière, sans doute. Il doit être là depuis un moment. Maura ne l'a pas entendu arriver. Sur l'épais tapis de mousses et d'herbes, c'est assez facile de la surprendre – mais elle ne l'a pas non plus senti arriver ; or elle sait toujours quand quelqu'un s'approche d'elle à moins de deux mètres – si elle ignore comment elle le sait.

Le brusque mouvement de Maura n'a pas interrompu la contemplation de l'inconnu. Rien de menaçant dans sa pose décontractée. Il ne porte aucune arme visible... Maura se reprend intérieurement : elle n'est plus dans le Sud, à la frontière ! Cette région du lac Mandarine est peuplée depuis longtemps, bien que la population du cap d'Aguay soit fort clairsemée. Et la pointe du cap est un but naturel de promenade – ce n'est pas comme si elle avait planté un écriteau sur le chemin, "Propriété Privée de Maura Fergus-Rossem" !

Elle s'adosse donc de nouveau au pylône, repousse son malaise à l'arrière-plan, laisse son regard se perdre dans la Barrière.

« Vous n'êtes pas d'ici », dit l'inconnu. Sa voix est grave, bien modulée ; il y vibre une note amusée... Maura tourne la tête pour vérifier, et oui, l'inconnu la regarde en souriant un peu. Une longue face aux traits nets, des sourcils noirs, des yeux d'un vert inhabituel, très intense, sans doute des lentilles cornéennes.

« Je suis arrivée depuis un Mois.

— Et vous venez de loin ?

— Du Sud. »

L'inconnu la dévisage avec un intérêt méditatif – du moins est-ce ainsi qu'elle interpréterait la nouvelle configuration de ses traits, maintenant que le sourire s'en est effacé. Agacée, elle note qu'elle s'en remet décidément trop à son "sixième sens" avec les gens : quand ça ne marche pas, comme avec ce type, elle se trouve presque désemparée !

Il répète : « Du Sud. Quel côté ?

— Joristown.

L'homme hoche la tête et regarde de nouveau la Barrière.

« Et vous ? »

Il répond avec un certain retard, comme s'il avait été distrait : « Moi ? Oh, j'habite par ici. C'est beau, n'est-ce pas ?

— La Barrière ? Oui.

— Je voulais dire le lac. Mais la Barrière aussi, je suppose. » Une petite pause, puis : « Comment la voyez-vous ? »

Maura se tourne vers lui, surprise, et l'inconnu enchaîne : « Tout le monde ne la voit pas exactement de la même façon, vous savez. »

Non, elle ne savait pas. La "Barrière" est une illusion d'optique, créée par le rayonnement bêta naturel qui émane de l'île en partie formée par les débris d'un météorite vieux de deux millions et demi d'Années – une radioactivité heureusement à courte portée. Pas trente-six façons différentes de la percevoir. Mais tout le monde n'est pas doté exactement du même appareil visuel, c'est vrai. Maura examine la Barrière un moment.

« Comme un rideau de brume, un peu incurvé, vaguement lumineux, vaguement verdâtre. » En réalité, elle ne le voit pas vraiment ainsi, mais elle sait que la nuit, la Barrière est phosphorescente ; en plein jour, non. Dans un sursaut d'honnêteté, elle plisse les yeux : curieux, plus on regarde, plus on distingue des détails. « Il y a des espèces de chatoiements. Et ça bouge lentement, comme de la fumée... Non, en fait, c'est comme voir de la fumée vaguement colorée au fond d'un miroir. »

Elle se redresse, surprise : elle n'avait jamais remarqué cet effet de reflets mouvants dans la Barrière. Elle se tourne vers l'inconnu, qui la regarde maintenant d'un air... curieux? étonné? calculateur?

« Vous ne la voyez pas comme ça? » demande-t-elle, curieuse à son tour.

Il sourit, avec un léger retard : « Si, si... Vous êtes mariée? »

Le changement de sujet la laisse un moment interloquée, puis elle se met à rire : « Oui. Quel rapport?

— À quelqu'un de la région?

— Samuel Rossem. »

L'inconnu hoche la tête d'un air appréciateur: le nom des Rossem est très connu sur toute la rive est du lac.

« Des enfants?

— Pas encore », rétorque-t-elle, au bord de l'agacement maintenant – on se calme, Maura. « Mais quel rapport?

— Oh, c'est juste que ça varie parfois un peu selon les familles. La façon dont on voit la Barrière. Normal, je suppose. » Il a un grand sourire : « Vos enfants la verront comme vous, sans doute. »

Et il se retourne vers le lac, le sujet étant visiblement clos. Maura s'adosse de nouveau au pylône. Au bout d'un moment, elle jette un coup d'œil vers l'inconnu. Il n'est plus là. Elle ne l'a pas non plus senti partir.

Elle se retient de hausser les épaules, soupire, ferme les yeux, cherche à nouveau les limites de son œuf mental. Elle y réussit trop bien : elle doit s'endormir sans s'en rendre compte, et longtemps, au moins cinq heures, car lorsqu'elle ouvre les yeux, le soleil commence à se coucher. Ils doivent se demander où elle est passée, à la maison! Elle se lève, se frotte le cou avec une grimace, donne une petite tape amicale au pylône, et s'en va, après un dernier regard à la Barrière qui commence à briller sur le lac obscurci.

Mais Simon n'a jamais pu parler de ce souvenir de Maura à son père, à ses frères. Ni du souvenir qui lui est enfin revenu de sa propre rencontre avec l'homme en gris, au même endroit. Il devait avoir huit saisons – facile à retrouver : ses fugues et ses comas à répétition dans la forêt datent de cette époque. Il se promenait de son propre chef, ce jour-là. Il aimait s'asseoir contre le pylône de l'anse parce que la grande colonne incurvée vibrait doucement dans son dos, comme un grand animal ronronnant ; c'était encore mieux quand il retirait sa chemise et se collait au métal, les bras en croix, la joue appuyée contre la courbe tiède. Il était ainsi, la tête tournée vers la Barrière et les reflets vitreux qui se tordaient dans sa fumée, quand l'homme en gris était apparu tout d'un coup dans son champ de vision – il ne l'avait pas senti venir. L'inconnu n'avait rien dit, mais dans les yeux verts, alors qu'il dévisageait Simon, ce même regard étonné, ou curieux, ou calculateur...

Après, il y avait eu l'impression d'un grand souffle, une aura de curiosité et juste avant la crainte, le trou noir, dont il s'était réveillé bien plus tard ce jour-là, toujours au bord de l'anse. Et dans les Mois qui avaient suivi, il avait commencé à ressentir jusqu'au fond de ses os l'appel douloureux de la forêt, à y répondre, et à s'endormir n'importe où pendant des heures quand elle en avait fini avec lui.

Mais il n'avait aucun souvenir de Maura, alors. Et quand ce souvenir est revenu, avec son propre souvenir de l'homme gris, il n'a pas pu en parler à son père, à ses frères. Samuel était mort depuis cinquante-deux saisons ; Joseph et Abraham, à trois Mois d'intervalle, depuis trente-deux. Même Caleb, né à peine une Année avant Simon, était mort bien avant son temps. Tous avant leur temps, moins de vingt Années. On vit pourtant couramment de cent à cent vingt saisons, sur Virginia, et en bon état si on prend soin de soi.

À vrai dire, ni les uns ni les autres n'ont tellement pris soin d'eux-mêmes, pendant les Années passées sur les routes. Et Simon encore moins. Pourtant, ils sont tous partis avant lui, il les a tous perdus les uns après les autres, et il n'a jamais pu leur parler de l'homme gris dans son souvenir de l'Anse-aux-Belles, ou dans celui de Maura.

De toute façon, même s'ils avaient vécu plus longtemps, il n'aurait pas pu leur en parler : ces souvenirs, l'homme gris de Maura et le sien, ne lui sont revenus qu'après sa propre mort, et sa résurrection.

3

C'est le second événement central de sa vie, avec l'île, et trente-quatre saisons après il ne s'en rappelle rien, encore moins que de l'île. Il n'y avait personne avec lui pour les partager, cette mort et cette résurrection : pas d'autres souvenirs dans d'autres esprits que le sien.

C'est très simple, d'un dépouillement exaspérant : il avait dix-neuf Années, soixante-seize saisons. Encore bien portant, toutes ses dents, mais ralenti, fatigué à mourir, comme on dit – autant dans son corps que dans son esprit. Il s'est endormi en milieu d'après-midi, bien après la méridienne, en sachant qu'il mourait. Cela, il s'en souvient : cette sensation d'engourdissement, mais aussi d'engloutissement, de plongée dans un puits sans fond qui s'assombrissait à une vitesse vertigineuse. Et cette pensée fugace qui l'a traversé, juste avant le néant : *la mort, c'est comme dans la forêt.*

Il se réveille. Deux jours plus tard. Quand il se lève, il ne se rend pas tout de suite compte qu'il voit parfaitement clair sans ses lunettes, qu'il marche sans boiter. Il s'immobilise brusquement au milieu de la chambre : les douleurs devenues familières, ces horloges de l'âge, ont totalement disparu – les genoux, les reins : impeccables ; la hanche droite, l'épaule gauche, jamais bien remises après l'accident de voiture qui a coûté la vie à Caleb : comme neuves.

Mais quand il se regarde dans son miroir, incrédule, au bord de l'affolement, il y retrouve son visage de vieillard, ses rides, ses cheveux blancs.

Il vit seul et retiré dans un faubourg de Haute-Morgorod – heureusement : personne ne s'est étonné de son absence. Sa première idée, c'est qu'il n'est pas mort – puisqu'il s'est *réveillé*. C'est plutôt... mais oui, comme un de ces comas de son enfance et de son adolescence – qui ont totalement cessé après l'île. Au fil des Années, il a presque réussi à s'expliquer ces crises : le docteur Leplée avait raison, ce devait être une variété d'épilepsie, même si les quelques tests autorisés par Samuel n'avaient jamais rien révélé de tel. Cette aura de crainte et de curiosité, ce sentiment d'une présence, juste avant le trou noir... Une variété bizarre d'épilepsie. Quelle autre explication aurait-il bien pu y avoir ?

Après avoir pensé la chose raisonnable, il fait la chose raisonnable : il va consulter un médecin. Pas dans une clinique officielle, quand même. Mais dans la partie officiellement inhabitée de la ville ancienne non raccordée au réseau gazélec, là où dérive et s'accumule l'écume de la société virginienne ; "Hors-le-Mur", même si le mur qui la sépare du reste des quartiers habités est maintenant plus symbolique qu'autre chose.

« Monsieur... Oleg Oroumov. Que puis-je pour vous ?
— Je suis de passage dans la région, et j'ai eu un vertige assez grave, hier... »

Il sent l'attention lasse du jeune médecin se teinter d'une perplexité encore subliminale et se maudit intérieurement : il n'a pas songé à déguiser sa voix, et ce n'est vraiment plus celle d'un vieillard. Il pourrait la modifier progressivement tandis qu'il passe en revue avec le médecin une liste de symptômes éventuels, tout en s'assurant que le jeune homme ne le remarquera pas, mais il y renonce : il devine ce qui s'en vient et regrette déjà sa démarche.

Dès les premiers examens, l'aura du médecin se fait de plus en plus intriguée. Cœur, poumons, tension artérielle, « mais vous avez l'air en pleine forme, Monsieur Oroumov ! » Ensuite, prélèvements divers ; il faut attendre le résultat des analyses – comme dans la préhistoire, plaisante le médecin : la Mer est là pour quelques jours encore : dans la ville basse, Hors-le-Mur ou pas, tout le monde loge à la même enseigne pour ce qui est de l'absence d'électricité.

Dans la salle d'attente, sans regarder l'homme et les deux femmes moroses qui se trouvent là et s'abstiennent aussi avec soin de lever les yeux, Simon feuillette machinalement le journal de Morgorod Hors-le-Mur. Tiens, *Le Rat des Villes* a été rebaptisé *L'Indépendant*... Il avait cessé de le lire depuis au moins une Année – mais il n'a même pas mis les pieds à Morgorod Hors-le-Mur depuis plus de cinq saisons. Dans sa tête, c'était fini, il avait arrêté, il faut bien arrêter quelque part, à quoi bon encore s'agiter alors que la fin était vraisemblablement si proche ? Ce qu'il avait mis en place avec ses frères était capable de durer sans lui comme sans eux désormais, sûrement ; et sinon, il avait fait ce qu'il pouvait, ce qu'il devait, plus que sa part, que lui demander de plus ?

Il feuillette le journal et, malgré lui, il est intéressé. Encore publié sans permis, ce journal, bien entendu ; chaque fois que le degré d'illégalité dépasse les limites tacitement permises dans Hors-le-Mur et que la police agacée fait un raid, les petites imprimeries clandestines sont les premières visées, mais elles déménagent assez souvent. Le changement de titre est révélateur, pourtant : ce journal est d'une facture quasi professionnelle ; on a parcouru bien du chemin depuis les premières feuilles de chou, il y a une quinzaine d'Années. Un éditorial – non signé, mais quand même – contre les brutalités policières du dernier raid ; des informations en bonne et due forme sur la politique municipale de Morgorod ; des offres de service légitimes, de la publicité, même, avec des adresses ! Et un article pas très aimable pour Kamatullah, l'un des principaux *boss* de Hors-le-Mur.

La phase de transition est achevée, alors, comme prévu : trente Années après la fin de la colonisation intensive, on a assez peuplé les anciennes grandes cités indigènes pour que leurs zones Hors-le-Mur cessent d'être des ghettos invisibles et deviennent officiellement des bas-quartiers. Ce ne sont en tout cas plus majoritairement les refuges passagers de hors-la-loi, d'illuminés et de marginaux par choix ou malchance : des gens ordinaires vivent là, avec leur famille (il y a une annonce pour une garderie !), qui travaillent, qui font du commerce légitime... Le mur n'a plus de raison d'être : toute la ville est occupée, à présent, même si le réseau gazélec ne se rend pas partout ; l'administration va devoir tenir compte des squatters qui veulent devenir citoyens.

Ce que cela signifie, c'est qu'il faudra partout sortir les groupes des zones Hors-le-Mur, ou leur trouver d'autres couvertures...

Simon se reprend avec un sursaut intérieur. Ce n'est pas à lui de penser ainsi ! Les responsables des réseaux s'en occuperont. Ce n'est plus son problème depuis longtemps !

L'infirmière appelle son nom. Il jette le journal sur la table basse en se levant, perçoit l'étonnement confus des autres patients, et de l'infirmière – c'est ce qu'on doit décrire par "se lever comme mû par un ressort", pas le genre de mouvement auquel on s'attend d'un petit vieillard de son âge. Exaspéré, anxieux de nouveau, il retourne dans le bureau du médecin, mais il sait ce qu'il va y trouver avant même d'avoir poussé la porte. Il s'assied, laisse le jeune homme chercher ses mots.

« Eh bien, Monsieur... Oroumov, je ne sais pas trop pourquoi vous êtes venu nous voir, vous êtes en excellente santé. En vraiment excellente santé ! »

L'inquiétude et la perplexité le disputent à l'excitation, qui finit par l'emporter : « Vous avez les organes internes et la physiologie d'un jeune homme, Monsieur Oroumov ! Je dirais, vingt saisons à peine. Extraordinaire ! »

Et puis l'inquiétude reprend le dessus : dans cette clinique-là, le non-ordinaire n'est pas censé être de cette nature ; le jeune homme est totalement hors de son territoire, loin de ses repères familiers. Il est temps de l'y replacer en douceur – autant que faire se peut. Simon se penche un peu en avant d'un air à la fois complice et un peu embarrassé.

« Bon. Je voulais être sûr. Je souffre d'une variété particulière de progeria. Ça ne touche que la peau. Pour le moment en tout cas. Mais chaque fois que j'ai un bobo, je m'inquiète, vous comprenez... »

L'esprit de l'autre s'est emparé avec soulagement de cette planche de salut, sans s'étonner de la facilité avec laquelle il l'accepte. Son visage s'éclaircit, puis revêt l'expression de compassion appropriée : « Vous avez quel âge, en réalité ?

— Presque vingt-cinq saisons. Mais je m'entretiens.

— Ce doit être dur pour vous... »

Simon lui fait bien voir son raidissement, le regarde un moment d'un air dur, sans parler – il sait l'effet que peut avoir son regard trop pâle, au bon endroit et dans les bonnes circonstances ; ici, c'est radical : le jeune homme détourne les yeux, marmonne : « Oui, bien sûr » – il est déjà en train de penser aux façons utiles, bien que discutables, dont un *boss* peut utiliser un jeune homme à l'aspect de vieillard inoffensif.

Simon se lève souplement, se penche et pose les deux mains sur le bureau. Le jeune homme fait un effort pour ne pas reculer. Il lui tire les feuilles de résultats de sous les mains : « Des doubles ?

— Non. »

Simon hoche la tête avec un sourire carnassier qu'il n'a pas pratiqué depuis longtemps – les anciens trucs peuvent-ils revenir aussi vite ? – et ajoute, d'une voix aimable mais métallique, en détachant les syllabes : « Vous ne m'avez jamais vu. »

Le garçon hoche la tête en avalant sa salive. Il ne sait pas à quel point c'est vrai ; il va faire lui-même tout le travail à partir de la suggestion muette de Simon, appuyée par ses paroles. Ce soir, en allant se coucher, il se rappellera seulement qu'un individu louche, il ne se souvient même plus de son visage, est venu à la clinique – un de plus, peut-être un peu plus dangereux que les autres, voilà tout – pour un bobo sans importance ; il en sourira, même : ces types ont beau rouler les mécaniques, ils peuvent être aussi hypocondriaques que n'importe qui ! Et puis, il oubliera.

Simon, lui, brûle les feuilles dès qu'il est revenu chez lui. Plus tard, il le regrettera ; bien plus tard encore, il se dira qu'il avait finalement bien fait. Mais ce jour-là, il ne veut pas penser à ce qui vient de se passer, à ce qu'il vient d'apprendre – il ne veut pas *penser*. Pas penser à ça, du moins. Penser à tout le reste. Penser qu'il ne peut plus être Simon Rossem. Il va falloir arranger la mort de Simon Rossem et devenir quelqu'un d'autre. Pas de problème, il est déjà mort plusieurs fois. Du moins a-t-il déjà fait mourir plusieurs fausses identités, pendant près de cinquante saisons de clandestinité active ; la seule différence, maintenant, c'est que c'est la vraie.

Ne pas y penser. Simplement planifier, prévoir, agir. Et, non, les anciens réflexes ne sont pas si loin – dans son corps rajeuni, dans son esprit incroyablement lucide, vibrant, vivant...

Ne pas y penser.

Il va chercher le coffret à la cave, il étale devant lui les idicartes, et un nom lui saute aux yeux : Nathan Légaré. L'égaré. Il se laisse penser, une seconde, *le hasard fait bien les choses*, puis il prend la carte et les papiers et laisse retomber le couvercle. Il a du travail en perspective. Et d'abord, activer Nathan Légaré dans les banques de données. La bureaucratie fera le reste. Ensuite, arranger les funérailles de Simon Rossem. Il va falloir un corps, et un corps impossible à identifier. Il est à souhaiter que Hors-les-Murs n'ait pas encore glissé trop loin sur la pente de la légalité.

Il sait bien que toutes ces machinations, si nécessaires et urgentes soient-elles, ne sont qu'une distraction, une façon de repousser l'échéance. Mais il les accueille avec gratitude, avec soulagement. Pendant toute une semaine, après le départ de la Mer, il s'affaire à devenir Nathan Légaré, à lui concocter un dossier médical incluant cette variété bizarre de progeria – et à documenter celle-ci en fabriquant de fausses recherches, de faux chercheurs, de faux articles, juste assez, pas au point de susciter trop de curiosité. C'est presque amusant de jouer de nouveau ainsi dans les banques informatiques, de constater qu'il est encore capable de le faire. Du coup, le moment difficile passe presque sans douleur – notifier ce qui reste de la famille dans le Sud-Est : Tatiana, la veuve d'Abraham, Charles, son fils, et sa femme Sandra ; Guillaume, le fils de Charles, vient de se marier, sa jeune femme Sylviane est enceinte... Il ne les verra plus jamais. Il ne pourra jamais plus voir aucun de ceux qui ont connu Simon Rossem. Tous ses compagnons encore vivants dans les réseaux, tous ses enfants auxquels il a donné une seconde vie, et qu'il a vus grandir pour avoir des enfants à leur tour – ses seuls enfants... Ne pas y penser. D'une certaine façon, cela veut aussi dire qu'il est libre, n'est-ce pas ? Il ne peut plus s'occuper des réseaux, où on le reconnaîtrait tôt ou tard. Quel que soit le temps qui lui est imparti (ne pas y penser), il va devoir se trouver une autre occupation.

L'avion amorce son virage au-dessus de la savane abandonnée par la Mer, avec la Ligne Terenko qui s'y étire en ondulant, plantée en plein milieu des terres pour cinq Mois – Olga ménage ses effets jusqu'au bout. Le jeune Ledellin colle de nouveau son nez au hublot et demande, en accord avec le scénario : « C'est quoi, ces lignes de poteaux ?

— La limite de la Mer, quand elle est là. Des fois qu'elle monterait plus haut, un de ces jours. »

Simon perçoit la surprise incrédule et vaguement horrifiée du garçon, et la satisfaction narquoise de la pilote – Ledellin vient de Bird-City, où l'on tourne le dos à la Mer, présente ou absente, où l'on n'en parle pas, où l'on s'efforce de ne pas y penser. Et où sa limite est bien évidente, pas besoin de poteaux : les installations portuaires des Anciens, perchées sur la falaise artificielle où ils avaient reconstruit leur ville ; le port tout entier se trouve dans la zone Hors-le-Mur – et personne, pas même les plus déshérités, ne vient s'installer à moins d'un bon kilomètre des quais. Simon sait ce que pense le jeune homme : pour planter ces poteaux, on a dû s'approcher très près de la Mer (en fait, à trois mètres ; les lignes perpendiculaires de poteaux ont été installées après son départ) : voilà qui mord à plein dans le tabou des gens de l'Ouest, et surtout des citadins ; ici, dans le Sud-Est, à l'extrême limite de l'occupation humaine sur Virginia, on est des Vieux-Colons, on est plus détendu en ce qui concerne la Mer.

Les deux kilomètres de la Ligne Terenko sont une sorte de monument historique : les survivants de la première expédition naufragés dans cette région l'ont installée il y a près de cinquante Ans pour vérifier en effet si à chaque cycle de retour la Mer reparaissait toujours à la même altitude, mille mètres au-dessus du niveau de l'océan. Cette altitude n'a jamais varié – compte tenu des gonflements et rétrécissements de quelques millimètres

avant le départ et après le retour, lesquels s'effacent
ensuite. Simon hésite un moment, puis renonce à le dire :
il faudrait bien plus que cela pour annuler les réflexes
craintifs du jeune homme.

L'avion se pose comme une fleur, à la verticale, sur
la petite piste aménagée près de Trois-Fontaines. Simon
détache sa ceinture, se lève en ménageant avec ostentation
ses genoux, scrute d'un air très myope le jeune Ledellin,
qui lui a sorti son sac du compartiment à bagages, chausse
ses lunettes après les avoir longuement cherchées dans
ses poches, et prend le sac en adressant un sourire bénin
au jeune homme. « Eh bien, au revoir, mon garçon... »,
dit-il d'une voix légèrement chevrotante – il exécute le
numéro presque sans y penser : Nathan Légaré est une
seconde nature chez lui, depuis le temps.

Il fait chaud et humide : la petit bruine qui tombe ne
rafraîchit pas vraiment l'atmosphère tropicale. La
voiture est là qui attend, et Julien, qui l'étreint avec un
large sourire en proférant les banalités d'usage. Nathan
Légaré vient rendre visite à ses amis, Julien et Sophie
Janvier – Sophie Rossem-Janvier. L'arrière-petite-fille
d'Abraham.

Ils arrivent bientôt à Trois-Fontaines. Entouré de
jardins et de vergers irrigués avec soin, c'est un de ces
petits villages des Anciens typiques du Sud-Est, une
douzaine de maisons rouges et dorées autour d'une
place ; chaque coin du carré est habituellement ponctué
d'une fontaine à la large vasque ronde, mais ici il n'y en
a que trois, disposées en triangle dans leur cercle d'arbres-
à-eau, d'où le nom donné par les premiers colons au village.

Simon embrasse Sophie avec une certaine difficulté,
à cause du ventre protubérant de la jeune femme, et elle
se met à rire : « Je ressemble à une montgolfière, non ? Je
te le dis, j'ai hâte que ce soit terminé ! »

Ce sera un fils, ils l'appelleront Frédéric. Julien et elle
sont radieux : elle a fait deux fausses couches auparavant,
mais cette grossesse-ci s'est bien passée ; encore une
semaine, peut-être moins, dix, douze jours, et l'enfant
sera là.

« Tu aurais pu prendre un peu d'avance en prévision de mon passage », blague Simon – c'est ce qu'ils attendent de lui. Après d'autres plaisanteries, et quelques minutes de discussion à bâtons rompus, il allègue la fatigue du voyage pour se retirer dans sa chambre avant le repas du soir.

Il retrouve la pièce familière, à l'étage, donnant sur le toit-terrasse à la végétation luxuriante ; il est l'ami de la famille depuis huit saisons et vient les voir assez souvent, presque chaque fois qu'il a des vacances. Il s'est arrangé pour faire la connaissance de Julien, alors jeune marié, peu de temps après la mort de Guillaume, le père de Sophie – le dernier Rossem survivant qui aurait pu reconnaître Simon sous les traits de Nathan.

Avec des gestes mécaniques, il défait ses bagages, se change. Puis s'étend sur le lit et ferme les yeux, accablé. Cet enfant ne survivra pas. C'est très clair. Il l'a senti avant même de voir Sophie. Ce n'est pas que le bébé soit malformé ; les deux autres oui, mais pas celui-ci. C'est autre chose, qui n'est pas physique chez l'enfant, mais que Simon perçoit comme un mélange complexe de sensations – écrasement, étouffement, lumière trop proche, aveuglante, bruit de plus en plus assourdissant... Il sait ce que cela signifie, il a rencontré le phénomène chez trop de jeunes femmes enceintes depuis plusieurs Années. Mais qu'est-ce qui se passe donc avec cette cinquième génération ? À en juger par l'intensité du contact, les capacités de cet enfant auraient dépassé de loin celles de ses parents. Est-ce cela ? Plus les capacités sont développées, plus les mutants sont fragiles, moins ils peuvent survivre au traumatisme psychique de la naissance ?

Il pense : *J'ai bien survécu, moi !* Les réflexes s'enclenchent automatiquement, le détournant de la pente fatale. Mais non. Il fait un effort conscient pour y revenir. Trop bons réflexes, Simon. Les réflexes de toute une vie, on peut le dire, toute la vie de Nathan Légaré. Huit Ans. Trente-deux saisons. Nathan Légaré a réussi à mener la vie que Simon n'a jamais vécue, une vie tranquille, une vie normale. Presque : il a choisi d'être instituteur, ce qui l'a maintenu en contact avec des enfants ; et parmi ces enfants, il y en a eu plusieurs... Mais ce n'était plus le problème direct de Nathan Légaré. Il a alerté le réseau le plus proche par des voies détournées, il a dirigé les parents vers ceux qui pourraient réellement les aider, et il est revenu à sa petite vie bien tranquille.

Et il va peut-être bien falloir en finir avec lui : il a officiellement cinquante-quatre saisons, Nathan Légaré ; pour une victime de progeria, même d'une variété inhabituelle de progeria, c'est beaucoup. Et puis l'âge de la retraite officielle approche pour l'instituteur... que ferait-il, une fois "à la retraite" ?

L'autre idée, alors, devant laquelle son esprit se dérobe, devant laquelle il le ramène comme un cheval rétif : *j'ai vingt-huit Années – cent douze saisons. J'ai eu trente-deux saisons de sursis. Combien de temps me reste-t-il ?*

Et une fois acceptée cette question, une fois sautée la barrière, toutes les autres questions se précipitent dans la brèche en rugissant. Élémentaires, massives, sans fioritures.

QUI, QUOI, POURQUOI, COMMENT ?

Et après tout ce temps, son temps légitime et son temps d'emprunt – son temps volé, pense-t-il souvent, mais à qui ? –, il ne leur a jamais trouvé de réponses satisfaisantes. Voilà pourquoi il a si bien réussi à développer ces réflexes d'évitement qui s'enclenchent chaque fois que la tentation refait surface : c'est une question de survie. Penser ne sert à rien, sinon à le pousser vers la folie. Et s'il lui reste quelque chose, tout au fond, c'est cela : l'obstination. Il n'est pas mort quand sa mère est morte en lui donnant naissance et que le monde environnant a voulu le tuer, il n'est pas mort quand la Barrière à son tour a essayé d'écraser son esprit, il n'est pas mort dans le terrible accident qui a tué Caleb : il ne mourra pas de sa propre main simplement pour échapper à des questions sans réponses !

"Combien de temps" : comment le savoir ? Il ne sait même pas exactement ce qui s'est passé. Un seul fait, indisputable : son horloge physiologique a été remise à l'heure de ses cinq Ans. Et il a recommencé à vieillir plus lentement que la normale – il a appris à faire les analyses lui-même ; le corps de Nathan Légaré n'a pas plus de quarante saisons. En excellente condition, même si Simon a pris soin de le faire vieillir pour autrui, allure, comportement, façon de parler. Peut-il à partir de là se permettre de spéculer sur la date vraisemblable de la mort de Nathan Légaré, une vraie mort qui emporterait aussi Simon Rossem, pour de bon cette fois ?

Non. Pour autant qu'il sache, il pourrait mourir demain. Si ce sursis est un effet de sa mutation, il est aussi incompréhensible et aussi aléatoire qu'elle.

Sa mutation n'est pas si "aléatoire", à vrai dire. Du côté de sa mère, il y avait toute une tradition familiale de l'invisible, on tenait beaucoup aux brumeuses racines irlandaises. Maura, de toute évidence... Et Joseph, de même que Caleb, et surtout Abraham, étaient des proto-sensitifs, même si c'est devenu beaucoup plus marqué après l'île, comme avec Samuel. Pas de tradition psychique dans la branche Rossem de la famille avant Samuel, pourtant. Pas le grand-père Oswald, malgré les élans mystiques de la fin de sa vie, et certainement pas l'arrière-grand-père, le fulminant Réginald ! Pour l'instant, en fait, on peut se demander comment fonctionne cette mutation – si mutation il y a : même si les deux parents font preuve de capacités particulières, tous leurs enfants ne les manifestent pas nécessairement, ni au même degré... et inversement, des enfants spéciaux peuvent naître de parents ordinaires.

Mais quel rapport pourrait-il bien y avoir entre cette incompréhensible réjuvénation spontanée de toutes ses cellules (sauf celles de sa peau !) et ses facultés spéciales, si uniques soient-elles ?

Uniques, il exagère un peu. Il peut influencer n'importe qui à son insu – du moins n'a-t-il encore jamais rencontré de réfractaires ; il peut percevoir et manipuler les émotions d'autrui : c'est ce que font peu ou prou la plupart des mutants qu'il a rencontrés et organisés. Mais il est capable de dissimuler totalement sa présence mentale à n'importe qui – ce que les mutants embryonnaires sont incapables de faire entre eux.

Et aucun n'est un télépathe, comme lui.

Il hausse machinalement les épaules. "Télépathe". Qu'est-ce que ça signifie, réellement ? Le terme est pratique, mais la littérature existant sur le sujet n'est pas concluante, c'est le moins qu'on puisse dire. Sauf que le mouvement se prouve en marchant, et qu'il est quant à lui bel et bien capable de percevoir et d'influencer les pensées aussi bien que les perceptions d'autrui. Sans que la proximité entre en ligne de compte – au contraire de tous les sensitifs plus ou moins embryonnaires qu'il a rencontrés. Comment il perçoit, qu'est-ce qu'il perçoit, quel peut en être le médium à la réception et à l'émission – chez lui comme chez les empathes, au reste – il a vite compris l'inutilité de telles questions : la conscience ne peut interroger la conscience. Il a fait assez d'études scientifiques, officiellement ou pas, pour savoir que seule l'expérimentation en laboratoire pourrait peut-être trancher. Hors de question avec des expérimentateurs non-mutants ! Quant à des sensitifs, il n'est pas certain que leur propre mutation soit assez développée pour l'aider à s'observer lui-même. Et leur révéler ainsi sa différence... S'il ne l'a presque jamais fait avec son père et ses frères – mais ils savaient – comment le ferait-il avec de parfaits inconnus ? Et puis, il devrait trop se dévoiler. Sa différence ne tient plus seulement à l'étendue de ses capacités, maintenant.

En tout cas, ce n'est pas une capacité incontrôlable. Tout ce dont il a besoin, c'est de vouloir. Il a traduit très vite par "on voit ce qu'on regarde" : il ne sait comment il fait, mais il peut regarder ailleurs, fermer les yeux, se boucher les oreilles, se pincer le nez... – les métaphores sensorielles sont venues très tôt à la rescousse, dès son enfance, pour l'aider à donner sens à ce qu'il percevait, et il les a conservées. Bref, il peut aisément se rendre insensible. Il n'aurait pas survécu, sinon. Ni en tant que Simon, après l'île, ni en tant que Nathan.

Contrôlable : pour lui. Chez les autres, au contraire... Tous ces enfants fous, pendant plusieurs Années, après l'île, et encore maintenant ; ces enfants qu'il a cherchés avec ses frères et son père, qu'ils ont sauvés parfois, trop rarement.

Et maintenant, ce petit Frédéric qui ne survivra pas, et tous les autres comme lui.

Non, il vaut mieux ne plus y penser.

Au bout d'un espace de temps incolore, il sent Sophie monter l'escalier ; elle va frapper à sa porte.

« Nathan ? Le repas est prêt... »

Il dit « J'arrive ! », se lève avec lassitude en évitant de regarder Sophie qui redescend à pas lents en souriant, une main sur son ventre où l'enfant condamné vient de bouger ; il ne la voit pas, mais ça ne fait rien : il sait, même s'il ne sent plus. Il sait sa joie, son impatience, son espoir, et ceux de Julien. La soirée va être longue.

Il descend dans la salle à manger, aide Julien à mettre la table. Il n'a pas à demander où se trouvent les couverts, les serviettes, la corbeille à pain : Nathan Légaré est un habitué de la maison depuis huit saisons. Simon y a vécu bien plus longtemps, avant la naissance même de Sophie : c'était la maison d'Abraham et de Tatiana, puis celle de Charles et de Sandra, celle enfin de Guillaume et de Sylviane ; leur port d'attache, à Caleb et à lui, jusqu'à l'accident de voiture qui a tué Caleb et qui l'a obligé lui-même à se retirer de la clandestinité active. Au début, c'était tout un effort de feindre de se trouver dans une maison inconnue, de demander à Sophie, à Julien ; maintenant, il est là comme chez lui – il ne pense presque plus qu'il *est* chez lui.

En sortant salière et poivrière d'une armoire murale, il tombe en arrêt devant une photo posée sur le buffet en dessous, une simple photo bidimensionnelle. Il se rappelle très exactement quand il l'a prise : le jour où Abraham leur a annoncé que Tatiana était enceinte, qu'il allait cesser de s'occuper activement du réseau et qu'il avait désigné son remplaçant, Frédéric Janvier. Ils sont tous là, illuminés par le soleil couchant qui teinte d'un invraisemblable rose saumon les racalous de la terrasse ; Abraham long et mince, déjà un peu courbé, Tatiana éclatante, Joseph et Elaine au regard un peu triste – pas d'enfants pour eux, même s'ils en ont adopté des dizaines pour le réseau. Caleb, qui ressemble maintenant d'une façon hallucinante à Samuel. Et près d'Abraham, qui le tient par les épaules, Frédéric Janvier, l'air très jeune, trop jeune, trop blond et rose, mais c'était une excellente couverture pour cet homme retors et décidé : Abraham avait bien choisi son remplaçant.

« Une des rares photos où ils sont presque tous là »,
remarque Julien dans son dos, un écho inconscient de ses
propres pensées. « Sophie a fait une fouille en règle de
tous les vieux papiers, quand nous avons décidé d'appeler
le petit "Frédéric". Elle l'a trouvée dans les affaires de
Simon. »

Simon va placer les ustensiles sur la table en hochant
la tête. Il avait emporté la photo avec lui après sa dernière
visite à Trois-Fontaines, quand il était venu se recueillir
sur la tombe de Caleb. Un accès de sentimentalité. Il
s'était dit qu'il pouvait se le permettre, maintenant qu'il
avait quitté le service actif. Lui n'apparaît sur aucune
photographie, aucun film de famille : il s'arrangeait pour
être celui qui tenait les appareils. Un réflexe. "Ta manie",
disait Abraham en souriant, puis Charles, puis Guillaume.
Parce qu'ils ne s'occupaient plus directement des réseaux, ils se sentaient en sécurité. Lui n'a jamais pu, même
après sa retraite. Et c'était une bonne idée, finalement, qui
a rendu possible la présence de Nathan Légaré aujourd'hui
dans cette maison : Sophie est née un peu avant la mort
de Simon, mais elle n'a jamais connu son arrière-grand-
oncle, et elle n'a jamais vu son visage.

« Quelles nouvelles ? » demande Simon en se servant
au grand saladier que Julien lui a tendu.

C'est le rituel. La direction des opérations n'est plus
centralisée depuis longtemps – Frédéric Janvier a justement
mis la dernière main à cette autonomisation des réseaux
amorcée par Simon après la mort de Joseph, et son petit-
fils n'est pas un membre actif. Mais le couple des Janvier
se tient au courant de ce qui se passe dans le voisinage.
Comme des centaines d'autres vivant tranquilles à l'écart
des grands centres, ce sont des maillons isolés, prêts à
être raccordés à la chaîne invisible de leur réseau local si
le besoin s'en fait sentir. Ce n'est pas si fréquent, et
jamais spectaculaire : un enfant ou un adolescent perdu à
accueillir, des voyageurs à abriter pour quelques jours,
quelques semaines...

« C'est absurde ! » avait coutume de dire Guillaume, et
Michèle aussi, l'aînée de Frédéric Janvier : « Pourquoi faire
comme à la guerre quand il n'y a personne en face ? »

À quoi Joseph, ou Caleb, ou Simon, répliquaient : «Ce ne sera pas forcément toujours le cas. » Et pourtant, aucun gouvernement n'a jamais agi, ni fait mine d'être au courant de quoi que ce soit. Depuis une bonne soixantaine de saisons. Depuis l'entrefilet du *Virginien* relatant l'illumination soudaine des sphères sur les pylônes de tout le continent, et que Joseph, puis Simon, avaient religieusement conservé : "Hier, 88 de Mars 26, une équipe de chercheurs de l'Institut de Ville-Georges a réussi à remettre en état un dispositif météorologique des Anciens..."

Du jargon épais où l'on noyait comme d'habitude le poisson, il ressortait que l'adixe constituant les sphères comme les pylônes aurait possédé des propriétés chimiques particulières, ce qui, avec le stimulus adéquat, produisait le rayonnement. Leur hypothèse, aux Rossem, c'était : en fait, on a peut-être réellement remis en état – par accident, sans doute – un dispositif des Anciens, mais n'ayant rien à voir avec la météorologie, quelque chose qui a déclenché la mutation chez les humains.

« Les plaques », disait Joseph, comme si c'était l'évidence ultime. Ces plaques métalliques en adixe, serties ici et là dans les murs, dans la maison ancestrale des Rossem : quand le petit Abraham les touchait, il voyait passer des images des Anciens, à défaut de comprendre les paroles qui les accompagnaient. On n'avait pas voulu croire Abraham – il avait une douzaine de saisons alors, l'âge où l'on invente des histoires. Simon aussi avait touché ces plaques, vu ces images, entendu ces voix ; les plaques le dérangeaient dans son silence : tous ces mots qui essayaient de se faire entendre... Après l'île, bien sûr, ils en avaient parlé. La conclusion était évidente : les Anciens, ou des Anciens, avaient été comme eux ; des plaques-qui-parlent, Simon et ses frères en ont trouvé parfois par la suite dans d'autres anciennes demeures des indigènes.

Michèle était sceptique quant à l'hypothèse d'une origine non naturelle de la mutation dans un quelconque dispositif des Anciens : après tout, Simon avait été pourvu de ses capacités spéciales bien avant l'épisode de l'île. Abraham et les autres aussi.

« Mais elles sont devenues plus intenses après, rappelait alors Simon. Et il y a eu "l'épidémie de folie" chez les enfants.

— Bon, eh bien, intervenait Guillaume, c'est un accident, à la rigueur : une conséquence accidentelle de ta visite dans l'île avec Grand-Père et Joseph. Vous ne vous rappelez pas vraiment ce que vous y avez fait. L'éclipse de la Barrière a duré environ un quart d'heure, pas pendant tout votre séjour, mais les recoupements indiquent que les sphères se sont illuminées à ce moment-là : sûrement pas une simple coïncidence. »

Guillaume était un esprit logique ; il ne comprenait pas pourquoi l'hypothèse d'un accident dans l'île était plus pénible à envisager pour ses grands-oncles qu'une intervention délibérée du gouvernement ; ses capacités de sensitif n'étaient pas très développées ; ses capacités normales d'empathie ne l'étaient pas tellement plus.

« Et puis, si ç'avait été le gouvernement », concluait-il à ce stade de la discussion, « il y aurait eu de suivi ! Ils auraient été aux aguets de possibles conséquences sur l'environnement et la population, au moins au début. Tes cas de "folie", les deux ou trois Années suivantes, on les a attribués à un soi-disant " virus " qu'on n'a pourtant jamais réussi à isoler. »

Et Simon était obligé d'acquiescer et de se rabattre sur « Oui, mais nous ne pouvons pas nous permettre de relâcher notre vigilance. » Une question de principe sur laquelle, en définitive, tout le monde pouvait être d'accord. Mais c'est vrai qu'il n'a jamais rien trouvé pour étayer l'hypothèse d'une conspiration gouvernementale. Certes, on entretiendrait là-dessus un secret absolu ; Simon Rossem, pas plus que Nathan Légaré d'ailleurs, n'a jamais frayé dans les hautes sphères gouvernementales, au contact de gens qui savent peut-être quelque chose et pourraient se trahir à leur insu ; il a fait quelques sondages, bien sûr, un peu au hasard : sans résultat – mais il voit ce qu'il regarde, peut-être ne regardait-il pas au bon endroit... En tout cas, ses enquêtes dans les banques de données, personnellement ou par l'intermédiaire de collaborateurs, n'ont jamais produit de résultats. Seulement une brève mention de recherches menées au début de la colonisation par le psychologue en chef de la seconde expédition, Ezra Golheim, sur la psychologie comparée des colons malgré eux – les rescapés de la première expédition, installés depuis une vingtaine d'années terrestres – et des futurs colons, représentés par les membres de la seconde expédition.

L'idée de base, c'était qu'on ne chaussait sans doute pas sans conséquences psychologiques notables les chaussons d'une population indigène disparue sans explication et sans laisser de trace trois cents ans avant l'arrivée des humains. Le rapport final est bien là, mais non les dossiers des sujets étudiés ; en soi, ce pourrait être suspect, sauf que ça s'accorde trop bien avec la volonté maladive des gouvernements successifs de supprimer tout ce qui peut faire des vagues en rappelant au colons les mystères irrésolus de la planète. Le fameux " syndrome virginien " hypothétisé par Golheim, mais que les gouvernants ont dès le début décidé de considérer comme une réalité, ce qui satisfait à la fois leur manie du secret et leur désir de consacrer le moins d'argent possible aux recherches sur les Anciens ! Non, Guillaume et les autres avaient sans doute raison : confronté une fois de plus à un phénomène inexplicable – l'éclipse momentanée de la Barrière, et surtout les sphères soudain lumineuses des pylônes –, le gouvernement de l'époque avait continué la tradition et, incapable d'expliquer le mystère, il avait feint d'en être l'instigateur.

Aussi, quand Simon demande, par habitude, « Quelles nouvelles ? », c'est plus pour rester fidèle au personnage de Nathan Légaré que pour apprendre quoi que ce soit de nouveau. Pour Julien et Sophie, Nathan est un " normal ", mais qui s'est trouvé par hasard à collaborer avec un réseau, dans sa folle jeunesse à Morgorod, et qui a accepté sans broncher les capacités particulières de ses compagnons et des enfants qu'il a parfois aidé à subtiliser aux hôpitaux ou aux orphelinats. Un normal au courant, qui désire le rester, qui ne se sent nullement menacé par l'existence d'êtres différents de lui : c'est une source constante de légitimation pour Sophie, dont le plus cher désir est de mener une vie ordinaire sans avoir à se rappeler tout le temps ce qu'elle et Julien sont – l'héritage de son père, Guillaume, trop nourri de mystères et de conspirations, et sur qui l'histoire familiale a toujours pesé trop lourd.

« Ils sont en train de finir de construire un centre de recherches en pleine Licornia », dit Julien en se servant à son tour de la salade. « Ça s'appelle "Centre d'études et de recherches exobiologiques", le CÉREX. Un projet conjoint du BIAS et de la BET. »

Simon hausse les sourcils : le Bureau international des affaires scientifiques, bon, c'est son rôle, et on a l'habitude de ses crises sporadiques de curiosité à l'égard de Virginia. Mais la BET ? Comme son nom l'indique, la Bounderye Extrasolar Trading Co. fait du commerce ; la flore indigène est bien connue, ses propriétés diverses, développées de façon intensive par les biotechnologies des Anciens, sont exploitées depuis longtemps par les consortiums locaux partenaires de la BET – cela fait partie des rares produits d'exportation vraiment rentables de Virginia, avec le caviar des poissons-poisons et les artefacts des Anciens. La faune, elle...

« Pas encore les licornes ? !

— Entre autres. Apparemment, ils veulent étudier systématiquement l'interaction de la faune indigène avec les humains. Ils recrutent des volontaires.

— C'est idiot, remarque Sophie, ça a déjà été fait dix fois !

— Pas depuis une vingtaine de saisons. Peut-être que ça a changé, depuis.

— Encore une lubie de Terriens », grommelle Nathan Légaré en haussant les épaules. Julien renchérit, et la conversation prend peu à peu d'autres chemins. Simon, lui, pense aux licornes. À Samuel et à Maura, à leur rencontre autour des licornes. À Maura, qui avait pu s'approcher plus près d'une troupe de licornes que personne ne l'avait jamais fait.

Les responsables du réseau local essaieront sûrement de se renseigner, mais il va aller jeter un coup d'œil lui-même. Examiner ce centre, et comment on recrute des volontaires, quel genre de volontaires, d'où est venue cette idée, à qui. Est-il possible que le gouvernement... ? Mais alors ce serait aussi une entreprise gouvernementale secrète, après tout, depuis le début ? L'homme gris dans ses souvenirs, dans le souvenir de Maura...

Il s'immobilise face au miroir du lavabo, dans sa chambre où il fait sa toilette, ayant écourté la soirée en alléguant encore la fatigue. Le souvenir de Maura. Comment peut-il se remémorer un souvenir de sa mère qu'il n'a jamais connue ? Samuel et Joseph, passe encore : il a partagé leur esprit dans l'île, sinon par la suite – c'était involontaire ; il ne savait même pas qu'il le faisait, son esprit tout neuf, comme libéré (mais de quoi ?) voyait tout parce qu'il regardait tout ; ensuite, après l'île, quand ils se sont rendu compte de ce qui se passait entre eux et Simon, ils ont tous très vite et spontanément établi un code de politesse...

Mais Maura ? Suffisait-il de passer neuf mois dans son ventre pour partager ses souvenirs ? Sûrement non, car il n'en possède pas d'autres d'elle. Alors, pourquoi ce souvenir-là ? Et pourquoi ne s'en est-il souvenu qu'après sa résurrection, enfin, sa réjuvénation, son réveil ? On a voulu qu'il se souvienne – de cette rencontre-là, et ensuite de sa propre rencontre avec l'homme gris dans l'Anse-aux-Belles ? Mais pourquoi ? Et dans ce cas, on a manipulé sa mémoire. Et plus encore, bien avant : les appels dans la forêt, ses comas, l'appel dans l'île...

Et pas seulement lui : Maura s'est endormie trop longtemps, elle aussi, après avoir rencontré l'homme en gris dans l'Anse-aux-Belles. Maura qui venait d'épouser Samuel, qui n'avait pas encore eu d'enfants – et qui ensuite a eu Joseph, et Abraham, et Caleb – et lui, Simon.

C'est toujours pareil. Il est toujours obligé de revenir à "On m'a fait quelque chose, on nous a fait quelque chose", le "nous" étant d'abord sa propre famille et ensuite le reste de la population humaine de Virginia. L'hypothèse la plus plausible, mais qui reste obstinément une hypothèse, sans jamais générer rien d'autre que la horde familière et grimaçante des QUI, POURQUOI, COMMENT ?

Et maintenant, ce centre qui se construit au pays des licornes pourrait-il réellement le pointer vers une réponse, au moins à la première question ?

Son cerveau fourmille d'idées, d'hypothèses, d'ébauches de plans, il en a presque le vertige. Du calme. Pas le moment d'avoir une crise cardiaque ! Il sourit, jaune – cette question-là va resurgir souvent, maintenant qu'il a décidé d'agir à nouveau : *combien de temps me reste-t-il ?*

Peu importe. Ne pas y penser. Il va devoir écourter son séjour chez les Janvier, retourner à Leonovgrad, mettre officiellement fin à l'existence de Nathan Légaré, activer une nouvelle identité...

La signification de ce qu'il est en train de penser le frappe brusquement. Il s'assied avec lenteur dans le fauteuil près de la fenêtre, le cœur serré. Il regarde autour de lui le décor familier de la chambre, qui était sa chambre à lui, Simon, bien avant d'être celle de Nathan Légaré. Une autre identité, une autre vie. Il ne reviendra jamais ici.

Puis il se lève et finit sa toilette avec des gestes méthodiques. C'est peut-être aussi bien. Il n'aurait pas pu continuer à mentir encore très longtemps. Pas avec cet enfant dans le ventre de Sophie, qu'elle a caressé pendant tout le repas d'un geste inconscient, et qui ne vivra pas. Mieux vaut partir, couper les ponts, dire adieu pour de bon à Simon Rossem, qui devrait être mort, et au passé qui aurait dû mourir avec lui.

4

Ils arrivent pendant la nuit à Kalder, Simon les sent à travers son sommeil, Tess aussi. Comme elle, les yeux ouverts dans la pénombre, il écoute le camion s'arrêter au bord de la place, puis la roulotte. Ils dressent rapidement le mât puis installent le plancher ; un halètement sourd : le compresseur gonfle les gradins. Ensuite, ils montent la tente. Et enfin ils se dispersent dans le village pour poser les affiches. Simon sent Tess se rendormir dans sa chambre à l'autre extrémité de l'auberge, presque tranquille : l'action est proche.

Marc, Tobee, Max, Éric. Ils ont des noms de famille, mais ils préfèrent les oublier, comme leurs familles les ont oubliés. Tobee, Max l'a sortie il y a trois Mois du Horlemur de New Sonora : elle survivait en jonglant tandis que ses acolytes faisaient les poches des badauds – on ne fait pas aisément les poches de Max ; c'est elle qui lui a donné l'idée du cirque. Marc s'est joint à la troupe quelques semaines plus tard. Pas très puissants ni les uns ni les autres, des sensitifs très ordinaires – ou presque. Mais il y a Éric – Éric, la merveilleuse surprise, presque aussi impénétrable qu'un bloc de pierre quand il le désire, et il le désire presque tout le temps.

Impénétrable, jusqu'à un certain point, pour Tess – pas pour Simon, qui l'a repéré depuis longtemps. Il a fallu beaucoup de "hasards" pour que le chemin d'Éric croise celui du cirque. Ensuite, ce n'était plus qu'une question de temps pour que la BET soit alertée. Simon aussi se rendort tranquille : tout se déroule comme prévu.

Le lendemain matin, en allant à l'école, les enfants du village ont la surprise de leur vie. Quelque chose a poussé sur la place entre les quatre fontaines. À vrai dire, il a fallu les affiches sur les murs, dans les rues, pour qu'ils comprennent de quoi il s'agit : LE CIRQUE DES ANIMAUX ! LES BÊTES LES PLUS SAU-VAGES DU MONDE POUR LA PREMIÈRE FOIS DANS VOTRE VILLE ! Rien d'autre, sinon l'heure et le lieu de la représentation.

C'est un cirque ? Ça n'y ressemble vraiment pas, pourtant : au lieu de la familière grosse bulle de vitrex teinté se dresse une sorte de tente pointue en toile rouge un peu délavée, hexagonale, accrochée à un grand piquet central et arrimée par des filins dans l'herbe de la place. Au bout du mât, une bannière jaune et bleue claque joyeusement dans le vent matinal.

Les enfants perplexes tournent autour de la tente close, du gros camion, de la roulotte : les animaux les plus sauvages du monde ne peuvent sûrement pas tous se tenir là-dedans sans faire de bruit ? Mais ils doivent obéir à l'appel de la cloche de l'école. La première représentation est prévue pour une heure après la méridienne. Ils reviendront.

Dès la fin de la méridienne, tout le village se rassemble autour du cirque ; les conversations vont bon train. En fait d'animaux, on n'a même pas vu un chat, c'est le cas de le dire, sortir de la tente, du camion ou de la roulotte. Les fenêtres de celle-ci sont teintées, impossible d'épier au travers, les curieux déçus ont renoncé.

À vingt heures trente tapant, l'école ouvre ses portes et les enfants se précipitent vers la place en criant et en se bousculant, pour se rassembler ensuite en petits groupes perplexes aux alentours de la tente.

Et puis les conversations se taisent sur un soupir collectif d'incrédulité : dans les rues en étoile du village, qui convergent sur la place, des silhouettes ont fait leur apparition, se rapprochent, il y en a trois, sept, une douzaine, et puis on arrête de compter, en reculant avec une certaine inquiétude aussi. Des chachiens ont envahi la place et cabriolent autour de la tente.

Ils n'évitent pas toujours les installations humaines avec autant d'entêtement que d'autres animaux indigènes, mais la variété de grande taille est rare si loin au Sud, et surtout on ne voit jamais des chachiens en si grand nombre : ce sont des animaux plutôt solitaires. Il y en a bien une vingtaine à présent, noirs et bruns et ocre et roux, et même des dorés, et même deux blancs, des unis, des à taches et à rayures ; une demi-douzaine de grands chachiens des montagnes, qui tiennent plus du léopard et du loup que du chat et du chien, et les autres sont, proportionnellement, des petits, entre le cocker et le guépard. Les parents nerveux rassemblent leurs enfants en surveillant les grands chachiens noirs et tigrés, aussi hauts qu'un homme lorsqu'ils se dressent sur leurs pattes postérieures ; mais déjà quelques gamins ont échappé aux mains prudentes et essaient timidement d'amadouer les chachiens dorés, les plus petits, pelucheux comme des jouets. Qui se laissent parfois presque effleurer – mais sautent hors de portée si l'on insiste trop.

Fascinés par les chachiens, les villageois n'ont pas vu les forains sortir de la roulotte. Quand le violon d'Éric se fait entendre, une mélodie rythmée, un peu sauvage, ils se retournent, puis s'écartent devant Tobee qui s'avance vers l'entrée de la tente en jonglant avec ses boules pailletées. Elle est si mince, si blonde – si jeune. On s'étonne, mais on admire son adresse, surtout lorsque les boules accélèrent leur rythme et donnent l'impression de couler le long de ses bras, de ses jambes, une noria étincelante et vertigineuse.

Ensuite, c'est Marc, grand, brun et mince, à peine dix-huit saisons, mais ils sont donc bien jeunes, ces forains, se dit-on un instant, puis on n'y pense plus et on se presse pour acheter les billets qu'il agite comme des éventails. Pas de boniment, pas de bagout. Ce n'est pas nécessaire : les distractions sont rares dans le coin.

Et puis quelqu'un pousse un cri étonné en tendant un doigt, on lève les yeux : un gros essaim multicolore d'oiseaux-parfums se déploie au-dessus de la place. Un bourdonnement excité passe dans la foule. D'où vient-il, cet essaim ? Il n'y a pas de fleurs-à-cœur si loin au Sud !

L'agente du CÉREX aussi renverse la tête en arrière, bouche bée. Rien ne la distingue des autres badauds, sinon qu'elle n'est pas vraiment étonnée – ce qui ne surprend ni Tess ni Simon : elle suit le cirque depuis une dizaine de jours.

On entre dans la tente comme dans une église, en chuchotant, mais on reconnaît vite des éléments familiers, le plancher en tuiles de céramique beige, les quatre sections de gradins en vitrex gonflé à l'air comprimé. Les enfants envahissent alors les rangées en piaillant, et quelques-uns se mettent à sauter à pieds joints sur la surface élastique, malgré les injonctions sévères et secrètement envieuses des adultes.

Les lampes à gaz illuminent la piste, les ventilateurs en dissipent tant bien que mal la chaleur, les gradins sont pleins. Au moment où l'intérieur de la tente menace de devenir une véritable foire d'empoigne, les lampes s'éteignent, un son argentin de trompette se fait entendre et, dans un rond de lumière blanche, une roue tourbillonnante arrive sur la piste juste à point pour transformer en acclamations les réclamations sur le point de naître – il faut quelques secondes pour reconnaître un corps gainé d'argent, celui du grand jeune homme brun qui vendait les billets. Il fait trois tours de piste sous les applaudissements et disparaît comme il est venu, tandis que résonne une autre sonnerie de trompette, saluée d'une nouvelle salve d'applaudissements désormais pleins de bonne volonté.

L'entrée de la tente reste un moment déserte. Puis Éric entre à pas lents, dans un rond de lumière bleue. L'assistance accorde d'abord un silence plein d'expectative à ce géant pâle aux sombres cheveux bouclés, vêtu d'un costume noir à brandebourgs dorés qui accentue ses proportions impressionnantes ; au moins trente saisons celui-là, le seul adulte du lot, sans doute le directeur du cirque, se glisse-t-on à mi-voix parmi les spectateurs.

Il se plante au milieu de la piste, tourné vers l'entrée, il croise les bras et il ne bouge plus.

Le silence se fait perplexe, les yeux s'écarquillent, surtout ceux des enfants : le colosse va-t-il faire surgir du sol ou de l'air les animaux promis ?

Juste au moment où vont naître les premiers murmures, il écarte les bras en croix.

Un mouvement se dessine à l'entrée de la tente.

Une licorne.

Puis une autre. Une autre encore. Quatre licornes, dans un silence de début du monde. Deux blanches, une grise à reflets argentés, une pommelée. Elles s'immobilisent les unes à côté des autres, la corne haute.

La tente semble minuscule, tout à coup.

Personne n'applaudit jamais. Deux semaines qu'ils suivent le cirque, Tess et Antoine, et personne n'applaudit jamais. Tous restent là pétrifiés à contempler les licornes. Qui les regardent. Un ou deux murmures timides s'élèvent enfin. Aussitôt interrompus quand la plus petite des deux licornes blanches se détache du groupe immobile et commence à faire le tour de l'allée qui sépare la piste des premières banquettes, lentement, la tête un peu tournée vers la foule.

Un bourdonnement excité naît enfin, gonfle et emplit la tente. La licorne a achevé son tour, et du même pas nonchalant s'avance à présent vers le centre de la piste où la jongleuse adolescente a rejoint la haute silhouette en costume noir. La licorne s'immobilise. Dans les projecteurs, elle est tellement blanche qu'elle semble de porcelaine, presque translucide, sa crinière et sa queue des fils de soie. L'adolescente et la licorne se font face, à moins d'un mètre l'une de l'autre, dans un parfait silence. Puis l'adolescente franchit la distance d'un bond léger, enroule ses mains dans la crinière et s'élève sur le dos de la licorne.

La foule pousse un soupir étranglé.

La licorne prend le trot, puis le galop. Minuscule sur le large dos onduleux, aussi posément que si elle se trouvait sur la terre ferme, l'adolescente exécute des culbutes au ralenti, sans interruption, incroyablement élastique, pour se transformer enfin en figure de proue en équilibre sur un genou, torse arqué, bras étendus, une jambe pointée vers le ciel, la tête fièrement rejetée en arrière.

On n'ose toujours pas applaudir, mais un soupir collectif s'élève quand la licorne s'arrête. L'adolescente se laisse glisser à terre, rebondit souplement, fait une dernière cabriole et s'immobilise, dressée sur la pointe des pieds, le bras tendu, le bout des doigts sur l'épaule de la licorne.

Les enfants applaudissent toujours les premiers, puis les adultes, lorsqu'ils se rendent compte que cela ne semble pas déranger les licornes.

L'une de celles qui sont restées à l'entrée de la tente, la pommelée, s'est couchée entre-temps avec une lenteur majestueuse, en rond, le museau sur les pattes antérieures, une posture rappelant soudain à tous sous le chapiteau que ceci n'est pas, n'a jamais été un cheval.

La trompette argentine résonne de nouveau. Les ronds lumineux changent de teintes, se multiplient sur la piste. Sautant par-dessus la licorne étendue et se faufilant entre les pattes des autres licornes arrivent pêle-mêle les grands chachiens et les petits chachiens, sifflant, cabriolant, se montant les uns sur les autres avec, bon dernier et visiblement ennuyé de l'être, un minuscule chachien doré qui essaie de se hâter avec dignité.

C'en est fait du silence. Quelques enfants se mettent à glousser, et bientôt tout le monde rit à gorge déployée. Les chachiens galopent sur les rebords de la piste, sautent des quatre pattes en l'air pour rebondir sur le vitrex élastique, font des culbutes, édifient des pyramides chancelantes qui s'écroulent tout près des spectateurs ravis. Sur un cri modulé d'Éric – la seule indication vocale de tout le spectacle, plus pour le bénéfice des spectateurs que des animaux – les chachiens se rassemblent autour de lui. Des ballons, des cerceaux, des cordes et des tabourets sont apparus comme par magie sur la piste (personne n'a vraiment vu Marc et Tobee les apporter).

Le spectacle s'accélère alors à vous couper le souffle : les ballons jaillissent dans les airs, butent contre des têtes au sourire canin, se font fouetter par les longues queues préhensiles, passent de pattes en pattes aux doigts habiles ; les corps nerveux des grands chachiens se propulsent au travers des cerceaux pour bondir sur les tabourets puis sauter en mesure dans les cordes qu'Éric et Marc font tourner.

Les deux humains ne donnent aucune indication : c'est comme s'ils servaient uniquement à tendre les cerceaux, à renvoyer les ballons, à tenir les cordes.

Au milieu de ce savant désordre, une autre licorne, l'argentée, a entrepris son tour d'allée au ras des spectateurs. À ce point du spectacle, plusieurs mains enfantines se tendent toujours vers elle. Cette fois, c'est une fillette rousse d'une dizaine de saisons qui s'enhardit assez pour effleurer au passage le poil épais et ondulé. La licorne tourne vers l'enfant son museau effilé, ses yeux calmes. Un moment, elles se contemplent. Puis la licorne reprend sa promenade paresseuse et l'enfant, comme réalisant après coup son audace, se réfugie dans les bras de sa mère.

Les chachiens abandonnent peu à peu les ballons et les cerceaux, ils se laissent tomber en tas autour des licornes dans un grand emmêlement de queues et de pattes, la langue pendante, en émettant sifflements et cliquetis satisfaits. La jeune jongleuse équilibriste vient maintenant poser sur la piste des espèces de grands paquets plats mais épais, aux contours irréguliers. Elle les effleure – un déclic inaudible – et les paquets se gonflent en corolles aux couleurs de l'arc-en-ciel. Quand le rond de lumière bleue se pose de nouveau sur Éric, qui n'a jamais bougé du centre de la piste même pendant le pandémonium des chachiens, il a son violon dans les mains. Il commence à jouer une gigue entraînante.

Un éclair multicolore, un nuage de senteurs acidulées : les oiseaux-parfums virent au-dessus de la piste. Un instant suspendus au-dessus d'Éric, ils descendent par vagues se poser sur les pétales qui correspondent à leurs couleurs, puis ils se mettent à glisser d'un pétale à l'autre en dessinant des motifs énigmatiques, sans qu'on puisse vraiment dire quand l'un se forme et quand l'autre s'efface.

Puis l'essaim s'enlève et s'abat sur les chachiens et les licornes, les voilant de ses palpitations chamarrées. L'empilade de chachiens se défait alors, les oiseaux-parfums s'éparpillent en nuages odorants au-dessus des spectateurs, la licorne pommelée se relève d'un bond, les autres secouent leurs crinières en poussant leur étrange sifflement grondant, et le violon d'Éric se tait sur un dernier trille.

Les lampes s'éteignent. On retient son souffle. Quand la lumière monte de nouveau, les animaux ont disparu, mais les trois forains se tiennent au centre de la piste. Applaudissements, trépignements, hululements, tout le monde debout, pendant plusieurs minutes. Même Tess sourit dans le troisième gradin, en face de Simon, pour une fois détendue. Et même l'agente du CÉREX, qui a vu plusieurs fois le spectacle, applaudit malgré elle.

Les spectateurs quittent la tente en discutant avec animation. Ceux qui espéraient voir encore les animaux sur la place sont déçus : pas un seul n'est en vue. Plusieurs personnes s'agglutinent comme toujours autour des trois forains qui rangent le matériel dans le camion – pas les autres sbires du CÉREX, bien entendu : ils ne sont pas venus au spectacle et boivent en silence à la taverne du village, en pensant à ce qu'ils devront peut-être faire plus tard. Un petit homme rond comme une pomme et aux joues aussi brillantes, entouré d'une poignée d'enfants excités, postillonne avec enthousiasme dans le sillage des jeunes gens : « C'est extraordinaire, c'est fantastique, des licornes apprivoisées, on n'a jamais vu ça ! »

Marc s'arrête, s'essuie le front, hausse une épaule avec le commentaire habituel : d'autres cirques comme le leur tournent dans la région de Tihuanco. Le petit homme n'en a jamais entendu parler – et pour cause : ils n'existent pas.

Un quatrième forain vient alors se joindre au petit groupe – celui qu'on n'a jamais vu pendant le spectacle, celui qui devait s'occuper des lumières ; les quelques personnes assemblées là croient comprendre pourquoi : il boite de la jambe gauche. C'est un de ces très roux à la peau laiteuse et aux yeux aigue-marine vaguement cerclés de rouge comme ceux d'un lapin russe, grand, avec de larges épaules, mais presque douloureusement maigre. Pourtant ils pensent tous en même temps, sans en prendre vraiment conscience : « lumineux », et ils lui sourient.

Simon sourit aussi dans son coin de la place, un peu triste : il connaît bien cette aura. Abraham était ainsi.

« Beaucoup de patience et de travail, ce sont les secrets du métier, vous savez », déclare Max de sa voix grave un peu éraillée.

Le petit homme rond se dit fugitivement qu'avant de pouvoir dresser des animaux, il faudrait déjà pouvoir les approcher, mais il l'oublie aussitôt tandis que Max enchaîne : « Vous devez connaître ça, avec les enfants ! »

Ils se mettent à parler de l'école, du spectacle de fin de session que les enfants sont en train de préparer, sans que l'instituteur se demande non plus comment Max a deviné son métier. Une vingtaine de minutes de conversation, et Max sait tout ce qu'il y a à savoir sur la région, s'il en avait besoin. L'instituteur s'en va ravi, les enfants aussi.

Max et Marc, et Tobee ; ils n'ont pas même vraiment conscience de ce qu'ils font ; ils ne veulent pas trop le savoir – Éric le sait, lui qui ne fait rien, mais il ne dit jamais rien non plus. Quand ils s'en vont, personne ne se rappelle très longtemps leur visite, ou seulement qu'un petit cirque est passé avec des animaux très bien dressés – des chevaux, des chiens ou des singes, rien d'autre. Pas étonnant qu'il ait malgré tout fallu si longtemps à la BET pour les repérer. Et à Tess.

Mais maintenant, ils sont repérés.

La femme attend que la foule se soit dispersée, qu'ils aient fini de dégonfler les sections de gradins, les aient roulées et rangées dans le camion, aient démonté les tuiles du plancher. Quand ils font la pause pour le souper, avant de s'attaquer à la tente et au mât, elle vient les trouver, seule. Native de Virginia, elle s'appelle Reine Dunod. Une simple fonctionnaire de la BET. C'est une petite femme brune ordinaire, à la personnalité plutôt accommodante, somme toute. On lui a dit de ramener tout le monde, en y mettant beaucoup d'insistance s'il le faut ; en fait, elle ne sait rien.

Simon s'est assis sur le rebord d'une des fontaines et discute de tout et de rien avec une vieille femme persuadée qu'elle le connaît depuis toujours ; il surveille le petit groupe des forains entre les larges troncs de deux arbres-à-eau : Max et ses compagnons dînent sous l'auvent qu'ils ont installé près de leur camion. Tess n'est nulle part en vue, mais elle surveille aussi.

Les jeunes gens regardent approcher Reine Dunod sans crainte, avec même un certain amusement (sauf Éric, toujours fermé).

« Pourrais-je parler au directeur du cirque ?

— Je suis l'administrateur, répond Max. Que puis-je pour vous ? »

C'est dans sa nature d'être aimable, il n'a pas toujours conscience d'en faire un usage tactique ; il ne sait pas à qui il a affaire, seulement que cette femme est un peu tendue, mais il ne s'inquiète pas vraiment ; même le méfiant Marc l'est plus par habitude que par décision. Éric... est enfermé : rien n'entre, rien ne sort. Dans son coin, Tess bouillonne : ils n'ont jamais eu à faire au BIAS ou à la BET.

Reine Dunod tend sa carte de visite à Max, qui la lit et la passe aux autres.

« Le CÉREX.... », dit Marc, perplexe.

« Centre d'études et de recherches exobiologiques », offre aussitôt la femme en souriant.

« Et que pouvons-nous faire pour le Centre d'études et de recherches exobiologiques ? » demande Max en lui rendant son sourire, presque aveuglant de gentillesse.

La femme sourit plus largement, elle est sous le charme – sans s'en étonner. On ne l'a pas prévenue. Ces gamins ont des rapports inhabituels avec des animaux, on veut les examiner, c'est tout ce qu'elle sait.

« Le Centre étudie depuis plusieurs Années les inter-actions entre les animaux indigènes et les humains. Les animaux semblent en voie de devenir moins farouches vis-à-vis de certaines personnes comme vous et vos compagnons. C'est un phénomène nouveau, passionnant ! Avec votre aide, nous pourrions mieux comprendre ce qui se passe. »

Et elle est sincère. Tess soupire, exaspérée. Voilà pour-quoi les petits ne se méfient pas vraiment : tout ce qu'ils peuvent percevoir, malgré la coloration autoritaire de l'arrière-plan, c'est la bonne foi de l'envoyée.

Max hésite. Marc et Tobee ont l'habitude de suivre Max. Éric... Éric est trop occupé à maintenir sa barrière.

« Le centre de recherches se trouve dans le district de Dalloway, poursuit Reine Dunod. Si vous acceptiez de venir y travailler avec nous... »

REFUS DANGER REFUS

Tess, un éclair brûlant d'émotions qui fait presque sur-sauter Max et les trois autres. Mais, sans que la femme ait remarqué le flottement, Max passe au registre du regret navré : « Nous ne pouvons pas. Les animaux ne supportent pas d'être enfermés, vous comprenez, ni d'être trop longtemps en compagnie des humains... Ils acceptent de jouer avec nous, mais ce n'est pas comme si nous en étions *propriétaires*... En dehors des représen-tations, ils sont en liberté.

— Il y aura d'autres animaux, là-bas. Nous vous dédommagerons pour votre temps, évidemment », insiste Reine Dunod ; elle pense encore ne pas avoir besoin de recourir à la force.

DANGER REFUS DANGER

« Le district de Dalloway... C'est vraiment très loin... Je ne sais pas trop... Écoutez », dit Max en paraissant pren-dre une décision, « on va y réfléchir. On doit en discuter entre nous. Venez nous voir demain matin, d'accord ? »

Soudain persuadée que tout se passera bien et sans s'interroger sur la provenance de cette certitude, l'agente du CÉREX va rejoindre ses acolytes. Elle ne regarde même pas Simon quand elle passe près de lui.

Tess vient les trouver avec Simon sous le couvert de l'obscurité. Ils l'attendent. Noyée dans la foule, et muette, elle est difficile à repérer, même pour Éric ; mais lorsqu'elle ne se cache plus... Elle entre dans la roulotte, ils se lèvent, Max lui tend la main avec un grand sourire : pas de méfiance, pas de réserve. Typique de ces trois-là. Tess leur ressemble, malgré une différence qu'ils perçoivent mais ne peuvent définir : elle est donc avec eux.

Ils regardent Simon avec plus de curiosité, plus de méfiance, surtout Marc : un petit vieillard jovial aux cheveux blancs coupés en brosse, une pipe bloquée au coin de la bouche, les mains enfoncées dans les poches de sa veste de marin. Un normal.

« Antoine Fersen, dit Tess. Un ami. Il sait. »

Ils ne peuvent pas se tromper sur ce qu'elle veut dire et Marc se détend un peu.

« Quel danger ? » demande-t-il, sans préliminaires inutiles. « Après tout, moi aussi j'aimerais bien savoir pourquoi les animaux nous acceptent.

— Vous n'en avez vraiment pas la moindre idée ?

— Depuis plus de deux cents saisons que nous sommes sur Virginia », dit Max, un peu dérouté par l'irritation que Tess ne dissimule pas, « c'est peut-être normal qu'ils commencent à s'habituer à nous...

— Pourquoi vous, quelques-uns, et pas tout le monde, alors ? Et moi, je suis quoi ? Vous et moi, vous l'expliquez comment ?

— Ils veulent seulement étudier les animaux », intervient Marc, mal à l'aise, et qui s'en irrite.

Ils n'ont jamais rencontré personne comme Tess, n'ont guère idée de la véritable nature d'Éric ; Éric non plus d'ailleurs : seule Tess la devine. Mais Tess ne leur déguise pas l'intensité de ses émotions, et cela les inquiète un peu, les déconcerte. Leur entente avec les animaux, c'est tout ce qu'ils désirent voir : le cirque est leur alibi – le sens qu'ils ont enfin trouvé à leur existence. Simon comprend très bien. Tess aussi comprend, mais cela ne change rien.

« C'est vous qu'ils veulent. Ce ne sont pas les animaux qui ont changé. C'est nous, les humains. »

Ils restent un moment silencieux, incertains, puis Max sourit de nouveau : « Eh bien, nous avons changé, nous nous sommes adaptés à la planète, c'est peut-être normal aussi, non, après tout ce temps ? »

Tess se force à rester calme. Elle attend simplement ce que Max va ajouter.

« Ils ne vont pas nous découper en rondelles, n'est-ce pas ? »

Elle relève la frange épaisse qui lui couvre le front presque jusqu'aux sourcils, leur laisse voir la cicatrice violacée. Un peu dégoûtée d'elle-même parce que c'est une manipulation délibérée, mais bientôt submergée comme toujours, emportée par la violence des souvenirs, suffoquant de rage douloureuse. Max et Tobee ont le même mouvement pour se porter vers elle, la toucher, s'arrêtent en même temps parce qu'ils sentent qu'elle ne le tolérerait pas.

Elle se reprend, avec difficulté. Maintenant, elle peut leur raconter, ils la croiront. L'enlèvement, la piqûre, dès le réveil au Centre la méfiance, le calcul, la crainte, imprégnant tout comme une odeur de pourriture. Les sourires, les paroles rassurantes et menteuses. Et la porte fermée quand on veut sortir, et quand on s'enfuit enfin, l'horreur incrédule de comprendre qu'on vous préfère morte plutôt qu'en liberté : on pourra au moins étudier le cadavre.

Elle s'est échappée, pourtant, la petite Tess de sept saisons, et elle a survécu à sa blessure. Antoine Fersen travaillait au Centre, comme jardinier, et il s'est trouvé là pour l'aider, une coïncidence dont elle n'a jamais songé à s'étonner, dont Simon ne l'a jamais laissée s'étonner. Il l'a sauvée de justesse : la petite l'a presque pris au dépourvu – lui ! – en essayant de s'échapper de son propre chef ; il n'était pas prêt, il a dû improviser... et il l'a presque perdue. Parfois, quand il la voit évoquer ainsi ses souvenirs du Centre, il n'est pas sûr de ne pas l'avoir perdue, malgré tous ses efforts ultérieurs.

« Nous ne pouvons pas les laisser nous étudier. Vous savez ce que nous sommes capables de faire.

— Mais nous sommes si peu nombreux », murmure Max.

Il voudrait tant préserver ses illusions. Tess hausse les épaules avec violence : « Des dizaines sur tout le continent ! Ne me dites pas que vous l'ignorez !

— Si », dit soudain Éric.

Un instant, un très bref instant, il a entrouvert sa barrière et ils peuvent tous percevoir, comme un coup de poing derrière les yeux, cette force brute en lui, qu'ils ont toujours vaguement soupçonnée. Puis la barrière se referme. Mais Éric parle, lui qui parle si rarement. Et il parle à Tess.

« Ils ne se rendent pas vraiment compte. Ils ne peuvent pas. Les licornes savent. La petite fille, cet après-midi, celle qui a touché Neige... »

Il se tait de nouveau, comme on referme une trappe.

Il y a un long silence. Que dire ? Ils ne peuvent jamais se mentir très longtemps les uns aux autres. Et Tess est bien trop forte pour eux. Elle n'est pas en train de les manipuler : la simple évidence de Tess dévoilée est trop forte pour eux. Et celle d'Éric, perçue pour la première fois.

Tess leur laisse quelques minutes, puis son impatience reprend le dessus : « Il faut partir. Maintenant.

— Ils doivent nous surveiller », remarque Tobee ; elle s'est remise plus vite que les autres ; elle est jeune, elle vient d'un quartier Horlemur : la perspective de jouer aux gendarmes et aux voleurs ne la dérange pas.

« Il faudra laisser le matériel en place. Ils seront persuadés que vous êtes toujours là. »

Marc commence à protester : « Ils vont nous voir... » puis il comprend soudain et Tess hoche la tête avec approbation. Il conclut, hilare : « Ils verront ce que nous voudrons leur faire voir. Ils nous verront partir faire un tour avec des amis. »

Max secoue la tête, dépassé. Mais les certitudes de Tess ne peuvent pas ne pas être contagieuses.

C'est très simple. Il suffit de sortir en laissant toutes les gazoles allumées dans la roulotte, rien dans les mains, rien dans les poches – sauf le violon qu'Éric n'a pas voulu abandonner – tout en irradiant la plus innocente insouciance, de monter dans la voiture d'Antoine et de partir : ils ont été invités à une soirée au village voisin, quoi de plus naturel ?

Ils se rendent sans encombre jusqu'à la rivière où les attend le petit bateau d'Antoine, *La Belle-Épine*. Simon est monté avant eux pour mettre les machines en route. Maintenant qu'il sait comment regarder, il voit ce qui s'en vient.

Max s'arrête sur la passerelle, touche le bras de Tess : « Écoute... ils arrivent... »

Tess alarmée n'entend rien : son talent s'applique bien mieux aux humains qu'aux animaux. Mais après quelques instants, elle sent qu'un mouvement anime le ciel obscur, et un essaim d'oiseaux-parfums apparaît ; des chachiens se glissent entre les jambes de Tobee et de Marc. Un peu en amont du bateau, de grandes formes claires se matérialisent autour d'Éric.

« Ils veulent savoir... où nous nous retrouverons », murmure Max presque sur un ton d'excuse. « C'était la fin de la tournée. Après le départ de la Mer, nous remontions vers le nord.

— Nous allons au sud-est, dit Tess. Vers les montagnes Rouges.

— Mais les oiseaux ! » proteste Max. « Les licornes et les chachiens pourront venir, mais les oiseaux, nous devions les ramener chez eux ! »

Tess soupire. Elle se raidit contre la désolation de Max, et celle des autres.

« Ni les licornes, ni les chachiens. Comment croyez-vous qu'ils vous ont repérés, au CÉREX ? Dites-leur... que vous êtes en danger, qu'il ne faut pas nous faire remarquer, je ne sais pas, moi, que peuvent-ils comprendre ? »

L'essaim qui enveloppe Max palpite en des motifs chaotiques. « Oh, ils comprennent », murmure-t-il, accablé. L'essaim se soulève, glisse en de nouvelles configurations, une traduction spatiale de sa tristesse. Les oiseaux devront retourner aux caisses de fleurs-à-cœur dissimulées dans un petit bois à quelques kilomètres du village par Max ; ils termineront là le cycle de leur existence et se planteront en terre par couples pour donner naissance aux graines de nouvelles fleurs. Mais le climat ni le terrain ne leur conviennent, tellement au sud ; ces graines resteront sans doute dormantes à jamais.

Simon, qui a remis la machine à vapeur sous pression, est remonté sur le pont. Il s'accoude au plat-bord. « On n'est pas *tellement* pressés. On pourrait aller chercher les caisses...

— Ils ne survivraient pas non plus là où nous allons, Antoine.

— Non, ils comprennent », dit Max, soudain résigné. La draperie de l'essaim flotte au-dessus de lui, au bout de ses mains tendues. « Ils sont allés plus loin qu'aucun autre essaim d'oiseaux-parfums. Ils sont contents. Ils dormiront. »

L'essaim s'efface dans la nuit, laissant derrière lui un sillage de parfums acidulés. Sur la berge, les chachiens se frottent contre Marc et Tobee en cliquetant doucement, puis ils disparaissent à leur tour. Éric monte à bord à pas lents après ses compagnons, et le grondement sifflant des licornes s'élève une dernière fois en amont de la rivière.

Il s'immobilise devant Tess et la dévisage un moment ; elle lui rend son regard, fascinée.

« Ils comprennent, dit-il. Ils comprennent tout. »

De force à force, égaux et pourtant différents, ils se sont reconnus. Mais Éric n'a pas baissé son bouclier.

Simon enclenche la marche avant. Il peut sentir l'excitation joyeuse et secrète de Tess tandis qu'elle montre aux autres où ils dormiront. Elle ne se rend pas compte, bien sûr : Éric se contrôle trop bien pour elle. Mais Simon ne peut ignorer, lui, comment les émotions d'Éric sont différentes de celles de Tess. Un intérêt réticent, certes, mais surtout de l'inquiétude, le désir – le réflexe – de fuir. Rien de semblable à l'attirance immédiate que Tess a éprouvée avant même leur rencontre officielle.

Il soupire en écartant le bateau de la berge. C'est sûrement temporaire. Éric s'apprivoisera.

Il pense *il faudra bien qu'il s'apprivoise*, mais il préfère ne pas le savoir.

5

Ils remontent assez vite l'Estève, sur deux cents kilomètres, jusqu'au premier des plateaux qui s'échafaudent les uns sur les autres pour devenir enfin les montagnes Rouges. Tess a décidé qu'ils n'ont pas le loisir de faire ensuite le lent voyage d'écluse en écluse sur les canaux jusqu'à Joristown : ils mettraient près de vingt jours pour arriver à Vichenska, et elle les veut en sécurité avant le départ de la Mer. Antoine laisse son bateau à quai à Radcliffe, et ils achètent une camionnette. Il vient avec eux : d'abord, au contraire de Tess et des autres, il dispose d'un confortable compte en banque, et ensuite, en compagnie de ce petit vieillard inoffensif, ils peuvent aisément passer pour une famille de touristes.

Lui, il ne veut pas les lâcher. Éric et Tess avec Alyne... Tous ses œufs dans un même panier, il ne peut se permettre de les surveiller de loin. Et puis la présence continuelle d'un normal leur est nécessaire – ils ont besoin de ne pas perdre tout contact avec l'humanité ordinaire, de se rappeler que tous les normaux ne sont pas nécessairement des ennemis – les véritables normaux, à vrai dire, ne facilitent pas la tâche, à commencer par ceux de la BET ! Et voilà pourquoi il ne pourra jamais dire la vérité à Tess... Mais il abandonne aussitôt cette ligne de réflexion pour se concentrer sur la conduite et la route.

À mesure qu'ils roulent vers l'est et que les Rouges poussent à l'horizon, puis s'ouvrent comme des bras pour les accueillir, Marc et Tobee, les deux vrais citadins du groupe, regardent avec inquiétude passer les villages de plus en plus rares, puis les fermes isolées : « Mais tu nous emmènes au bout du monde ! »

C'est à peu près là que Tess les emmène, là où le monde a recommencé pour elle.

C'était l'Été, il faisait chaud. Toutes les vitres de la voiture étaient baissées. Elle somnolait sur la banquette arrière de la voiture d'Antoine, la figure dissimulée sous un grand chapeau de paille bleue qui irritait un peu la cicatrice, sur son front, mais elle ne voulait pas l'enlever : les petits trous dans la paille transformaient le soleil en diamants. Elle ne savait pas si elle rêvait, elle ne cessait d'ouvrir et de fermer les paupières avec un plaisir ensommeillé, surprise chaque fois par la pureté cristalline et bleutée de la lumière à travers le treillis de paille.

Antoine dit enfin : « Réveille-toi, Tess, on arrive. » Il ne sait pas qu'elle est déjà réveillée, il ne sait jamais rien, Antoine, ce qu'elle pense, ce qu'elle ressent : il ne lui ressemble pas, mais c'est son seul ami. Depuis la nuit où... Elle ne veut pas y penser, elle veut seulement se rappeler les bras d'Antoine autour d'elle, la tendresse furieuse et désolée d'Antoine tandis qu'il l'emmène loin du Centre avec sa tête ensanglantée.

« Regarde, Tess, on arrive, c'est Vichenska. »

Quand il lui en a parlé la première fois, il lui a dit : « C'est une ferme. » Elle ne sait pas trop ce qu'est une ferme – elle se rappelle quelques vagues images entraperçues dans un livre, ou à la tridi ; elle ne sait pas lire bien sûr : après s'être sauvée d'un orphelinat dans les rues du quartier Horlemur, à Morgorod, quand on a six saisons, on s'occupe surtout de survivre en évitant les gangs qui cherchent des petits voleurs habiles – et Tess était trop habile ; quand les méchants l'ont enlevée, justement, elle a d'abord cru que c'étaient des rabatteurs de gangs. Mais elle ne veut pas y penser ; la cicatrice lui démange quand elle y pense. La tête un peu légère à cause de l'altitude, en fronçant le nez aux odeurs inhabituelles de fumier, de vaches et de chevaux apportées par le vent, elle examine plutôt avec une certaine méfiance la ferme qui apparaît au détour de la route au milieu de petites prairies à l'herbe encore bien jaune. Ça ressemble aux maisons habituelles, en plus grand : un bâtiment rectangulaire à un étage, en pierre rouge et dorée, avec des arbres sur le toit plat...

Et puis la voiture entre dans la cour, une cour à grand bassin rond avec un arbre-à-eau dedans, ordinaire, la

cour, mais Tess n'y pense pas, Tess est stupéfaite. Elle se
tourne vers Antoine, bien sûr il n'a rien senti, il ne sait
pas... Il la regarde de côté avec un petit sourire : mais si,
il sait, même s'il ne sent pas comme elle les présences
rassemblées dans la maison – une surtout, si claire, si
intense, qui vient à sa rencontre avec une joie incrédule
aussi, la touche puis s'écarte, un peu timide, et disparaît.

Tess proteste instinctivement : « Non !

— Tu l'as sentie, alors ? » dit Antoine, débonnaire. « Ne
t'en fais pas, tu vas la voir. Elle a ton âge. Elle s'appelle
Alyne. »

Comme si elle ne le savait pas, comme si elle n'avait
pas appris, dans cet éclair du premier contact, tout ce
qu'elle doit savoir sur Alyne, et Alyne sur elle, pour toujours.

Mais c'était il y a vingt saisons. Tess a quitté la ferme
depuis plus d'une Année. « Seulement une saison », avait-
elle dit à Alyne, aux Steffenko. C'était le Printemps,
Antoine était venu passer les vacances de mi-saison,
comme il le faisait souvent, leur apportant des nouvelles,
des histoires de tout le continent. Elle n'avait jamais
quitté la région, sinon pour aller terminer ses études à
Joristown avec Alyne, un exil de deux saisons qu'elles
avaient eu hâte de voir se terminer. Elle était maintenant
technicienne agricole et Alyne institutrice itinérante,
dans un rayon de cent kilomètres, pas plus. Mais peu à
peu, cette fois-là, en écoutant Antoine, Tess s'était sentie
pleine de curiosité. Elle avait échangé un regard avec
Alyne : « Il doit bien y en avoir d'autres, comme nous... »,
avait-elle murmuré presque sur un ton d'excuse. Inutilement, bien sûr : en un éclair Alyne avait vu, avait
compris, avait accepté.

« Je n'en sais rien », avait dit Antoine, inconscient de
ce qui se passait. « Je ne peux pas. Vous deux, oui. »

Mais elles savaient déjà qu'Alyne ne partirait pas. Et
Tess avait dit : « Juste pour une saison ». Juste pour une
saison, elle accompagnerait Antoine sur *La Belle-Épine*,
et elle en chercherait d'autres comme eux. Et Alyne
l'avait crue, parce que c'était vrai. Mais la saison en

était devenue deux, puis trois ; Tess se disait : "Encore un Mois, on va bien finir par en trouver un ", ou bien Antoine le disait, qui s'était pris au jeu – ils n'étaient pas allés partout, il fallait encore explorer la Nouvelle-Dalécarlie, ou bien la région de Southern City, ou bien... Alors elle écrivait à Alyne, parfois malade de nostalgie, mais en même temps saisie par la fièvre de la découverte, par les perspectives que lui dévoilaient, malgré elle, toutes ces rencontres au hasard des chemins, tous ces "presque comme elles" : étaient-ils donc si nombreux, ces "mutants", comme Antoine les appelait, que se passait-il, n'y avait-il pas quelque chose à faire ? Mais comment l'expliquer à Alyne, qui était si loin, qui lirait seulement ces mots impuissants, qui comprenait de moins en moins pourquoi Tess ne rentrait encore pas cette saison-ci...

Elle appuie son front à la vitre de la portière, le cœur incertain. Retourner à Vichenska maintenant... Il y a bien deux Mois qu'elle n'a pas écrit à Alyne, rien reçu d'Alyne. Mais que faire d'autre ? Il faut les mettre à l'abri, ces innocents (un cirque, et quoi encore ! ?) Il faut offrir Éric à Alyne, surtout. Elle ne peut retenir un sourire triomphant, elle imagine la surprise et la joie d'Alyne quand elle se rendra compte... Enfin, si Éric lui permet de se rendre compte. Pauvre Éric. Dieu sait ce qu'il a subi. Mais elles l'aideront. Avec les Steffenko. Ils l'ont bien apprivoisée, elle.

Simon ne conduit plus ; il a laissé cette tâche à Max. Lui aussi il se demande comment Tess va retrouver Alyne et les Steffenko. Elle ne sait pas encore à quel point elle a changé.

Elle le comprend tout de suite en entrant dans la salle commune. Dounya a pris du poids et des rides, Alexis est plus voûté, les cheveux de l'oncle Boris sont plus rares... Mais ils sont toujours là : accueillants, chaleureux, la paisible lumière d'un foyer. Max s'épanouit dès la porte franchie, le front de Marc se détend ; le loukirou bondit vers Tobee, qui s'agenouille pour le prendre dans ses bras avec un sourire ravi. Même Éric esquisse presque un sourire puis reste immobile, très raide, les yeux baissés, comme irrité de s'être laissé surprendre.

Tess s'est arrêtée après le seuil, dans le brouhaha des présentations faites par Antoine. Alyne la regarde, les sourcils un peu froncés. Et Tess voit soudain toutes les cicatrices de ses voyages, toutes les portes qui se sont fermées en elle, tout ce qui s'y est rabougri, étiolé, éteint au contact du monde, loin de Vichenska. Tess se voit par le regard d'Alyne en elle, auquel elle n'a jamais pu se dérober, Alyne qui a toujours vu plus vrai, plus profond. Mais Alyne dont le visage s'illumine enfin et qui s'approche, les yeux brillants de larmes, qui la prend dans ses bras et la serre contre elle, chaude et tendre, ses lèvres sur sa joue, «Bienvenue à la maison, Tess», et Tess a envie de pleurer aussi, de soulagement, de gratitude en étreignant Alyne à son tour. Elle peut encore revenir, c'est encore la maison, ces cinq saisons d'errances ne l'ont pas totalement exilée d'Alyne, exilée d'elle-même.

Ça ne durera pas : Tess en sait trop, désormais. Le temps passé à bourlinguer en compagnie d'Antoine sur tout le continent lui a rappelé les leçons de son enfance. Trop de visages anxieux dans ses voyages, trop de contacts fugitifs avec trop d'êtres malades, écrasés, mutilés. Vichenska est un refuge, et Tess sait qu'elle ne pourra plus y rester.

Et pourtant, ne pas avoir à prétendre, à se cacher, sentir les autres si présents et si limpides... Pendant les premiers jours, c'est pour elle la même surprise presque anxieuse que pour ses compagnons. Puis elle les sent s'abandonner tout à fait, Max en premier – la fraternité lui est naturelle comme l'air qu'il respire – puis Marc ; Tobee ne résistera pas encore très longtemps. Éric... Personne ne sait vraiment ce qui se passe dans la forteresse d'Éric. Seulement Simon et, pour tous, Simon est Antoine. Il n'est pas censé avoir conscience des courants invisibles qui tournent à Vichenska à mesure que l'Automne fait virer au bleu turquoise l'herbe des montagnes.

Le lendemain de leur arrivée, Antoine s'installe à la table de la salle commune avec son portable. «Encore dans tes gadgets, Antoine ?» lui dit Boris en souriant avec une indulgence un peu agacée.

Marc s'assied en face de lui : «Ça marche ici ?

 — Piles solaires, satellite », répond succinctement Antoine.

Il sait que Marc comprendra : pas un enfant de Vieux-Colons, Marc, les ordinateurs ne le défrisent pas.

« Tu fais quoi, là ?

— *La Belle-Épine*. Il faut que quelqu'un s'en occupe. Ça va être l'Été dans l'hémisphère nord. Antoine Fersen fait beaucoup de commerce, l'Été, dans l'hémisphère nord. Pas question qu'il déroge à ses habitudes. »

Il allume l'appareil, les protocoles de branchement lui font rapidement rejoindre son contact à Radcliffe, auquel il laisse le message dûment encrypté. « Et voilà, conclut-il avec satisfaction. *La Belle-Épine* fera ses rondes habituelles.

— Quand même pratique, murmure Marc.

— Ça, tu peux le dire, mon garçon ! »

Antoine se livre à quelques manipulations, et un chachien apparaît sur l'écran, tourne, glisse à travers des métamorphoses rapides qui le décomposent en muscles, organes, système nerveux, squelette, se reconstitue en un éclair, disparaît pour laisser place à un tableau génétique, puis évolutif, où les plus proches parents de l'espèce se placent à toute allure, jusqu'à l'ancêtre commun, un mammifère gros comme une souris.

Marc hausse des sourcils appréciateurs : « Quoi d'autre ? »

Tess regarde la scène avec un amusement secret. Elle devine la stratégie. Antoine lui a dit à plusieurs reprises, en privé, pendant leur voyage jusqu'à Vichenska : « Mais ils sont incroyablement ignorants, ces gamins ! » Pardi, ils ont vécu en dehors du système presque toute leur vie. Elle a toujours pensé qu'Antoine était un pédagogue frustré... Elle s'assied en face de lui, le regarde avec affection, les cheveux coupés en brosse, tout blancs maintenant, comme les grosses moustaches un peu roussies par la pipe. Il y a vingt saisons, quand elle l'a rencontré pour la première fois, la brosse de cheveux et les moustaches étaient grises, mais il était déjà vieux, il a toujours été vieux pour elle ; quelquefois, quand il devient vraiment trop paternaliste, elle l'appelle en plaisantant "Grand-père". Un normal, et pourtant, après les cinq saisons qu'ils viennent de passer ensemble, elle a sans doute plus en commun avec lui qu'avec Boris, Alexis ou Dounya (et même Alyne, d'une certaine façon – une pensée sur laquelle elle ne veut pas s'attarder). Il a toujours été vieux pour elle, mais – elle en prend conscience avec un coup au cœur – il ne sera pas toujours là.

Antoine se lève pour faire place à Marc, auquel il a montré comment explorer la banque de données. Son regard croise celui de Tess, et il lui adresse un petit clin d'œil en souriant : il aura de quoi s'occuper pendant son séjour.

Simon finit de s'installer dans ses quartiers habituels à la ferme. Il sait à quoi occuper son séjour, en effet. Il séduira chaque jour un peu plus Marc, puis Tobee, peut-être même Max, par l'intermédiaire de son ordinateur – discrètement, il ne désire pas déranger leurs hôtes plus que nécessaire ; depuis que leurs ancêtres Vieux-Colons se sont installés dans cette région perdue, les Steffenko ne sont vraiment pas des amateurs de technologies modernes, même quand elles seraient possibles et pratiques ; il aidera à la ferme, il lira, il se promènera dans la montagne, il surveillera. Il attendra. Il a décidé, il y a un moment déjà, qu'il ferait désormais toujours comme s'il avait le temps. Il peut attendre que Tess se reprenne au calme des Steffenko, et qu'elle en arrive, lentement mais sûrement, aux conclusions nécessaires, aux décisions inévitables. Il ne la poussera pas, cette fois. Si elle doit prendre un jour sa place, elle doit le faire de son propre gré.

Ce ne sera pas vraiment sa place, en réalité : d'abord, elle n'est pas de son calibre, et de loin. Éric, en fait, est un peu plus puissant qu'elle ; et même Alyne, dans un genre différent... Mais ce n'est pas d'Alyne ni d'Éric qu'il s'est occupé depuis l'enfance, ni qu'il entraîne à leur insu depuis cinq saisons – pas de regrets inutiles avec Éric : il ne l'a pas repéré quand il était temps, il ne peut pas tout voir, tant pis. Non, ce sera Tess.

Mais elle ne sait pas grand-chose. Il ne lui a jamais rien révélé, et il comprend bien maintenant qu'il ne le fera pas. Tout lui dire de Simon Rossem ? Pauvre Tess, elle n'a pas besoin de ce fardeau. Toutes ces questions sans réponses... Il sait assez quel en est l'effet sur lui ! Et puis, il a bien vu la réaction de Tess, depuis toujours,

quand on aborde avec elle les "comment ?", les "pourquoi ?" ou les "qui ?" de la mutation : ça ne l'intéresse pas –
elle en a peur, en fait, mais ne l'admettrait jamais ; un
héritage de son enfance que rien n'a pu tout à fait effacer.
Dans l'action, Tess est à l'aise. Les seules questions
qu'elle tolère, ce sont celles qui ont des réponses, celles
dont on peut se servir. Cela risquerait même d'être une
distraction fatale, pour elle, de savoir la vérité sur Simon
Rossem. C'est plutôt lui rendre un service que de ne pas
lui en parler.

Quant à lui dire la vérité sur Antoine...

Il s'est toujours trouvé d'excellentes raisons de ne pas
le faire : au début, lui confier cette vérité sous le sceau
du secret aurait été la couper d'Alyne et des Steffenko,
exactement le contraire de la guérison souhaitée. Et
ensuite... trop de temps avait passé. Il avait réussi à
développer la confiance de Tess envers un normal, et il
lui aurait soudain révélé que ce normal n'en était pas un ?
Lui apprendre quelle *sorte* de mutant, il avait vite décidé
que c'était également hors de question : inutile de nourrir
la tendance naturelle de Tess à la méfiance. La révélation
de l'étendue de ses capacités s'ajoutant à celle de la super-
cherie... Non. Vraiment pas. Il connaît trop bien Tess – les
faiblesses de Tess. Tess ne s'en remettrait pas. Tess... eh
bien, Tess n'est pas la remplaçante idéale, il peut bien
l'admettre, ce n'est pas la première fois qu'il en a conscience. Mais elle est tout ce qu'il a.

Ces dissimulations essentielles ont contaminé tout le
reste, il en a conscience aussi, mais il ne peut plus faire
marche arrière, n'est-ce pas ? Ses plans pour Tess ont
rétréci comme une peau de chagrin au fil des Années ; il
lui a bien laissé découvrir quelques petits groupes de
sensitifs, ici et là, mais non le nombre réel, l'étendue et
l'ancienneté de ces réseaux : Tess n'aime pas les questions sans réponses, mais celles-là en ont encore, des
réponses, qui finiraient par la faire remonter aux Rossem
– à Simon. Et, retour à l'argument précédent, inutile de
la laisser se creuser la tête, même temporairement, à
propos du mystérieux Simon. Il est mort depuis bien
longtemps, le mystérieux Simon, et son mystère avec lui.

Il ne peut s'empêcher d'esquisser un sourire sarcastique : si seulement ! Mais les mystères sont toujours là

pour lui, même dans la vie bien remplie d'Antoine
Fersen qui ne lui laisse guère le temps d'y penser, Dieu
merci ! Un albatros attaché autour de son cou, Simon.
Par simple précaution, il aurait dû effacer depuis longtemps le lien des Rossem avec les réseaux, mais il ne s'y
est jamais résigné. Superstition idiote, sans aucun doute,
mais il a bien droit à une certaine irrationalité, n'est-ce
pas ? Quand la lignée d'Abraham s'éteindra, quand il
n'y aura plus de Janvier dans le Sud-Est, il le fera. Pas
maintenant.

La Mer est partie, personne ne s'en est rendu compte
à Vichenska, qui n'est pas raccordée au réseau gazélec –
on est au-dessus de deux mille mètres, l'ordinateur
d'Antoine continue à dévoiler ses merveilles. L'Automne s'installe dans la montagne, le ciel gris, les vents
de plus en plus glacés soufflant de l'est et, enfin, la
neige. Tobee et Max ont toujours vécu dans des régions
tempérées, mais Tobee est ravie et ne semble pas souffrir du froid ; elle passe des après-midi entières à jouer
dans la cour avec le loukirou, fabriquant des régiments
de bonshommes de neige, des forts et des montagnes de
glace où elle perce des galeries tortueuses.

Après chaque nouvelle chute de neige, elle en entasse
au pied du pylône, à côté de la ferme : elle a parié qu'à
la fin de l'Hiver elle pourra atteindre la boule qui se
trouve piquée tout en haut, et saura enfin ce qui la rend
lumineuse. Rien d'extraordinaire, lui a assuré Antoine :
une réaction chimique ; et d'ailleurs, si Tobee veut voir
et toucher la boule de près, pourquoi ne pas entasser tout
de suite la neige jusqu'en haut ? Tobee réplique, indi-
gnée : «Ça ne serait pas du jeu !» La boule, elle veut que
la neige la lui donne. C'est la règle qu'elle s'est fixée.
Avant d'être recueillie par Max, Tobee a survécu tant bien
que mal dans les failles d'un univers livré aux règles
incompréhensibles des adultes ; elle en a gardé l'habitude
de s'imposer des lois qu'il lui faut observer strictement,
sous peine de funestes conséquences. Au moins est-elle
redevenue une enfant de treize saisons : elle réglemente
ses jeux, à présent, non sa survie.

L'Automne est une saison plutôt désœuvrée sur le haut plateau, une fois coupés les derniers foins, une fois les conserves faites. On prend soin des bêtes, bien sûr, mais on trait les vaches seulement trois fois par jour, et bientôt la neige empêche les promenades à cheval. Marc, Tobee, puis Max travaillent trois heures par jour avec Antoine et son ordinateur magique. Le reste du temps, on bricole, on lit, on joue aux cartes ou à d'autres jeux et, quand il ne fait pas trop froid, on part en randonnée, en raquettes et en skis.

Éric participe rarement aux activités communes – et il reste imperméable aux séductions d'Antoine ; il préfère se plonger dans les livres de l'oncle Boris ou faire de la musique pendant des heures, seul dans sa chambre.

Il n'a pas besoin de parler, au fond : son violon parle pour lui. Quelquefois le violon attire Tess, d'autres fois il attire Alyne. Elles restent dans le couloir, la main parfois posée sur la poignée de la porte, écoutent un long moment et repartent. Quelquefois, elles arrivent en même temps et écoutent ensemble en se souriant parfois, un peu hésitantes.

Mais le violon ne les laisse jamais entrer.

Quand Éric fait des promenades, c'est avec le loukirou. Le petit animal aime bien Tobee, mais Éric, c'est autre chose. Quand Éric sombre dans l'une de ses méditations moroses (habituellement quand il neige, de plus en plus souvent, à présent), le loukirou vient s'accroupir près de lui sur ses hanches rebondies, son épaisse queue-balancier fouettant l'air avec nervosité, et il geint à voix basse comme s'il l'implorait de ne plus avoir mal.

À quoi pense alors Éric ? Simon n'ose le pousser hors de sa carapace : le résultat serait peut-être explosif, et les autres pourraient alors soupçonner sa présence. Ni Tess ni Alyne ne s'y risquent non plus : Tess se dit qu'elle n'y arrivera pas, Alyne soupçonne qu'elle le pourrait, qu'elles le pourraient – et qu'Éric ne le supporterait pas. Le loukirou gémit aux pieds d'Éric, Alyne se crispe, Tess se rembrunit, Éric finit par s'en apercevoir ; il devient encore plus sombre, le loukirou geint de plus belle, et finalement Éric sort de la pièce avec brusquerie et quitte la ferme, si par chance la neige a entre-temps cessé. Il erre pendant des heures puis rentre enfin, l'air coupable, quelquefois avec un chat des neiges ou un bécongle affamés qui l'ont suivi et se pressent en tremblant contre lui pendant que Mama Dounya les soigne ou les nourrit avec l'aide de Max, Marc ou Tobee.

Les animaux leur manquent, bien sûr. Ils ne disent pas les « vrais » animaux, mais c'est implicite ; même s'ils aident à la ferme, ils trouvent les vaches stupides, les chevaux mal fichus et les poulets ridicules ; avec les deux chiens et les trois chats, ils ont établi une trêve incertaine : au mieux ils s'évitent, au pire il y a des grognements et des coups de griffes qui volent. Alors Éric leur ramène de vrais animaux quand il le peut, pour se faire pardonner. Paradoxalement, les meilleurs moments qu'ils passent tous ensemble sont souvent ceux qui suivent ses accès de mélancolie noire.

Alyne a dit à Tess : « Il se défend si fort... C'est ancien, tu sais, et profond. » Tess ne sait pas, n'est pas sûre de désirer savoir. Il fait si calme, ici. Le reste du monde semble si loin. Elle sait qu'elle succombe à la paix séductrice de Vichenska, elle ne devrait pas, c'est juste un sursis qu'elle s'accorde, mais elle a envie de le faire durer le plus longtemps possible. Si elle se mettait à penser vraiment... à la puissance potentielle d'Éric, à celle d'Alyne – à la sienne, qu'elle sait différente de la leur, différente aussi de cette intuition constante des uns et des autres que partagent les Steffenko, et de ce qui rapproche Max, Tobee et Marc des animaux. Depuis cinq saisons elle en a rencontré assez, des "mutants", elle en a assez discuté avec Antoine, jusqu'à plus soif : ils sont de plus en plus nombreux, leurs facultés deviennent de plus en plus marquées, de plus en plus différenciées aussi : une évolution est en cours. Et si elle se demande ce qui pourrait se passer... Jusqu'alors elle a pensé en termes de réseaux d'entraide, de refuges, de survie secrète à l'envers du monde des normaux. Mais maintenant, en retrouvant Alyne, en devinant Éric, il lui vient des projets d'un autre ordre, des plans...

Et Simon attend, en résistant au désir de la pousser, de les pousser. Il faut patienter, tandis que l'Hiver commence à s'amonceler sur Vichenska, puis que la saison tourne, se renverse, et que ses jours courent maintenant vers la lumière du Printemps. Patienter en s'empêchant de se demander s'il peut encore s'offrir longtemps, et leur offrir, le luxe d'attendre.

6

Ce matin-là dans la salle commune, après la leçon quotidienne avec Antoine, Max et Marc sont plongés dans une grande conversation : comme à l'accoutumée, Marc dispute, Max discute. Tess répare l'une de ses raquettes en les écoutant d'une oreille distraite ; elle connaît leurs arguments par cœur ; si elle leur prête trop évidemment attention, Marc la prendra à parti. Et Tess ne veut pas, ne peut pas prendre parti entre Marc et Max ; elle a cette discussion avec elle-même chaque nuit, sans plus de résultat, et elle sait exactement comment celle-ci va se terminer aussi :

Marc : « Les normaux nous laisseraient couper en morceaux si on leur assurait que c'est pour l'avancement de la science ! »

Max : « Tu le ferais, toi ? »

Marc : « Non, parce que je sais ce que ça fait d'être le cobaye. »

Max : « C'est plus que ça. Tu possèdes une conscience morale. Et nous ne sommes pas les seuls êtres humains qui en soient pourvus ! »

Marc : « Ce n'est pas une question de conscience, c'est une question d'intérêts. »

— Et Antoine ? » réplique alors Max.

Marc change de ligne d'attaque : « Mais les parents de Tobee l'ont flanquée dans une institution, ceux de Tess l'ont abandonnée aussi, et les miens ne m'ont pas cherché longtemps quand j'ai disparu.

— Des gens ont peur, ils ne sont pas pour autant tous mauvais. Certains nous ont fait du mal, on n'a pas forcément à le leur rendre.

— C'est ça, allons tous gentiment nous faire ouvrir le crâne au CÉREX!

— Marc, se préserver du danger et se venger, ce sont deux choses différentes.

— Ce ne serait pas de la vengeance, ce serait de la légitime défense. »

Ils sursautent. Tess s'est raidie, les yeux fixes. (Et Simon dans sa chambre, qui a été pris au dépourvu et n'a pu s'empêcher à temps de diffuser.) Marc et Max se tournent vers Tess, incertains. Ils ont seulement perçu ce qu'elle a perçu. Un cri... Était-ce vraiment un cri?

Alyne arrive, livide. C'était plus clair pour elle, comme pour Tess: une douleur foudroyante, une brève et terrible angoisse... et plus rien.

Ils n'ont jamais senti personne mourir de mort violente.

Pendant qu'ils se regardent sans bien comprendre, Dounya entre à son tour, l'air inquiet puis rassuré en voyant sa fille.

Tess dit: « Tobee? »

Alyne hoche la tête, les sourcils froncés: « Elle arrive. »

Quelques instants plus tard, Tess sent Tobee à son tour, puis c'est un bruit de course dans la galerie extérieure, et l'adolescente, hors d'haleine: « Des types dans la ville, ils les ont tués! »

Alyne l'oblige à s'asseoir, à reprendre son souffle. Tobee raconte en désordre: deux hommes se trouvent là-haut, quatre hommes, dans la ville ancienne, au nord de la ferme. On démêle: deux groupes d'hommes, mais les hommes du second groupe ont tué les deux hommes du premier. Elle faisait sa promenade matinale avec le loukirou. Il y a eu ce cri bizarre en provenance des ruines, elle est allée voir en se dissimulant: deux hommes étaient étendus, morts, presque invisibles dans la neige. Et puis elle a vu arriver de loin quatre autres silhouettes, avec de drôles de fusils à gros canons courts et à lunettes. Elle n'a pas attendu son reste.

Tess est calme. Très calme. « Dans les ruines, hein?

— Ils ne m'ont pas vue, je suis sûre.

— Où est Éric ? » demande brusquement Alyne. « Je ne le trouve nulle part. »

Tess fronce les sourcils : il était parti se promener. Si quelque chose était arrivé à Éric, le sauraient-elles ? Il s'enferme si bien, parfois... Mais ce n'est pas le moment. Il y a plus urgent.

« On ne va pas rester là à ne rien faire ! » dit Marc en dansant sur place d'impatience.

Tess dit simplement « Tais-toi », et Marc obéit, subjugué.

Simon finit de s'habiller, toujours inquiet – il s'était pourtant arrangé pour que les guetteurs du réseau local ne soient pas dans les ruines quand les autres arriveraient. Mais malgré l'angoisse, il ne peut s'empêcher d'éprouver aussi un mélange de satisfaction triste. Même si Tess ne s'en doute pas encore, elle a choisi.

Boris et Alexis sont arrivés entre-temps ; on les met rapidement au courant.

« On va s'en occuper », dit Boris, atterré, en esquissant un mouvement vers l'armoire où se trouvent les fusils.

Tess dit « Non », et Boris s'immobilise. « Alyne, le souterrain est toujours praticable ?

— Sans armes ? » dit Dounya.

Tess la regarde, un peu étonnée quand même de voir la question venir de ce côté ; puis, pendant quelques secondes, elle lui inflige une aveuglante migraine. Dounya vacille en grimaçant, mais réussit à hausser les épaules : « Contre des fusils à aiguille ou Dieu sait quoi d'autre ?

— Nous avons une longueur d'avance sur eux. Tobee, tu restes là.

— Pas question ! »

Tess dévisage un instant l'adolescente, et de nouveau elle choisit : le baptême du feu pour Tobee. « Bon. Mais tu fais ce qu'on te dit et c'est tout. Antoine... » – Simon s'immobilise au pied de l'escalier en finissant de boucler sa ceinture, l'air convenablement ahuri – « ... tu restes là avec Dounya et les autres. »

On accède au souterrain par une porte située dans la cave. Le passage monte en pente douce vers le nord et la partie supérieure du plateau au pied duquel se trouve la ferme. Il débouche au milieu de la cité ancienne, dans une des salles du grand édifice, temple ou palais, qui en occupe le centre. De ce côté, la porte secrète a disparu avec le mur : on sort au milieu d'un éboulis de pierres ; l'édifice ne s'est pas complètement écroulé sous les assauts répétés des Hivers, mais il est ouvert à tous les vents, Tess et ses compagnons doivent se frayer un chemin parmi des amoncellements de neige fine qui coule comme de la cendre. La ville moutonne en buttes blanches ; quelques pans de mur pointent des dents écarlates là où le vent les a dégagés ; l'agencement géométrique des quartiers est encore bien perceptible, pourtant, en éventail autour du promontoire où se tient l'édifice central.

« Au pied de la tour », souffle Alyne. Tess ne sent rien : elle est excellente à courte distance, bonne à moyenne distance, mais, à plus de cent mètres, les intrus sont juste hors de sa portée. Elle suit les indications d'Alyne et tout à coup elle voit : un petit monticule, trois silhouettes du même blanc mat qui s'affairent à côté.

« Ils les enterrent », murmurent Marc et Max en même temps.

« Plus près, dit Tess, on les aura mieux. » Elle ignore si son plan va marcher, mais c'est tout ce qu'elle peut envisager sur le moment.

Ils se glissent à travers la neige ; la lumière baisse : une nouvelle tempête s'annonce à l'est, un rideau sombre qui a dérobé les montagnes et descend avec une lenteur menaçante. Là-bas, leur tournant le dos, les fossoyeurs ont fini leur travail ; trois d'entre eux montent maintenant une tente couleur de neige. Un quatrième est couché à plat ventre et observe les alentours avec des jumelles.

Alyne se détend, et Tess à son tour : Éric s'est signalé, il sort du souterrain pour les rejoindre. Essoufflé : il était loin, il a couru tout du long. « Au signal, vous me regardez et vous faites tous comme moi », murmure Tess quand il s'est aplati près d'eux. « On va leur donner un vrai beau mal de crâne, le genre à ne pas tenir debout. Ensuite, on les désarme. » Éric ne réagit pas. Si Tess en avait le temps, elle s'inquiéterait : quelque chose vacille en lui, vibrant sourdement comme un pan de banquise prêt à se détacher. Mais elle n'a pas le temps.

Le quatrième homme se relève, dit quelque chose aux trois autres, qui opinent : c'est le chef. Il va dans la tente, en ressort avec les armes qu'il distribue. Ils se déploient, descendant vers Tess et ses compagnons. Ils ignorent leur présence, mais ils veulent reconnaître le terrain. C'est encore mieux : ils se rapprochent d'eux-mêmes.

Et Éric craque. D'un seul coup la carapace se brise, il se dresse. L'homme le plus proche pousse un cri d'avertissement en levant son arme. Il n'a pas le temps de tirer, s'écroule comme une masse. Les trois autres lèvent leurs armes au ralenti. La tête sonnante, engloutie dans un brouillard gluant, Tess a donné le signal de l'attaque, mais est-ce bien ce qui fait s'affaisser le premier attaquant ? Prise dans une force qui n'est pas la sienne, dans une volonté qui l'englobe et la dépasse, Tess ne sait plus où elle est, qui elle est, seulement que cette force est celle d'Éric, cette volonté celle d'Alyne, et qu'elle accepte de s'y plier et de lui prêter les siennes, comme ses compagnons.

L'autre homme lâche son arme et se laisse tomber à plat ventre avec un cri aigu, la face dans la neige, les bras croisés sur la tête. Le troisième, le chef, esquisse un geste vers sa poitrine, plie lentement les genoux et bascule en avant dans la neige.

Ils les ramènent à la ferme, les trois corps inertes et, sanglotant faiblement, l'homme qui est devenu fou. Sans un mot, Alexis et Boris portent les deux cadavres dans la chambre froide ; Dounya administre un sédatif à l'homme fou, qui se tait et s'endort ; l'autre survivant passe aussi sans un mot de l'évanouissement au sommeil. Puis Tess et Antoine retournent démonter la tente et la rapportent à la ferme avec le matériel des inconnus. Ils restent tous un long moment sans parler dans la salle commune, écoutant les gouttes de neige fondues qui tombent une à une des paquets posés devant le feu.

Et puis quelqu'un, Alyne, dit : « Où est Éric ? »

Personne ne l'a senti s'éloigner – Simon était trop occupé à aider Tess et les autres à récupérer du choc sans se faire repérer ; même lui, à la ferme, il a ressenti le contrecoup de l'explosion d'Éric – Tess et Alyne l'ont subie de plein fouet. Heureusement les petits et les Steffenko sont moins sensibles, mais eux aussi sont comme assommés. Comment Alyne a-t-elle pu harnacher une telle énergie ? C'est comme si elle avait instantanément capté la terreur et la rage d'Éric pour les redistribuer à Tess et aux autres, chacun selon ses capacités mais en les multipliant puis en les projetant, comme une seule personne. Simon n'a encore jamais rencontré ce genre de synergie : une capacité nouvelle ?

Une telle puissance, Éric. Atroce, primitive, la terreur qu'il a projetée, plus horrible encore de n'avoir pas été pure : images, sons, odeurs, un monstre d'épouvante aux ombres toutes plus affreuses les unes que les autres, haine, désespoir, culpabilité...

Une telle puissance, mais difficile à utiliser. Et maintenant ils l'ont sans doute perdu.

Alyne le trouve, juste avant la tempête. Il est parti droit devant lui sur le plateau, mais sa trace zigzaguait comme celle d'un homme ivre. Il est tombé à la renverse dans la neige et il est resté là, les bras en croix, les yeux ouverts, vivant, mais ce n'est plus Éric. Un simple corps qui respire, et personne dedans. Ils le relèvent, Alyne le tourne dans la direction de la ferme, il se met en marche comme un automate.

À la ferme, dans une des chambres du rez-de-chaussée, ils le déshabillent, ils le frictionnent. C'est la première fois que Tess et Alyne, tout le monde, le voient nu : de très anciennes cicatrices s'entrecroisent sur tout son corps.

Alyne le contemple fixement, les sourcils un peu froncés, comme si elle regardait à l'intérieur d'elle-même. Tess connaît ce regard. Mais Alyne s'affaisse, pâle, le souffle court. « Je n'y arriverai pas toute seule, aidez-moi ! »

Personne n'a le temps de dire : « Comment ? » À peine ont-ils intérieurement acquiescé qu'elle les saisit tous pour les jeter contre le mur d'Éric, encore, et encore, un assaut d'amour implorant.

Éric bat des paupières, ses yeux retrouvent un regard. Ses lèvres bougent faiblement. Au bout d'un moment, il souffle : « Je l'ai tué.

— Tu ne voulais pas », dit Alyne ; sa voix est un fil très mince, tendu à craquer : le seul lien d'Éric avec la vie. « Tu voulais qu'il te tue.

— Oui. »

Éric était là, dans le réseau fragile de leurs paroles, mais il s'éloigne de nouveau.

« Ne nous laisse pas, Éric !

— Il a le droit, c'est mon père, il a le droit. »

Ils ne parlent pas de la même chose, ils ne se trouvent pas dans le même temps. Mais Alyne sait à présent où et comment regarder en Éric. « Tu crois qu'il avait le droit de te battre à mort parce que c'était ton père ? Parce que tu étais différent ? Ce n'était pas ta faute, n'est-ce pas ? »

Pour la première fois, il semble vraiment la voir : « Non ?

— Non ! » La conviction d'Alyne, irrésistible, solide comme un pont sur le temps et les souffrances.

Après un silence, Éric dit tout bas, d'une voix déchirée : « Il ne m'aimait pas.

— Il avait peur. Nous t'aimons, Éric, je t'aime. »

Et il ne peut pas ne pas sentir que c'est vrai, et les autres non plus, et Tess : Alyne aime Éric qui aime Alyne.

Ensuite, Alyne dit à Éric ce qu'il peut maintenant entendre : il faut apprendre à maîtriser ce pouvoir qui l'effraie, et ce qui est arrivé plus tôt dans les ruines, ce qui est arrivé autrefois, n'arrivera plus jamais. Il doit accepter, s'accepter, se vouloir. Et parce qu'ils l'acceptent, parce qu'ils sont tous ensemble, parce qu'Alyne les rassemble, Éric esquisse un sourire, ferme les yeux et s'abandonne au sommeil.

Simon voudrait ne pas entendre, ne pas écouter. Ne pas voir Tess, le paysage dévasté de Tess, Tess qui voulait partager Éric avec Alyne, et maintenant que tous les autres savent, qu'Alyne n'essaie plus de prétendre et qu'elle-même ne peut plus, Tess est furieuse, Tess a mal, Tess a honte de sa peine et de sa colère, mais elle ne peut pas plus s'empêcher de les ressentir qu'elle ne peut empêcher Alyne et tous les autres de le savoir, et même Éric, qui fronce un peu les sourcils dans son sommeil. Et leur peine vient la fouetter en retour, et la culpabilité d'Alyne, et bientôt la colère d'Alyne, une spirale orageuse qui tourne et gonfle sans fin.

Et Simon est incapable de se protéger. Simon ne peut pas se protéger de sa propre conscience. Il voit ce qu'il a fait, ce qu'il voulait faire, toutes les savantes rationalisations

se sont écroulées en même temps que ses plans si bien
échafaudés et il recule, horrifié – mais il n'a plus nulle
part où se dissimuler à lui-même.

Et puis la tempête invisible se dissipe, d'un seul coup,
parce que Tess le veut ainsi, parce que Tess, dans un effort
surhumain, veut ne penser qu'à ces deux cadavres dans la
chambre froide, à ces hommes venus les attaquer – venus
les tuer, c'était très clair. Le reste... plus tard. Pour l'instant,
le reste est moins important.

Simon comprend qu'il s'était trompé, oh, comme il
s'était trompé ! C'est maintenant le baptême du feu pour
Tess, maintenant que Tess choisit, qu'elle devient ce qu'il
voulait qu'elle soit... et non, il ne voulait pas cela, il
voudrait pouvoir tout défaire, trop tard, trop tard, les dés
sont jetés.

C'est à Tess maintenant, la solitude. Les coups de
boutoir de la tempête tournent autour de la ferme, les
grondements du vent, le crépitement du feu, la neige
crissant contre les vitres... Dans la ferme, c'est comme si
le temps s'était arrêté. Le temps s'est arrêté à jamais pour
les deux cadavres qui reposent dans la chambre froide,
pour les deux autres dont la tempête est en train d'effacer
les tombes. Suspendue entre la brève violence du matin
et la décision qu'elle va devoir prendre, Tess entrevoit
comme un vertige toutes les décisions, tous les actes,
tous les choix qu'elle ne pourra plus éviter. Ses choix.
Éric dort, apaisé ; dans la salle commune, Alyne ne la
regarde pas ; elle est assise de l'autre côté de la table, les
bras croisés, pensive et affligée ; Max est prostré dans un
fauteuil, les trois Steffenko se taisent. Mais comme
Tobee, comme Marc, Tess peut les sentir tournés vers
elle, attendant sa décision.

Elle a étalé sur la table les affaires personnelles des
quatre hommes et de leurs victimes. Des petits riens pathétiques, pièces de monnaie, bouton, une pierre d'Hiver...
Les porte-cartes en disent plus long. Les quatre tueurs
sont censés être des archéologues – en cette saison, avec
pour tout matériel, outre d'autres munitions plus létales,
des propulseurs à lunette et des dards anesthésiants ! Des
archéologues dont le premier geste a été d'abattre... qui,
au fait ? D'après leurs papiers, les deux autres sont ori-

ginaires de la région, des jeunes. Que faisaient-ils près de Vichenska ? Des chasseurs, sûrement, curieux de la vieille ville.

Il faut en savoir davantage. Décisions.

« Mama Dounya, tu as toujours de l'herbe-à-vérité ? »

Une imperceptible hésitation. Mais elle comprend vite, la paisible Mama Dounya. De déportations en pogromes, de pogromes en camps de la mort et de là en Zones de Reconstruction, ses ancêtres ont développé des capacités considérables de survie pour qu'elle et Boris aient finalement pu voir le jour sur Virginia, à seize années-lumière de la Terre. Boris ne dit rien non plus, c'est Alexis qui proteste. Faiblement.

Dounya va chercher la poudre.

« C'est quoi ? » demande Marc, plutôt satisfait : Tess a changé, tout va changer, et dans le sens qu'il préfère, celui de l'action.

« Une plante », répond Alexis, morose. « Fraîche, on la met dans la soupe, ça parfume. Sèche, en poudre... Ça fait dire la vérité. Impossible de résister. Et il y a des effets secondaires. Tess... ce n'est pas bien. »

Tess le dévisage sans rien dire. Alexis baisse la tête.

Ils tirent de son sommeil l'homme qui n'est pas fou. Il ne leur apprend pas tout ce qu'il sait : l'herbe-à-vérité n'est efficace que si l'on pose les bonnes questions. Mais c'est suffisant pour leurs besoins. Ses trois compagnons et lui travaillent pour la BET. Un ballon les a déposés à dix kilomètres, ils ont fait le reste du chemin à skis. Ils devaient s'emparer d'Éric, à n'importe quel prix : les autres membres du cirque étaient... sacrifiables. Les deux premiers hommes, il ignore leur identité ; ils les ont trouvés là, des gêneurs : pas de témoins, ils les ont éliminés. L'homme ne sait rien non plus à propos de Tess et des Steffenko ; on leur a seulement conseillé, à lui et à ses compagnons, de toujours se tenir à au moins cent mètres quand viendrait le temps de tirer, pour endormir ou pour tuer.

À mesure que l'homme parle, sa mémoire s'efface. Il oublie questions et réponses. En fait, il a presque tout oublié de ce qui s'est passé depuis le moment où on l'a convoqué au CÉREX. Et il ne se rappellera rien. Une arme à double tranchant, l'herbe-à-vérité : en repérant l'étendue de l'amnésie, on a une idée de ce qui a été demandé : de ce que sait – et ignore – l'adversaire...

Mais le souffle de l'homme se fait court, des tremblements l'agitent par saccades, de plus en plus violents.

« On arrête », dit Boris. Et, pour répondre au regard interrogateur de Marc : « Après, des convulsions, et l'arrêt cardiaque. »

Dans le silence, il emmène dans la chambre voisine l'homme délivré de ses souvenirs.

« Si jamais ils venaient à posséder cette drogue... » murmure enfin Marc.

« Ils en ont d'autres », réplique Tess, un peu sèche.

« L'herbe ne pousse que par ici, intervient Dounya. Ma grand-mère en a découvert les propriétés par hasard. » Et, tournée vers son mari qui n'a pas dit un mot pendant tout l'interrogatoire : « C'est plus humain que la torture, Alex.

— D'une certaine façon, il vaut mieux qu'il ait oublié », murmure Max. Cette marée de terreur noire issue d'Éric, la main géante qui les a tous saisis un instant pour les pousser vers la folie, ce désir aveugle de mort... S'il était possible d'administrer la drogue à l'homme qui a perdu la raison, Max le ferait peut-être, par charité.

Tess examine les nouvelles données avec une sombre satisfaction : on ignore la portée réelle de leurs facultés, comme d'ailleurs celle de leurs forces conjuguées – ils l'ignoraient eux-mêmes. Et on ignore tout d'Alyne.

Mais comment a-t-on suivi leur piste jusqu'à Vichenska ? Elle aurait dû poser la question pendant que le type pouvait parler ! On les a suivis ? Comment ? Elle est pourtant sûre d'avoir pris toutes les précautions possibles...

Voyons, ils faisaient suivre Éric, et seulement lui, à cause sans doute de sa relation avec les licornes, ils font une fixation sur les licornes au CÉREX. Il leur fallait un moyen de suivre Éric même sans les licornes, même quand le cirque aurait cessé ses tournées, même si les membres du cirque se séparaient...

Tess s'exclame : « Éric ! »

Les autres la regardent, inquiets. Elle poursuit avec une farouche excitation : « Ils suivaient Éric. Ils savaient que la Mer allait partir. Ils ont dû lui coller un traceur, à lui ou à...

— ... son violon, conclut Marc. C'est tout ce que nous avons emporté du cirque. »

Une fois le violon amené à Tess, elle trouve aisément le traceur collé dans la caisse de résonance – maintenant qu'ils y ont pensé, c'est si évident.

« Et maintenant ? » dit Marc, le premier à se reprendre, bien sûr. « Leurs récepteurs étaient aussi des émetteurs. » Il désigne les appareils parmi les objets entassés sur la table.

Alexis a un mouvement de recul : « On peut nous entendre ?

« Mais non, ils sont éteints », dit Tobee en haussant un peu les épaules.

Tess n'écoute pas. Le sens de ces appareils se réduit pour elle à ce qu'ils impliquent. La BET sait où se trouvent ses chasseurs, sait où se trouve leur gibier. Tant que le groupe restera à Vichenska – Tess pense "le groupe", maintenant, tout naturellement –, il sera à la merci de n'importe quel coup de main mieux organisé. Il faut repartir, retourner là où il sera moins facile pour leurs ennemis d'opérer sans bavures.

Elle se redresse, le visage illuminé. *Des bavures.*

« La crypte ? » dit Alyne, avec un sourire incertain.

7

« Au revoir, Señora Marquez ! » dit Alyne avec son plus convaincant sourire. La chauffeuse du gazobus scolaire grommelle un au revoir et la porte du véhicule se referme avec un chuintement poussif d'air comprimé.

« Tu aurais dû lui dire au revoir aussi, Tess ! C'est juste son travail de nous gronder quand on se bagarre dans le bus. »

Tess, renfrognée, regarde le bus s'éloigner sans vouloir se laisser apaiser par le "nous" de bonne volonté d'Alyne qui ne s'est pas battue, elle. Mais ce n'est pas elle non plus que cet imbécile de Jorge a traitée de "tête cassée".

« Plus tu réagis, plus il continuera, Tess. »

Tess marmonne « Je sais », et elle sait : elle sait exactement ce qui pousse Jorge à la choisir pour cible de ses attaques – mieux que lui. Comme Alyne, elle travaille trop bien à l'école, trop vite ; mais Alyne connaît Jorge depuis qu'ils sont tout petits, il sait qu'il n'arrivera à rien. Tess, c'est plus fort qu'elle. Chaque fois qu'elle sent l'envie, la rancune maligne de Jorge, chaque fois qu'il lui rappelle – sans le savoir – la honte et la rage et l'horreur qui sont liées pour elle à sa cicatrice, elle explose.

Ce serait réglé depuis longtemps si elle pouvait le *pousser*, comme elles disent entre elles, et comme les Steffenko ont appris à le dire même s'ils en sont incapables. Mais c'est défendu – et pas question d'essayer de le faire en catimini avec Alyne à côté : Alyne ne la laisserait pas faire. Tout le monde a été très clair là-dessus depuis le début. C'est défendu parce que ce n'est pas bien, d'abord, de *pousser* quand on peut s'en sortir autrement ; et ensuite parce que ce n'est pas prudent : il ne faut pas courir le risque de se faire repérer.

Pour Tess, qui pense n'avoir dû sa survie dans les rues de Morgorod qu'à sa faculté de *pousser*, comme ensuite sa fuite du CÉREX, la première raison semble assez frivole – sauf qu'Alyne lui démontre tous les jours qu'on peut en effet se sortir autrement de quantités de situations désagréables et non mortelles ; la deuxième raison lui semble plus acceptable, justement à cause de son expérience du Centre – et c'est Antoine qui insiste le plus là-dessus, chaque fois qu'il revient faire un tour chez les Steffenko. Antoine, il sait de quoi il parle.

Alyne, elle, ne veut pas *pousser* surtout parce que ce n'est pas bien ; savoir ce que les gens ressentent, même leurs émotions les plus déplaisantes, on n'y peut pas grand-chose. «Ne regarde pas, c'est tout», dit-elle. Mais ce n'est vraiment pas facile – surtout avec Jorge! Alyne est trop bonne. Elle pense que ce n'est pas la faute des gens s'ils sont bêtes et méchants : ils ne savent pas pourquoi ils le sont, mais elles, si elles veulent, elles peuvent le savoir. Jorge, par exemple, a toujours été traité avec brutalité chez lui.

«Et alors? a protesté Tess, c'est une raison pour être méchant avec les autres?

— Non, ça ne l'excuse pas, mais ça explique. En comprenant pourquoi il fait ça, il suffit de lui donner une raison de choisir autrement : il me laisse tranquille parce qu'il sait que je ne répondrai pas.»

Et si Jorge l'attaquait physiquement, et qu'elle ne pouvait pas se sauver? Alyne se battrait, bien sûr – quand même! Mais physiquement. Elle n'essaierait de *pousser* que si elle avait vraiment le dessous et que sa vie était en danger. Elle est cependant persuadée qu'elle verrait Jorge venir, et qu'elle trouverait un moyen de régler la situation avant que ça ne dégénère.

Alyne est trop bonne. Alyne vit depuis toujours avec des parents qui l'aiment et qui l'acceptent même si elle n'est pas comme eux. Alyne ne s'est jamais fait casser la tête. Et s'il n'en tient qu'à Tess, Alyne ne se fera *jamais* casser la tête!

Alyne lui passe un bras autour des épaules et la serre contre elle : «Nous ne laisserons personne te faire du mal, Tess, jamais.»

Quelquefois, avec Alyne, c'est presque comme si elles savaient chacune ce que pense l'autre. Pas pour rien qu'on les appelle "les jumelles", en classe – une taquinerie acceptable, celle-là, et même plutôt agréable. On ne sait pas que Tess a été adoptée par les Steffenko; l'histoire officielle, c'est qu'elle a été très malade depuis sa naissance : on la soignait dans un hôpital et c'est seulement maintenant qu'elle a pu revenir dans sa famille. On les croit sœurs. Elles ne se ressemblent pas, pourtant. Elles ont le même âge, douze saisons, et c'est tout. Alyne est petite, blonde au bord de la rousseur, avec de grands yeux presque trop noirs dans son visage à la peau translucide – elle rougit tout de suite au soleil quand elle oublie de mettre le gel protecteur ; Tess est déjà plus grande d'une demi-tête, la peau très brune, avec des yeux bleu violent sous la frange d'épais cheveux noirs et frisés qui dissimulent sa cicatrice.

Mais on les appelle " les jumelles " parce qu'elles sont tout le temps ensemble, parce qu'elles aiment les mêmes choses, parce qu'elles les font de la même façon – et parce qu'elles ne songent pas toujours à dissimuler leur accord invisible : quand l'une a un problème, l'autre le sait aussitôt, la phrase que l'une commence, l'autre souvent la termine...

Il est vingt et une heures ; l'après-midi est à elles. Après la méridienne et la dernière collation, l'école s'est terminée pour la saison sur de grands au revoir – voilà peut-être pourquoi Jorge a été si odieux : il ne pourra pas tourmenter Tess pendant toute une semaine ! Ce soir, la Mer va revenir, ce qui ne veut pas dire grand-chose pour Alyne et Tess sinon que l'Été est officiellement commencé, ainsi que les vacances de début d'Année : quatorze délicieux jours sans Jorge, sans institutrices, sans gazobus ferraillant bien trop tôt le matin, sans leçons et sans devoirs !

D'un commun accord, Alyne et Tess déposent leurs sacs près de la borne marquant l'entrée du chemin qui monte vers la ferme, se prennent par la main et s'élancent en courant sur la route aux dalles rouges : comment mieux célébrer le début des vacances, en vérité, qu'en allant reprendre possession de leur terrain de jeu favori ?

C'est la ville indigène, au nord de la ferme. La cité date de bien avant l'arrivée de la Mer, plusieurs millénaires, et elle est en ruines. Mais tous les parents Steffenko se sont résignés à y laisser jouer leurs enfants, depuis le début : cela a paru bien étrange à Tess la première fois qu'Alyne le lui a dit, mais cette ville était apparemment un lieu touristique pour les Anciens, qui en avaient dégagé les ruines et les avaient rendues très sécuritaires. La ferme n'était pas une ferme, alors : ce devait être une auberge, ou la résidence des gardiens des ruines, ou les deux. « On vendait peut-être des souvenirs dans la salle commune, en ce temps-là ! » avait pouffé Alyne.

Comme chaque génération de Steffenko, les petites
ont fait leur territoire de ce labyrinthe connu par cœur,
avec ses lieux tabous et ses itinéraires consacrés, sur terre
et sous terre ; le souterrain qui mène à l'édifice principal
– elles l'ont baptisé "temple", car il est vaste et majes-
tueux, même en ruines – n'est pas le seul : le plateau est
truffé de galeries entrecroisées, sans doute creusées par
les Anciens pour faciliter la circulation dans la ville pendant l'Hiver.

L'endroit où Alyne et Tess se retrouvent lors de toutes
ces escapades, leur quartier général, c'est un grand
bassin circulaire situé devant le temple. Un seul bloc
rouge de paragathe en constitue le fond. Impossible d'en
estimer l'épaisseur, mais il a bien quinze mètres de
diamètre ; des milliers d'Hivers en ont à peine égratigné
le poli, alors que le granit rose des rebords s'est fendu et
ébréché depuis longtemps.

Leur jeu favori, dans le bassin, demande de la mémoire, du souffle, et un morceau de fil de fer recourbé
en U. Il faut faire à toute allure le tour du bassin en
chantant une comptine absurde et compliquée, les yeux
fermés, guidée par l'aura de l'autre. Les rebords du
bassin sont sculptés ; on peut encore reconstituer en ima-
gination le motif géométrique de triangles et de cercles
qui les a ornés avec, à intervalles réguliers, quatre trous
en carré, dont l'écartement correspond au U du fil de fer.
On s'arrête brusquement de courir et on plante le fil de
fer dans le rebord, toujours les yeux fermés. Si l'on
touche un triangle, on a un point ; un cercle, deux points.
Et si une extrémité du fil de fer s'enfonce dans un trou –
à plus forte raison deux ! – on a gagné. Les petites se sont
servies de leurs facultés particulières sans s'en rendre
compte d'abord, plus consciemment ensuite : celle qui a
les yeux ouverts sait combien de points l'autre peut mar-
quer, et son excitation guide celle qui a les yeux fermés.
Le jeu, en réalité, consiste pour l'une à se contrôler, pour
l'autre à la deviner.

Elles y ont surtout joué au début, la première saison,
après l'arrivée de Tess. Alyne n'avait jamais rencontré
quelqu'un comme elle, Tess non plus ; après les premiers
contacts timides, elles se sont livrées avec délice à une

intensive exploration mutuelle, sous les yeux à la fois amusés et perplexes des Steffenko, et sous le regard intéressé d'Antoine, qui est resté plusieurs Mois à la ferme pour voir comment s'acclimatait sa petite protégée.

Elles jouent rarement à ce jeu maintenant, mais le grand bassin est resté leur lieu de rendez-vous favori. D'autant qu'il est ombragé de grands miralilas, dont les accueillantes branches basses constituent, en ce début d'Été, autant de chaises longues odorantes. Comme il fait plutôt nuageux aujourd'hui malgré les pans de ciel bleu tendre, les petites n'ont pas besoin de se mettre à l'abri et elles s'assoient d'un bond sur le rebord du bassin. Alyne s'y étend à plat ventre, le menton sur les mains, le nez au ras de la pierre chaude, et Tess pousse en même temps qu'elle un soupir de contentement en pensant à cette merveilleuse éternité de quatorze jours qui s'allonge devant elles. Des cabanes à construire, des histoires à inventer, des promenades à cheval, pêcher dans les ruisseaux qui sillonnent le plateau, faire de la musique avec Alyne, à quatre mains sur le piano...

« Et aider Mama Dounya avec les conserves, et réparer les clôtures avec Papa et Oncle Boris, et traire les vaches... », enchaîne Alyne.

Tess fait la grimace, pour la forme – travailler avec Mama Dounya est en réalité toujours un plaisir. « En tout cas, plus de Jorge ! »

Elle sent Alyne agacée de la voir s'attarder là-dessus, se mord les lèvres. Ah non, elles ne vont pas commencer les vacances de travers ! Elle guette les émotions d'Alyne pendant le silence qui suit, les sent avec soulagement devenir méditatives. Pas vraiment à propos de Jorge, mais à propos des garçons, bien sûr : « Il doit bien y avoir, comme nous, des garçons, non ?

— Sûrement », dit Tess avec un haussement d'épaules ; Antoine a dit « Statistiquement, il doit y en avoir d'autres comme vous », et il ne voulait pas dire juste des filles. Antoine a dit des tas de choses : " mutation, gènes "... Tess en a retenu que si elles ont des enfants, il y a de grandes chances que ces enfants soient comme elles. Mais elle n'est pas sûre de vouloir des enfants. Ne serait-ce que parce qu'il faut un garçon dans le circuit.

« Oh, Tess, ils ne sont pas tous comme Jorge, même à l'école ! » proteste Alyne en souriant.

« Non, mais ils ne sont pas comme nous non plus. » Même ceux qui sont gentils sont... plats, sans relief ; c'est frustrant d'être avec eux, avec tous les normaux, comme de parler à quelqu'un qui ne peut pas vraiment vous entendre. Faire des enfants avec eux ? Il faudrait les toucher, et se laisser toucher. Alyne et Tess ont vite constaté, au début, qu'elles avaient des idée très précises, et complémentaires, du processus qui produit les enfants, Alyne parce qu'elle a toujours vécu dans une ferme, Tess parce qu'elle se souvient des rues de Morgorod. Et elles savent toutes les deux que si ne pas regarder est une façon relative de se protéger des émotions non sollicitées, il en est une autre, élémentaire : l'absence de contact physique – c'est même ainsi qu'elles se punissent mutuellement, quand elles sont fâchées (mais se battre avec Jorge, sentir sa rage ainsi, s'en nourrir pour être plus forte, ce n'est pas pareil, Tess en a besoin pour gagner). *Faire des enfants* avec un normal... Et même avec un garçon qui serait comme elles... Non, Tess n'est pas sûre de vouloir se laisser toucher ainsi. La seule personne dont elle accepte ce genre d'intimité, c'est Alyne. Et elle est un peu blessée de savoir qu'Alyne l'envisage avec quelqu'un d'autre qu'elle.

« Mais ce n'est pas la même chose, Tess. Nous, on s'aime, mais on ne peut pas avoir des enfants ensemble. On peut aimer des garçons aussi, et en plus avoir des enfants avec eux. »

Le "en plus" était en trop, et Alyne s'en rend compte dès qu'elle l'a prononcé : « Je veux dire, regarde Maman et Papa, Maman et Oncle Boris. »

Tess s'est penchée pour ramasser un vieux bout de fil de fer dans le bassin, et s'affaire à lui donner la bonne courbe sans répondre. Mais c'est le début des vacances, elle ne veut pas partir d'un mauvais pied, elle est prête à se laisser apaiser. Elle demande : « Et si le garçon qu'on trouve ne nous aime pas toutes les deux ? » tout en testant l'écartement du U aux trous les plus proches.

Alyne hausse les épaules en riant : « Impossible ! Il sera obligé. »

Tess se met à rire aussi, rassurée par l'inébranlable certitude qu'elle peut sentir en Alyne et conclut, en plantant triomphalement le fil de fer dans deux autres trous : « Ou alors il faudra en trouver un autre ! »

Et alors toute la section de granit ébréché s'enfonce un peu, avec un déclic dans ses profondeurs. Et tandis qu'elles ont bondi en arrière et la surveillent, médusées, il se fait comme un frémissement, un ébranlement de la terre sous leurs pieds. Ça bouge, dans le bassin. Au bout d'un moment, elles comprennent que ça tourne. Et puis que ça s'enfonce, très lentement, avec des grincements au début, en silence ensuite et de plus en plus vite à mesure que la lourde masse se met en mouvement.

Prise d'une subite inspiration, Tess retire le fil de fer des trous où il est planté. La section de granit ne bouge pas, mais lourdement, peu à peu, la dalle s'immobilise. Puis, avec un grincement de protestation, repart en sens inverse, en remontant.

Alyne ne veut pas, absolument pas, descendre – heureusement pour Tess, qui ne trouvera jamais comment faire fonctionner le mécanisme depuis le fond. Alyne reste donc sur le rebord, curieuse et un peu inquiète, tandis que Tess saute sur la plaque tournante et s'enfonce dans les profondeurs.

Cette partie somme toute très accessoire de l'aventure prend cependant trop longtemps, plus de deux heures, et l'excitation de Tess et d'Alyne aurait tout loisir de se transformer en un profond ennui. Mais les parois du puits peu à peu révélé par les lentes girations de la dalle sont couvertes de formes aux couleurs intactes sous une épaisse couche luisante de vernis : une fresque, une fresque des Anciens ! Assise en tailleur sur la paragathe vibrante, Tess la regarde se dérouler, et Alyne partage son regard, fascinée.

La fresque relate l'histoire d'un prince ou d'un roi de la cité (on en reconnaît aisément plusieurs monuments, dont le temple intact), depuis sa naissance jusqu'à sa mort. C'est un conquérant, de toute évidence : de nombreuses scènes décrivent des combats, villes en flammes, files de prisonniers au dos courbé, attachés par le cou, chocs de guerriers anciens en armures, coiffés de heaumes empanachés et montés sur des licornes caparaçonnées – mais sans véritables selles, plutôt des espèces de tapis avec des repose-jambes ; et sans mors, et sans brides, les licornes : comment les dirigeaient-ils, leurs montures ? À la fin, tout au fond du puits, le roi tombe de sa licorne, noire comme la nuit, énorme, à la corne blanche. Sur la dernière image, à droite de la porte de bois clouté devant laquelle le mouvement de la dalle a arrêté Tess, le roi est étendu sur un lit d'apparat, vêtu d'un riche habit funèbre, entouré d'Anciens en pleurs, hommes et femmes. Au-dessus de la scène flottent de petits globes lumineux. On a dû les peindre avec un pigment spécial car ils sont phosphorescents dans la pénombre qui règne à vingt mètres de profondeur au fond du puits, en ce jour de soleil discret.

La porte cloutée n'a pas de serrure. Malgré les protestations lointaines d'Alyne, déformées par l'écho, Tess s'arc-boute et la pousse. Le panneau est lourd, mais au bout d'un moment il s'ouvre plus facilement, comme s'il y avait des roulements quelque part, et que seule la poussée initiale était requise.

Derrière, il y a de la lumière : une grande salle au plafond voûté soutenu par des piliers massifs. Toutes les parois, tous les piliers sont incrustés de minuscules cristaux que la lumière venue du puits par la porte suffit à faire étinceler. Mais il y a aussi une autre lumière au centre de la salle, plus forte et plus bleue à mesure que Tess s'avance vers elle entre les piliers.

8

Ils élaborent leur scénario avec soin pendant que la tempête épuise ses dernières fureurs. La mise en scène ne trompera sans doute pas la BET, mais il ne faut susciter aucun soupçon chez tous les autres dont viendra le salut. Ils passent une journée entière à imaginer les questions qu'on pourrait leur poser, à mettre au point et à répéter leurs réponses. Tess surveille les séances d'interrogatoire, anxieuse : à quel point la BET tient-elle à s'emparer d'Éric ? Y est-on prêt à dévoiler toute la vérité, les recherches secrètes au CÉREX, les délits... les crimes ? Sûrement pas. On l'aurait déjà fait, on aurait déclenché la chasse à l'homme, et pas seulement pour Éric. La BET ne doit pas savoir grand-chose de nouveau. Avec Antoine, autrefois, Tess est allée pirater les banques de données du CÉREX et n'y a rien trouvé de bien compromettant. En fait, au pire, on envisage seulement des mutations très dispersées, quelque chose de génétique déjà présent sur Terre et qui a continué à se développer de façon ponctuelle sur Virginia. En bons scientifiques bornés, les chercheurs du Centre se sont toujours contentés de rassembler des données disparates, depuis des Années, en vrac, en espérant qu'elles finiront par s'organiser en un système signifiant. Avoir repéré Éric était un coup de chance pour eux, un hasard – mais on ne peut pas dire que le cirque était bien discret !

Quand la tempête s'apaise enfin, ils retournent dans les ruines pour tout arranger. Boris et Tess se rendent ensuite chez les plus proches voisins, les Michault, qui possèdent un émetteur-récepteur.

L'hélijet de la police met du temps à arriver : le vent s'est levé de nouveau. L'officier, un nommé Charles Hermann, est d'abord à peine poli : il est visiblement contrarié d'avoir à venir de Joristown en plein Hiver pour une histoire aussi abracadabrante.

Une fois sur les lieux, il change d'attitude. Le bloc de cristal luminescent dressé sur son socle, à l'intérieur le corps nu de l'Ancien dont les yeux violets semblent le regarder fixement, au pied du bloc les deux cadavres, le

visage crispé par la terreur... C'est un homme cou-
rageux, ce policier – et assez téméraire : fasciné par la
lumière bleue qui émane du cristal, comme la petite Tess
des Années plus tôt (mais il l'ignore), il tend la main
pour effleurer le bloc. Comme rien ne se passe, il retire
son gant et touche de nouveau.

« Celui-là au moins est mort depuis longtemps »,
marmonne-t-il entre ses dents. « Du verre, ou du cristal... »
Il revient s'agenouiller près des cadavres – il suit exactement, à son insu, le scénario qu'on a établi pour lui.
« On dirait qu'ils sont morts de peur », murmure Alexis
au bon moment, avec la bonne touche de terreur super-
stitieuse. Hermann ne dit rien.

Revenu à la ferme, le policier interroge le rescapé,
qui ne peut rien lui apprendre. Il a eu très peur, il ne se
rappelle pas de quoi, Tess et les autres l'ont trouvé errant
dans la tempête – c'est ce qu'ils lui ont dit, pourquoi ne les
croirait-il pas ? Hermann interroge aussi les occupants
de la ferme, séparément. C'est simple : Éric a été surpris
par le début de tempête ; partis à sa recherche, ils ont
trouvé le puits ouvert et un homme qui hurlait au fond,
et Éric non loin de là avec l'autre homme qu'il avait rencontré perdu dans les ruines. Tess et les autres sont descendus dans le puits avec des cordes, ils ont découvert
les deux cadavres et, dès qu'ils l'ont pu, ils ont prévenu
la Sécurité.

Hermann ne décèle évidemment aucune faille dans
leurs dépositions ; d'ailleurs il n'en cherche pas. Il s'en
va en emportant le matériel des « archéologues », les
deux cadavres, et les deux survivants.

La semaine n'est pas terminée que trois autres héliets
lourds arrivent, amenant à pied d'œuvre une demi-douzaine
d'archéologues du BIAS, des vrais, leurs techniciens et
leur matériel. Les Steffenko leur offrent bien naturellement
l'hospitalité. On filme la fresque, on étiquette et emballe
avec soin les objets divers qui se trouvaient dans la crypte,
armes, cuirasses, vases, tapisseries. On passe plus de trois
jours à sortir sans l'endommager le bloc cristallin du
socle dans lequel il est dressé.

On a jusqu'alors accordé à cette ville encore moins
d'attention qu'aux sites intacts des Anciens, à peine une

mention dans le Répertoire : une ville en ruines, pensez donc ! Mais on fouille maintenant la tombe de fond en comble, et les galeries souterraines qui truffent le sous-sol – un Mois entier, jusqu'au début du Printemps. Alors arrivent les équipes de complément qui vont fouiller la ville proprement dite dès qu'elle sera complètement dégagée de la neige.

La BET a bien entendu glissé quelques hommes à elle dans ces équipes, mais ils ont les mains liées : l'incessant va-et-vient du personnel logeant à la ferme protège le groupe mieux qu'une armée. Tess n'a pas l'intention d'attendre la fin des fouilles, de toute façon. Elle sait bénéficier d'une certaine marge de manœuvre. Depuis la trentaine de saisons d'existence du Centre, la BET a toujours essayé de dissimuler le véritable but de son programme de recherches au CÉREX ; et on y est persuadé que tous les bâtons dans les roues sont le fait d'autres agences gouvernementales qui sont sur le même coup : le BIAS, ou même, qui sait, le gouvernement virginien. L'enquête policière n'a pas eu de suites : la BET a dû se protéger, il lui faut quand même rendre des comptes ; si elle est puissante, elle n'est pas toute-puissante. Il faut en profiter. Apprendre aux autres comme eux qu'ils ne sont pas isolés, les regrouper, les mettre en contact, s'organiser – et cesser de réagir. Prendre l'initiative. Agir.

« Tout un programme, murmure Boris. Et dangereux. » Il regarde Alyne.

Alexis essaie de protester : « Elle ne va pas partir avec eux ! »

Éric a passé un bras autour des épaules d'Alyne. Dounya, avec un petit soupir, vient s'asseoir près de son mari.

« Vous n'êtes pas obligés de venir avec nous, vous deux », dit Tess en contemplant ses mains croisées sur la table.

Ils se tournent vers elle du même mouvement, avec le même regard, l'effleurent de leur caresse invisible avec une identique tendresse lucide.

« Tu auras besoin de nous, Tess », dit Alyne.

« Nous aurons besoin de toi », dit Éric.

Ils ont tous les trois raison. Ils le savent tous les trois.

Ce soir-là, Simon commence son journal, en racontant l'histoire de l'île d'Aguay et ce qui l'a suivie. Il sait maintenant qu'il ne dira jamais, ne pourra jamais rien dire à personne – il ne pourra plus jamais entretenir l'inconscience qui lui a fait presque sacrifier Tess et les autres (il écrit " presque ", une prière, un exorcisme : trop tôt encore pour savoir). Il ne léguera même pas ce journal à Tess – geste vain, espoir coupable de pardon. De quel droit, alors qu'il ne sera plus là, alors qu'elle ne pourra pas lui faire face ? Il voulait qu'ils soient un groupe, forgé dans l'action, il voulait mettre Tess à l'épreuve : il a réussi au-delà de toute espérance – de toute crainte. Assez. Tess a des plans, il la laissera les mettre à exécution de sa propre initiative, avec ses propres moyens.

Maintenant qu'il en voit toute l'étendue, il reste béant, incrédule, devant son aveuglement. Antoine Fersen était si doué pour la manipulation, Simon s'y est laissé prendre... Non, il *est* Simon, Simon *est* Antoine, il n'a pas inventé Antoine de toutes pièces, pas plus qu'avant lui Nathan Légaré ! Il s'est pris cette fois à ses propres fantasmes de contrôle.

Et deux innocents ont payé sa stupidité de leur vie, ces deux jeunes chasseurs qui n'auraient pas dû être là. Et les deux de la BET avaient beau ne pas être innocents, ils sont morts aussi. Il avait pourtant persuadé les membres du réseau local, à leur insu, de retirer leurs guetteurs autour de Vichenska, les guetteurs qu'il s'était arrangé pour avoir toujours là à surveiller Alyne depuis le départ de Tess : après plus d'une saison sans incident, n'est-ce pas, que pouvait-il bien arriver ? Les agents de la BET ne devaient rencontrer personne, Antoine les aurait repérés « par hasard »... Et là il avait laissé le scénario plus vague : il espérait qu'il n'y aurait pas de violence, mais s'il y en avait tant pis, presque tant mieux, c'était au pied de ce mur-là qu'il pouvait jauger la capacité réelle de survie de Tess et des autres, n'est-ce pas ?

Il en a presque la nausée d'horreur et de rage. Fini. Plus jamais, l'illusion du contrôle, comment a-t-il pu y croire si aisément, et si longtemps ? Ah : il voulait y croire, bien sûr. Une revanche. Le dernier sursaut de son désir de postérité, pourquoi ne pas l'admettre ? Tout ce qu'il a le droit, à peine, d'espérer à présent, c'est que Tess et ses compagnons survivent à ses machinations et à leurs conséquences. Parier que le pire n'est pas certain, et seulement parier : il ne les regardera plus, il ne les verra plus. Aussitôt dans l'Ouest, Antoine Fersen va mourir.

Une punition trop facile, écrit-il rageusement, le stylo traverse presque le papier. *Bouc émissaire, Antoine. Comme Nathan, quand j'ai voulu m'épargner de revoir Sophie et Julien après la mort du petit Frédéric. Mais toujours de bonnes raisons, hein, Simon, d'autres raisons ? Habile Simon, prévoyant Simon, rationnel Simon ! C'est bien la peine de vivre aussi longtemps. On ne change pas, on s'aggrave, alors ? On reste coincé dans les mêmes structures mentales, condamné à répéter toujours les mêmes erreurs ? Mais ça suffit, là, ça suffit. Antoine va mourir, et avec un peu de chance je n'en ai plus pour très longtemps non plus !*

Mais tout en écrivant cela, il sent bien que c'est seulement un souhait désespéré, un vœu, une prière. Et il ne sait même pas s'il y a quelqu'un à qui les adresser.

9

Pendant la deuxième lunaison d'Octobre, dans l'hémisphère sud, la foire de Printemps attire tous les fermiers de la région à Joristown. Il est normal pour les Steffenko d'aller y faire un tour. Antoine Fersen, qui a terminé ses cabotages d'Été dans l'hémisphère nord, se trouve là, ce qui est normal aussi pour qui le remarque, et les agents de la BET ne le remarquent pas. Personne ne sait qu'il s'est trouvé à Vichenska pendant tout l'Automne et une partie de l'Hiver : à Radcliffe, à la fin de l'Automne, des membres du réseau local ont récupéré *La Belle-Épine* et l'ont ramenée dans le Nord, où elle a fait ses courses habituelles ; elle est présentement en radoub à Simck. Normal pour Antoine de rencontrer Alexis et Dounya, de vieux amis, normal d'aller boire une chope avec eux. Le lendemain, chaque membre du groupe va se promener sur le champ de foire et chacun, après avoir sans problème (et à son insu) semé son suiveur de la BET grâce aux interférences du réseau local, rejoint le nouveau bateau de l'ami Antoine, un petit navire de plaisance à l'aspect fatigué, mais qui a des ressources insoupçonnées de vitesse, et qui se nomme *Le Fantôme*.

Une surprise les y attend, quand Joristown disparaît dans la courbe du canal : dans un nuage de parfums aigus, un voile chamarré surgit du pont inférieur et s'abat sur Marc et Max, qui offrent leur visage ravi aux picotement des becs minuscules.

« Oh, Antoine ! » dit Alyne en se tournant vers Simon, le visage illuminé.

« C'était la moindre des choses », grogne-t-il d'un ton bourru – Antoine n'aime pas trop les démonstrations sentimentales.

Cette fois-ci, ce sont les chemins détournés. On se rendra bien compte qu'ils ont échappé au filet mais, malgré toutes ses ressources, la BET ne peut pas faire surveiller toutes les routes, tous les aéroports, toutes les stations de chemin de fer ni surtout l'ensemble du dense réseau fluvial hérité des Anciens. Pas question de prendre l'itinéraire le plus court et le plus fréquenté, d'écluse en écluse sur le Grand Canal jusqu'à Breughel, puis toujours vers le nord sur le Dolgomor, pour bifurquer ensuite plein ouest dans le Canal de Gabbler qui relie le lac à la Dandelion. Non, de Joristown ils descendent vers le sud-ouest rejoindre l'Estève, puis le canal qui la relie au cours inférieur de la Dandelion, à Arcimboldo (où ils s'arrangent pour passer de nuit, et ne s'arrêtent pas). Ensuite, ils remontent par des canaux mineurs jusqu'à la hauteur de Bellac, empruntent un canal perpendiculaire au cours paresseux de la rivière, le suivent jusqu'au milieu des plaines Bleues et de là s'engagent dans le lacis des canaux peu utilisés qui les relient à la Digue du Golfe et au bassin de la Simck, le fleuve qui est en fait un bras de la Dandelion et qui rejoint l'océan en coulant sous la Digue.

Ils passent ainsi peu à peu de la fin de l'Hiver du Sud-Est à l'Automne au-dessus de l'équateur. C'est le début de la septième lunaison de novembre quand ils débouchent dans le cours inférieur de la Simck, aménagé par les Anciens : plus de cent cinquante jours de voyage, de très longues vacances, un trop bref sursis. Au moins les crises d'angoisse de Tess se sont-elles faites plus rares en constatant jour après jour qu'on ne les suit pas, que personne n'essaie de les arrêter, que lorsqu'ils stoppent pour du carburant et des provisions personne ne leur prête une attention indue. Elle insiste cependant, après chaque escale, pour passer tout le bateau au dépisteur au cas où un autre traceur y aurait été dissimulé.

« Du calme, Tess », lui dit Antoine, alors qu'elle range une fois de plus l'appareil avec soulagement. « Ils ont perdu votre piste depuis longtemps, si même ils l'ont jamais suivie. Et ils ne la retrouveront pas de sitôt, crois-moi. D'ici le retour de la Mer, une fois à Zlazny, Simck ou Broglie, vous aurez tout le temps de leur faire le coup de l'aiguille dans la botte d'aiguille. »

Tess lui sourit. Sans Antoine, sans la présence amicale, bourrue et *normale* d'Antoine, elle ne s'apprêterait pas avec autant de prudent optimisme à plonger dans la vie citadine de l'Ouest, et ses compagnons non plus. Elle ne lui a jamais posé de questions, sentant ses réticences et ses tristesses, mais il a dû vivre une drôle de vie, l'ami Antoine, pour savoir tout ce qu'il sait sur l'envers de ce décor, les mille façons dont on peut s'y perdre pour exister tranquille : tout ce qu'il lui a enseigné en cinq saisons, et qu'il a fini d'apprendre au reste du groupe, en leçons accélérées, au cours de leur voyage. Et il a raison, il y a bien des façons de se protéger plus subtiles que la violence. En n'existant plus, par exemple. En se créant une autre existence de toutes pièces. Des dossiers, ça se détruit, des mémoires électroniques, ça se manipule.

« Et les mémoires humaines aussi », a dit Marc.

Et personne, pas même Alyne, n'a protesté, même si elle ne dissimule jamais son malaise quand ils discutent de la question. À vrai dire, après avoir constaté ce que la BET était prête à faire pour s'emparer d'Éric, la moralité discutable du *pousser*, maintenant, c'est bien le dernier de leurs soucis.

« Ça ne devrait pas l'être », murmure Alyne.

« Le moindre des maux, Alyne », remarque Max ; étrangement, l'idée d'infiltrer et de corrompre les banques officielles de données, voire de manipuler aussi des consciences, ne lui déplaît pas autant que Tess l'aurait cru : mais tout ce qui évite la violence directe a des chances de gagner son appui. Éric, une fois surmonté son propre malaise, trouve le plan acceptable, d'autant qu'ils n'y seront sans doute pas impliqués : à part Tess, et malgré les leçons d'Antoine, aucun d'entre eux n'est assez familier avec les ordinateurs. Et Tess n'a pas l'intention de confier à Alyne ni à Éric des tâches clandestines à haut quotient de danger. S'il faut *pousser* des gens, elle pourra très bien s'en charger elle-même, avec les autres.

Tobee est plutôt amusée, et curieuse – c'est comme un jeu de cache-cache, après tout. Non, depuis plusieurs semaines, à mesure que s'approche la fin du voyage, du sursis, la résistance vient toujours de Marc, curieusement : « Se cacher et ne pas faire de vagues, c'est tout ce qu'on peut espérer ? On n'aura jamais le droit de vivre comme tout le monde ? »

Antoine hausse les épaules et répond pour Tess, plus abrupt que d'habitude ; ils ont eu cette conversation bien des fois, elle et lui, pendant leurs voyages sur tout le continent, il doit commencer à en avoir assez : « Il faut choisir. Les risques de la violence ou la paix au prix de la dissimulation. »

Mais Marc ne se laissera pas convaincre aussi facilement aujourd'hui. « Ce n'est pas le vrai choix. Le vrai choix, c'est être nous-mêmes ou mentir perpétuellement.

— C'est une autre façon de définir votre choix, si tu veux, dit Antoine. Un peu tendancieux. As-tu jamais pensé que tu aurais un jour des enfants, Marc ?

— Dans ces conditions-là ? Jamais ! »

Alyne vient à la rescousse, bien sûr : « Moi, j'en aurai, dit-elle avec douceur. Et ils auront des enfants, et nous serons de plus en plus nombreux avec le temps, et un jour viendra peut-être où tout le monde sera plus ou moins comme nous. »

Antoine lui fait un clin d'œil : « La seule façon de gagner à coup sûr, la plus vieille du monde !

— Mais si nous sommes de moins en moins nombreux, au contraire » ? demande soudain Tobee.

— Je t'ai pourtant expliqué ce qu'est une mutation dominante, Tobee, dit Antoine, agacé. Je croyais que tu avais compris. Si vous vous arrangez pour survivre, vous la passerez à vos descendants.

— Mais moi, je vis aujourd'hui, pas au temps de mes enfants ou de mes petits-enfants ! » proteste Marc.

Antoine ne dit rien. Et que répliquer à cela ? Marc est jeune. Marc a seulement une dizaine de saisons de moins qu'elle, mais Tess se sent très vieille, tout d'un coup.

« C'est vrai, quand même, remarque Tobee en plissant son nez couvert de taches de rousseur. Faire semblant toute sa vie, être reconnaissant simplement parce qu'on respire... À quoi ça sert d'avoir ces pouvoirs si on ne peut même pas en profiter ? »

Et Max, bien sûr, répond : « On peut en profiter, Tobee, ensemble. »

Il veut tellement le croire, il le croit tellement, c'est contagieux. Marc est déjà moins acide quand il rétorque : « On ne t'a jamais appris que le père Noël n'existe pas ?

— Le père Noël, non, mais moi, oui, et Tobee, et Alyne, Tess, Éric... Et même ceux qui ne sont pas comme nous, la famille d'Alyne, ou encore mieux, Antoine – Max adresse au vieil homme un de ses lumineux sourires – mais qui sont tout de même avec nous. Tu te promènes avec un bandeau sur les yeux, Marc, et tu te plains qu'il fait noir. Pas étonnant si tu as des bosses ! »

Il lui ébouriffe les cheveux d'un geste rapide ; le mouvement de recul de Marc ne lui permet pas d'y échapper, mais lui fait bousculer Tobee qui feint d'en prendre ombrage et commence à le houspiller ; les autres se mettent de la partie et une bataille pour rire les entasse bientôt sur le pont.

« Ce n'est pas juste ! » hoquette Marc impuissant d'hilarité sous le tas. « Cinq contre un ! »

Antoine se met à l'abri, avec sa pipe ; et, comme il ne rate jamais une occasion de faire la morale : « Tu vois, l'union fait la force. Si vous restez ensemble, vous avez une chance. »

La Simck est l'un des cours d'eau les moins remaniés du continent ; les Anciens en ont laissé quelques-uns ainsi, à l'état presque sauvage, sans doute pour la navigation de plaisance. Un canal les double généralement à quelque distance et *Le Fantôme* devrait emprunter le canal Simck, mais une grosse péniche minière a percuté l'une des rives et s'est mise en travers ; on s'affaire encore à rétablir la circulation. On leur donne le choix : attendre à l'écluse comme tout le monde, ou se dérouter sur le fleuve. Antoine choisit la seconde possibilité : ils seront plus tranquilles, puisque les autres mariniers préfèrent attendre. Il a confié la barre à Tobee, qui est tombée amoureuse du bateau dès le moment où elle l'a vu, et il s'installe à la proue dans son fauteuil berçant, en allumant une pipe. Tess vient le rejoindre, se tire un tabouret pliant, s'assied sans rien dire. Elle n'a pas envie de parler. Toutes ces histoires de futur et d'enfants... L'ami Antoine non plus. Ça tombe bien. Au bout d'une demi-heure de silence amical, il se lève et va surveiller Tobee à la barre.

C'est un fleuve étroit et sinueux, la Simck – la raison pour laquelle les autres bateaux ont choisi d'attendre le dégagement du canal. Au sortir de la Dandelion, elle fait l'effet d'un ruisseau : à peine cinquante mètres de large, souvent moins. Le courant est faible mais régulier. Des milliers d'oiseaux nichent dans les marécages soigneusement conservés ou même parfois aménagés par les Anciens, et auxquels les humains n'ont pas encore touché – le canal est là pour satisfaire à leurs besoins en transport fluvial. C'est la fin de l'Automne dans l'hémisphère nord : les arbres-rois fécondés traînent dans l'eau calme leurs branches alourdies de gousses parfumées, et comme eux les gros arcandas virent à l'écarlate. De petites plages de sable, des anses et des criques minuscules entrecoupent les berges sinueuses ; comme la circulation est très réduite sur la rivière, réservée aux plaisanciers, la pollution y est limitée et les mécanismes biologiques mis en place par les Anciens jouent encore bien leur rôle : le long des berges, l'eau est recouverte de plantes et de fleurs aquatiques ; on peut voir papilloter brusquement sous la surface, au passage, les reflets des omniprésentes caliches rouges et noires qui sont les principales ménagères des eaux virginiennes.

À mesure qu'ils avancent, les troncs rouge sombre des arbres-rois se font plus rares, remplacés par de gigantesques roseaux entrecoupés de griffoniers aux minces branches souples hérissées d'épines violacées. La rivière devient plus étroite ; bientôt de petites îles viennent en rompre le cours, mais Tobee semble se tirer fort bien de son travail de pilotage et Antoine n'intervient pas. Tess voudrait que le bateau ne fasse aucun bruit, et glisser ainsi sous la voûte tiède des grands arbres presque entièrement refermée sur la rivière : seul un ruisseau de ciel laiteux court à présent entre les berges du feuillage.

Un peu plus tard, à un tournant de la rivière rosie par le soleil couchant, une île ronde apparaît, qui semble flotter à leur rencontre. Un débarcadère de pierre dorée est encore visible sous les branches retombantes et, au milieu d'un exubérant fouillis végétal, un pylône se dresse avec sa sphère lumineuse étincelant comme un petit soleil.

Antoine, qui a repris la barre, dirige le bateau vers le quai. Ils doivent débarquer les oiseaux-parfums, et ma foi, c'est une aussi bonne place que n'importe où ailleurs. Tess se lève avec un soupir, consciente de la mélancolie de Max et des autres, mais accueillant sans déplaisir une occasion de se dégourdir les jambes – et de retarder encore un peu le moment où ils arriveront à leur destination, toute proche à présent.

La végétation est retournée à l'état sauvage et les sentiers ont presque disparu. On voit pourtant encore que cette île a été modelée par des Anciens : le bouquet régulier des arcandas autour du pylône, la ronde des buissons de tafalfa... Max et Marc transportent les bacs de fleurs-à-cœur, les autres ferment la marche, Tess et Antoine avec les pelles. Un voile de confettis colorés les entoure d'un vertige de parfums à la fois tristes et joyeux, minuscules ailes battantes, becs imperceptibles picorant leurs joues. Déjà, dans le sous-bois, ils peuvent voir un autre essaim se soulever pour venir à leur rencontre, en s'organisant dans les couleurs du vol nuptial. Plus tard, les deux essaims se fragmenteront en leurs composantes individuelles qui, toute conscience disparue, se chercheront chacune une compagne, et se planteront en terre avec elle pour produire les œufs-graines des futures fleurs-à-cœur. Les essaims vont mourir. Mais ils renaîtront. Les humains, bien sûr, ne voient que le présent. Ils pourraient se dispenser de vider les bacs et de replanter les fleurs, qui n'ont plus très longtemps à vivre non plus puisqu'elles ne survivent pas à la fragmentation de leur essaim. Mais les humains tiennent aux symboles.

D'un commun accord, les autres laissent Max et Marc s'occuper des fleurs, et ils écartent hautes herbes et arbustes pour s'approcher du pylône. Tout à coup, devant Tess, Tobee pousse un petit cri : à son contact, un trembleur s'est ramassé en une boule de lanières craintives. Après un moment, une feuille se risque hors du lacis frissonnant. Tobee tend la main ; dès que sa chaleur atteint les palpes soyeux, la feuille se rétracte hors d'atteinte.

« Quoi ? dit Antoine, plus bourru que d'habitude, tu n'en as jamais vu ?

— Ce n'est pas pareil en direct », dit Tobee en riant pour dissimuler son embarras. « Il est vraiment... vivant, cet arbre ! »

Elle veut dire " animé ", bien sûr, mais Antoine ne rate pas l'occasion : « Et alors, c'est sa façon d'être vivant qui te choque ?

— J'ai seulement été surprise », dit Tobee, très digne. Elle a bien senti l'intention d'Antoine : la vie est une, les gens ne manquent pas pour qui elle et Tess et tous les autres ne sont pas moins naturels, pas moins merveilleux – pas moins *normaux* – que n'importe quelle autre forme de vie sur Virginia ou ailleurs. D'accord, Antoine !

Tess et les autres sont passés de l'autre côté de l'île. Tobee adresse un petit sourire complice à Antoine et va les rejoindre.

Simon reste près du pylône. Tout en écoutant leurs voix, leurs vraies voix, paisibles dans le lointain, il pose

la main sur la surface lisse à la tiédeur toujours aussi
curieusement vibrante, comme si une autre sorte de vie
l'animait elle aussi. Au cours de tous ses voyages, même
en soupçonnant ce que les pylônes ont peut-être fait et
continuent peut-être à faire aux humains, il a fini par
être content d'en rencontrer ; souvent ils lui ont évité de
trop chercher : il trouvait plus aisément des siens aux
alentours... Un pylône maintenant, alors que Tess et les
autres vont s'enfoncer dans l'inconnu, c'est peut-être un
bon signe ?

Deuxième partie

10

Simon s'accoude au rebord en demi-cercle du bureau d'accueil du Musée ; la préposée lui adresse un regard aimablement interrogateur.

« Dites-moi, je ne vois annoncée au calendrier aucune exposition sur les fouilles de Vichenska... »

L'autre se retient de sourire à ses tournures et à son accent slavic, mais elle est un peu surprise de la question et, histoire d'assurer ses arrières, Simon explique : « J'étais de passage dans la région quand on a découvert la tombe, vous comprenez. C'est une trouvaille fantastique, et je me disais... »

La jeune femme sourit avec une pointe d'indulgence, répond en slavic fortement teinté d'anglam : « Oh non, pas d'exposition avant plusieurs saisons. Les fouilles ne sont même pas terminées sur place, et la quantité de matériel nouveau à étudier et à cataloguer est vraiment énorme. »

Simon le sait bien – il est allé explorer la tombe après sa découverte par les fillettes trois Années plus tôt. Il sait aussi que le Musée aurait certainement de quoi monter une exposition partielle. Mais il se contente de hocher la tête et s'éloigne. Non qu'il se soit fait des illusions sur la diffusion publique des informations recueillies dans les fouilles de Vichenska – il voulait simplement, et l'a obtenue de l'esprit de la jeune femme, une image des endroits du Musée où sont entreposés et étudiés les objets, et plus particulièrement le sarcophage de cristal. Il aura amplement le temps d'aller fouiner dans les résultats des recherches avant le retour de la Mer. En attendant, ne pas davantage attirer l'attention : interroger sur les fouilles la responsable de l'accueil, c'est déjà presque trop. Inutile de la pousser vers l'oubli, cependant : après tout, la découverte elle-même a été rendue extrêmement publique, il y a veillé. Tous les principaux infonets en ont parlé ; il y a même eu un site entièrement dédié aux fouilles, pendant près d'un Mois. Vichenska est désormais sur la carte, pour le meilleur et pour le pire.

Il continue à se promener dans le Musée. Chaque fois qu'il le peut, lorsqu'il vient à Cristobal, il y passe de longues heures. Il se rappelle la première fois. Il débarquait à la gare avec Abraham et Caleb – leur première grande ville de l'Ouest, "Cristobal, nous voici !" – et machinalement, il avait regardé (toujours cette impression de survol, comme s'il avait été un oiseau en train de faire du sur-place dans le ciel). Et dans la vaste palpitation urbaine, illuminée çà et là par la présence de ceux qu'ils essaieraient de contacter parce qu'ils étaient des leurs, il avait vu ce grand carré de silence, en plein cœur de la ville.

Les bruits de l'extérieur y pénètrent à peine, et surtout, une fois passée la grande porte, la constante rumeur mentale qu'il sent toujours à la périphérie de sa conscience s'efface presque. « Un effet de la masse, peut-être », avait dit Abraham en plaisantant à demi : le Musée, ou du moins l'édifice des Anciens ainsi rebaptisé et transformé à cet effet par les humains, est un complexe énorme, presque une petite ville dans la ville avec ses étages de galeries à balconnades, ses cours intérieures, ses jardins, ses couloirs, ses salles, ses escaliers, ses rampes ; on a calculé qu'il pouvait loger confortablement jusqu'à trois mille personnes. Il est tellement vaste que même le Musée ne peut l'occuper tout entier : il a ses petites zones Horlemur, des escaliers et des couloirs barrés de chaînes portant l'écriteau "interdit au public". Chacun des édifices occupant le centre des cinq grandes métropoles anciennes est bâti sur un modèle semblable,

avec des variantes locales ; si c'étaient les palais d'un gouvernement ou même les temples d'une religion – malgré
l'absence de détails et agencements normalement associés
à ce genre d'édifice –, leur architecture harmonieuse mais
labyrinthique en dit peut-être long sur les Anciens, a-t-il
coutume de penser à chaque visite.

Abraham avait vite remarqué les omniprésentes
plaques de métal serties dans les murs, en général à des
croisements de couloirs. Après y avoir posé une main, il
s'était retourné vers eux d'un air entendu. Simon avait
touché à son tour, pour entendre une voix silencieuse lui
indiquer, en des termes incompréhensibles – mais les
images du plan étaient assez parlantes – où ils se trouvaient, avec les couloirs, salles et étages immédiatement
adjacents. Très claire, cette voix, comme celles des plaques
de leur enfance, dans la maison du cap d'Aguay. Oh oui,
des Anciens avaient été comme eux, et officiellement,
c'en était la confirmation éclatante.

Comme eux : comme lui. Mais pas comme Joseph,
Samuel ou Caleb : lorsqu'ils posaient leur main sur les
plaques, celles-ci restaient muettes. « Juste une vague
impression de mouvement, de présence », disait Joseph,
blessé de ce qu'il ressentait malgré lui comme un refus.
Samuel et Caleb ne percevaient rien du tout, mais y
attachaient moins d'importance, heureusement. Pauvre
Joseph, si prompt à se sentir rejeté, même par des
Anciens disparus depuis si longtemps...

Dès le début, les divergences. Même pour eux, qui
étaient du même sang. Après l'île et la première phase
de découverte, l'émerveillement de se sentir si proches
les uns des autres, après avoir en un éclair percé les
couches accumulées de malentendus et de chagrin qui
les avaient séparés, leur vieux réflexe familial de se regrouper autour de Simon pour le défendre a encore joué
à plein, pendant un temps. Quand ils ont pris conscience
de l'étendue de ses capacités, du fait que ce serait lui
désormais qui les protégerait... Oh, ils l'aimaient, ils
l'acceptaient, ils partageaient ses idées, ils les ont faites
leurs et l'ont aidé toute leur vie. Mais il a vite appris à
ne pas regarder son père et ses frères de trop près, à ne
pas leur rappeler trop souvent ce qu'il était vraiment, ce

qu'ils n'étaient pas. Et avec Martha aussi, et finalement
elle l'a quitté – officiellement parce qu'elle voulait des
enfants et qu'il ne pouvait en avoir, mais elle savait
bien, et il savait bien, comment ne pas le savoir : elle ne
pouvait tout simplement plus vivre avec lui. « Je *sais*
que tu ne m'épies pas, que tu ne me manipules pas,
Simon ! *Mais je sais que tu le peux.* »

Et, plus tard, Alice non plus n'a pas pu tenir, même si
elle est restée plus longtemps. Et il a pris l'habitude de
se dissimuler à tous dans les réseaux, eux qui se cachent
pourtant aussi, mais ce n'est pas suffisant pour faire
d'eux une véritable famille. On peut être trop différent,
même parmi les différents.

La leçon de toute une vie, toute sa première vie, si
douloureusement apprise, comment s'en défaire ensuite ?
Bien sûr qu'il ne pouvait rien dire à Tess. Mais pas à
cause de quelque lacune essentielle en Tess, d'une inca-
pacité, d'une méfiance propres à Tess, et qui l'aurait
retenu, lui, d'avoir confiance en elle. Si incroyablement
pathétiques, si indignes, toutes ses rationalisations pour
ne rien dire à Tess. C'était si simple, au fond. La honte –
mais pourquoi la honte, encore, après tout ce temps ? – la
peine, la colère d'avoir eu à se cacher si longtemps. Et la
crainte de perdre l'amour et le respect de Tess. Mais
pourquoi ne pas faire le pari de la confiance ? Tout n'est
pas écrit une fois pour toutes, le passé n'est pas le garant
du futur...

Il sait bien pourquoi : la lacune est sienne. Il ne peut
pas faire confiance. Il ne pourra jamais, sans doute – ou
pas tant qu'il n'aura pas trouvé un véritable égal, autant
dire jamais à la vitesse où cette mutation semble évoluer !

Il marche au hasard dans le Musée, plus pour jouir de
l'eau calme où il baigne que des artefacts exposés ; c'est
la fin de la matinée, la méridienne est proche, il n'y a
plus beaucoup de visiteurs et la plupart des employés
sont rassemblés à la cafétéria : facile de s'abstraire de
leur présence. Ne serait-ce que pour le Musée, il va venir
s'installer à Cristobal, c'est dit. Du moins pendant le
temps qui lui reste. *Le temps qui me reste.* Oh, comme il
déteste cette expression, comme il voudrait être certain
qu'il ne lui en reste plus, de temps ! Les auto-examens

ne lui apprennent rien là-dessus, sinon qu'il a soixante-quinze saisons d'âge physique. Mais il en a cent vingt-huit, il en a mille dans sa tête ! En finir...

Il se détourne par habitude de cette pensée, l'adapte plutôt : en finir avec Antoine Fersen. C'est pour cela qu'il est venu à Cristobal, après tout, pour régler certaines affaires d'Antoine Fersen. Ensuite, la semaine prochaine, Antoine Fersen retournera bourlinguer sur *La Belle-Épine* – le groupe de Tess n'a plus besoin de lui, ils sont bien installés à Simck, ils sont même entrés de leur propre initiative en contact avec un petit réseau local. Et quelque part sur les canaux – comme il l'aurait voulu, dira-t-on sans doute à son enterrement – Antoine Fersen mourra dans son sommeil.

Et quelle que soit la nouvelle identité qu'il va se choisir – pour le temps qui lui reste — il ne les verra plus, Tess et les autres, il ne les regardera plus, il ne veut pas savoir ce qu'ils feront, ce qu'ils deviendront. Il ne le mérite pas. Et même un simple regard sans intervention est encore une atteinte à leur liberté, à leur dignité. Oh, le cauchemar du voyage jusqu'à la Digue, continuer à mentir ainsi alors que chaque fibre de son être réclamait la vérité !

D'un autre côté, ça ne l'a pas empêché de finir ce qu'il avait commencé avec eux, le cours accéléré sur la vie clandestine. Encore une manipulation, dans un sens, quoique indirecte. "Pour leur bien", évidemment. Mais il avait commencé, il fallait terminer. Terminer le travail d'Antoine Fersen, et ensuite terminer Antoine Fersen. Seulement vingt saisons, Antoine Fersen. Mais il aura fait plus de dégâts en vingt saisons que...

Il se reprend, dégoûté de sa complaisance. Ça suffit, Simon, l'auto-flagellation ! Tess est vivante, si elle est blessée, et les autres sont là avec elle. Et les réseaux ont une longueur d'avance sur la BET, avec l'oreille qu'il a autrefois installée au CÉREX après s'en être enfui avec Tess. Pour le reste... eh bien, personne ne peut tout contrôler, ni eux ni ceux qui soupçonnent leur existence. À Dieu vat ! Qui vivra verra. Et avec un peu de chance, il ne verra pas.

Il se force à sortir de sa méditation et regarde autour
de lui. Où est-il ? Il vient souvent au Musée, et il a chaque
fois l'impression de se trouver dans un nouvel édifice :
ses itinéraires aléatoires lui ouvrent des perspectives
encore jamais vues, ou des perspectives familières mais
sous un angle inhabituel, et il lui faut un moment pour
les reconnaître...

Mais là, il doit admettre qu'il est perdu. Il a dû sans
s'en rendre compte sortir de la zone réservée aux visiteurs, car il se trouve au milieu d'un long couloir aux
murs tendus de tapisseries aux couleurs encore vivaces
et qui sert visiblement d'entrepôt provisoire à des pièces
en voie d'être cataloguées – il en remarque quelques-
unes au passage, une série de petites statues en bois
rouge incrustées de fils métalliques argentés, sans doute
en provenance du continent Ouest. Pas une plaque en
vue, mais il y en aura une au bout du couloir. Il se hâte
après avoir consulté sa montre : c'est presque l'heure de
la fermeture. À vrai dire, il ne lui déplairait pas de faire
une méridienne clandestine dans un des exquis petits
jardins du troisième niveau. Encore faut-il s'y rendre.

Quelque chose l'arrête soudain, la sensation d'un
mouvement perçu du coin de l'œil. Il regarde autour de
lui, perplexe. Les tapisseries ne bougent pas, il n'y a pas
un souffle d'air dans le couloir.

Là, encore, à sa gauche, à moitié dissimulés par deux
totems, un frémissement, comme une palpitation.

Le mur ressemble aux autres murs intérieurs du
Musée : des blocs massifs de pseudo-pyrite scellés à l'aide
de cette espèce de ciment résineux des Anciens ; ils sont
incrustés à intervalles plus ou moins réguliers de larges
mosaïques multicolores ; comme presque partout dans
cette galerie, celle-ci représente un artisan au travail,
apparemment un orfèvre.

Et elle tremble, comme un mirage sur le mur. Dans le
mur. L'effet de relief en profondeur est si frappant que
Simon avance machinalement la main pour toucher.

Sa main s'enfonce dans le mur. Il n'y a rien, il ne
sent rien. Mais il ne voit plus sa main.

Il manque de faire tomber l'un des totems en reculant. Puis il s'assure qu'il n'y a personne aux alentours

et avance la main de nouveau, tâtonnant à l'aveuglette jusqu'à ce que ses doigts rencontrent à droite et à gauche une surface dure dont les limites correspondent à peu près au cadre de la mosaïque. Du pied, il cherche le seuil de la porte, rencontre le vide puis, un peu plus bas que le niveau du plancher, quelque chose qui doit être une marche.

Il ferme les yeux au moment où sa tête entre dans le mur qui n'existe pas. Quand il les rouvre, il se trouve sur la première marche d'un escalier assez large qui s'enfonce en spirale entre deux parois lisses, couvertes d'un enduit d'où émane une lumière bleutée ; dans cet espace resserré, cela produit un éclairage suffisant, d'abord fantomatique, mais auquel les yeux s'habituent assez rapidement.

Il commence à descendre l'escalier en comptant les marches. Soixante-dix-sept marches plus bas, après la dernière volute de la spirale, un grand pan de noir vraiment opaque, et la sensation d'un espace ouvert. Il avance un pied, l'autre.

C'est le silence qui l'arrête, non l'obscurité. Si la rumeur lointaine de la ville s'efface pour lui une fois passée la porte d'enceinte du Musée, il y a toujours, s'il regarde, l'aura de ceux qui se trouvent à l'intérieur de l'édifice – visiteurs, personnel. Mais maintenant, plus rien.

Au bout d'un moment, il renonce aux hypothèses. Il claque des doigts pour mesurer l'étendue par l'écho. Des espaces ouverts, couloirs ou salles. Il tâte ses poches, zut, pas de briquet – quelle qu'elle soit, sa prochaine identité ne fumera pas, il est en train de se déconditionner. Il est là à essayer de décider s'il va remonter et chercher une lampe quand une faible lueur commence de se répandre autour de lui : si loin sous terre, la pseudo-pyrite décharge encore l'énergie empruntée au soleil. Il est chaussé de sandales ; il les retire et la lumière s'affirme, gagnant de proche en proche autour de la chaleur de ses pieds nus.

Et il peut voir la salle. Le premier coup d'œil lui montre seulement des étagères de bois dur alignées en rangs serrés le long des murs ; elles semblent remplies à craquer de blocs argentés. Il s'approche, et non, ce ne sont pas des blocs mais des dizaines, sans doute des centaines de milliers de boîtes métalliques très minces, empilées les unes sur les autres dans des casiers à claire-voie, également métalliques. Il veut en tirer une par sa tranche, une bordure de métal sombre gravé de signes plus clairs, l'écriture indéchiffrée des Anciens ; la tranche sort de la boîte, attachée à une plaque carrée d'environ vingt centimètres de côté ; le métal de la plaque elle-même a l'aspect argenté et le poli de miroir de l'adixe.

C'est alors qu'il sent l'enfant. Ou plutôt il entend d'abord une chanson, une comptine, des syllabes sans suite qui se répètent inlassablement. Ensuite seulement, en allant chercher au travers de cet étrange barrage miroitant de sons, il sait qui s'en vient.

Un des siens. Dans l'escalier.

Et il ne l'a pas remarqué plus tôt dans le Musée ? Simon incrédule examine la barrière de l'enfant : rudimentaire, mais efficace, beaucoup plus efficace que celle d'Éric – moins évidente. Le petit ne l'a pas perçu : la comptine qui tourne dans sa tête semble l'en empêcher. Comme Éric, alors, une barrière dans les deux sens.

Simon s'efface derrière l'étagère qui le dérobe complètement à la vue du petit visiteur.

L'enfant, petit, très blond, trop mince, se dirige vers une autre étagère. Visiblement, il sait où il va et ce qu'il cherche. Il se hausse sur la pointe des pieds pour prendre une boîte, en tire la plaque, remet avec soin la boîte en place et se dirige vers un des coins de la salle. Là se trouvent des coussins, une couverture et un sac de biscuits. L'enfant s'installe dans son nid avec un soupir d'aise, puis saisit la plaque à pleines mains.

◆

En ce temps-là, les dieux marchaient sur Tyranaël. Et l'un d'eux descendit parmi nous. Il naquit au milieu des enfants des hommes, et la mère qu'il se choisit se nommait Atéhoni. Ses pères et les pères de ses pères étaient venus sur Hébu au temps de la Grande Cassure ouverte par les dieux dans les infranchissables montagnes qui fermaient l'Ouest de Paalu, et avec la première caravane paalao ils avaient franchi la Montagne Sacrée,

*parmi la neige et la glace et les karaï aux griffes aiguës.
C'étaient des fils de rois, descendants des fils de Bélek,
et le père d'Atéhoni était le roi de Dnaŏzer, au bord des
montagnes Écarlates.*

*Dans le cœur de ce roi puissant et redouté, une
blessure saignait sans trêve : le regret de ne pas avoir de
fils. Sa seule enfant légitime, Atéhoni, était aveugle et
muette de naissance. Dans l'excès de sa honte et de sa
douleur, il l'avait fait enfermer dans la plus haute tour
de son palais et l'on avait muré l'escalier qui menait au
sommet. Une femme paalao prenait soin de l'enfant :
tous les jours un panier descendait de la tour et remon-
tait rempli du nécessaire.*

*Ainsi s'écoulèrent les saisons, et le roi Atsulad était
tous les jours plus sombre et plus redouté. Le bruit en
vint jusqu'à Markhalion, loin du côté du couchant, et
l'empereur Markhal, cinquième du nom, décida d'envoyer son propre neveu auprès du roi pour qu'il l'élevât
comme son fils et lui donnât sa fille en mariage lorsque
le temps serait venu.*

*En apprenant cette nouvelle, le roi Atsulad entra
dans une violente colère et décida de faire mettre sa fille
à mort avant l'arrivée du jeune prince, afin que le sang
des Atsuladi ne fût pas mêlé à celui de l'usurpateur tyrnaë.
Car le roi Atsulad descendait des rois-dieux de Paalu et
n'avait jamais accepté la défaite de son peuple face aux
Tyranao et à leurs alliés aidés des nouveaux dieux.*

*On abattit les pierres qui fermaient l'escalier de la
tour et les hommes d'armes montèrent chercher Atéhoni
et sa nourrice. Mais en voyant la princesse, ils s'immo-
bilisèrent, saisis de respect et d'admiration : Atéhoni
avait quinze saisons et elle était très belle malgré ses
yeux qui ne voyaient pas. Ils décidèrent alors de l'amener
devant le roi son père, car ils répugnaient à la mettre à
mort comme leur maître le leur avait ordonné, et ils
espéraient qu'en la voyant, comme le leur, son cœur
s'attendrirait.*

*Et lorsqu'elle se trouva devant lui, tous furent frappés
d'étonnement et de terreur, car les yeux de la princesse
étincelèrent d'un regard surnaturel, et sa voix muette
jusqu'alors résonna d'un accent surnaturel : « Ô mon*

père, laisse-moi vivre et mêler notre sang à celui de l'étranger tyrnaë, car de notre union naîtra un dieu, et le nom des Atsuladi deviendra immortel. »

Le roi Atsulad ne put résister à l'esprit divin qui s'était emparé de sa fille et il consentit à l'union d'Atéhoni avec le neveu de l'empereur.

De cette union naquit bientôt un fils et, le jour de sa naissance, alors que selon la coutume paalao Atsulad présentait l'enfant au Dieu Soleil, un éclair tomba sur le palais. C'est pourquoi l'enfant Selrig fut surnommé Ktulhudar, « fils de l'éclair » dans le langage des Paalani ; un grand roi de Paalu s'était ainsi nommé jadis, et Atsulad pensait que cela constituait un heureux augure.

L'enfant grandit en force et en beauté, mais rien ne trahissait sa nature divine et le roi son grand-père se mit à le regarder sombrement jouer parmi les pages du palais : Selrig ne se distinguait pas de ses compagnons sinon par les yeux violets qu'il tenait de son père ; il était simplement l'un d'eux et partageait leurs joies et leurs peines.

Il atteignit enfin sa seizième saison et, le jour anniversaire de sa naissance, son grand-père fit apporter dans la grande cour du palais l'Épée et la Selle ornée d'or dont Bélek lui-même avait fait présent au premier de sa lignée.

C'est alors que le dieu se manifesta en Ktulhudar : il fut environné d'une lumière aveuglante et disparut un moment aux yeux des assistants qui se prosternèrent avec respect, car la lumière scintillait des couleurs de Bélek. Lorsque Ktulhudar reparut, il regarda l'Épée – et elle sortit toute seule de son fourreau pour venir se planter devant lui. Il saisit la lourde Selle – et elle ne pesait pas plus qu'un fétu entre ses mains adolescentes. La grande porte du palais s'ouvrit sans qu'une main humaine l'eût touchée et un tovker entra, le plus grand qu'on eût jamais vu, et d'une couleur qu'on n'avait jamais vue, noire comme la nuit d'avant Bélek. Mais sa corne était blanche.

Ktulhudar lui passa la Selle et monta sur son dos. Le tovker lui obéissait comme s'ils s'étaient choisis depuis *toujours, et sur leur passage chacun se prosterna, car le visage de Ktulhudar étincelait comme un soleil, ses yeux lançaient des éclairs violets, et lorsqu'il adressa au roi son grand-père les paroles rituelles, sa voix grondait comme le tonnerre.*

Et à la fin de sa dix-huitième saison, Ktulhudar prit la tête de la guerre contre l'empereur Markhal son grand-oncle. Il volait de victoire en victoire, car les alliés paalani de Markhal connaissaient la nature divine du jeune Prince et craignaient que leurs dieux ne se fussent retournés contre eux en châtiment de la capitulation de leurs ancêtres. Il combattait toujours en première ligne, nulle arme ne pouvait entamer sa chair, nul être humain ne pouvait résister à son bras. Et partout le peuple de Paalu se mit à relever la tête, persuadé que les anciens dieux revenaient, plus puissants que jamais.

À Markhalion, cependant, l'empereur et ses conseillers hésitaient à lever une armée, car Markhal le Cinquième venait d'abolir le métier des armes, cent soixante saisons après les grandes guerres de l'Unification. Incertains de la conduite à suivre, les Tyranao interrogeaient la Divinité, les Aritnai et les Hébao priaient les leurs. Mais les voix divines se taisaient, pour les uns comme pour les autres.

11

La première sensation de Michaël, c'est la douleur. L'obscure présence aimante qui l'enveloppait au commencement la tenait à distance la plupart du temps, mais elle était là, impossible à ignorer. Et puis, la catastrophe : la déchirure de la lumière, et la brûlure, le poids, l'odeur, l'aveuglement de la douleur. La présence a disparu, laissant

un trou béant par où s'est engouffrée une autre présence
fulgurante : la deuxième sensation de Michaël, c'est la
douleur.

Puis la présence terrible s'éloigne, en dévoilant d'autres
moins écrasantes mais encore trop rudes et maladroites
malgré leur bienveillance, incapables d'apaiser le feu
qui a ravagé les premiers instants de Michaël et qui reste
prêt à ressurgir, toujours au bord de sa conscience.

Une relative paix, ensuite, traversée d'éclairs. La
douleur est toujours présente, mais Michaël apprend à
mieux la reconnaître : circonscrite à l'intérieur de son
corps et pourtant distincte de son corps, elle dessine un
paysage que les vrais yeux ne voient pas mais que
Michaël peut percevoir de plus en plus nettement à
mesure que le temps passe. Des premiers plans aveu-
glants, lorsque les grandes silhouettes sont proches (et
surtout l'une d'elles, menaçant toujours de réveiller le
souvenir brûlant) ; plus loin, à mesure qu'on s'éloigne vers
la périphérie, couleurs et formes se font plus douces, avec
d'occasionnels éclats affaiblis par la distance miséri-
cordieuse.

Une fois par jour, au milieu de la journée, et surtout
pendant les heures de la nuit, le paysage devient plus
accueillant : les présences semblent plus lointaines, enve-
loppées dans un brouillard qui en atténue les contours ;
alors la pression s'allège dans la tête de Michaël, il peut
laisser se détendre ses muscles crispés. Il prend très tôt
l'habitude de dormir le plus possible pendant la journée.
Au début, alors qu'il n'est encore qu'un bébé, c'est facile ;
mais peu à peu le sommeil se fait plus rare ; il doit se
rééduquer, un effort long et pénible pour fermer les yeux
– et les yeux qui n'en sont pas – à la lumière du jour.
Mais il y parvient. Il vit à l'envers des autres ; quand il
s'éveille dans l'obscurité bienfaisante, seules se trouvent
encore dans le monde quelques présences familières. Il
connaît bien leurs couleurs, leurs formes, et comme elles
changent ; il a même appris quelques noms : "Nourrice
Frédérique" (bleus, jaunes et verts, cercles, courbes sinueuses au lent mouvement organique), "Docteur
Martens" (blancs, noirs et gris, avec des touches de vert
acide et de pourpre profond, lignes régulières qui se

multiplient à l'infini pour tracer de fascinantes figures symétriques). Une autre de ces présences est "Papa", ou "Monsieur Flaherty" ou "Monsieur le conservateur" – c'est à peu près la même personne. Celle-là, Michaël n'essaie pas de la regarder, quelque chose s'agite dans sa mémoire quand il perçoit ce tumulte confus de couleurs et de formes.

Sur d'autres présences plus lointaines, celles du jour comme celles de la nuit, Michaël n'a pu mettre un nom ou un visage ; mais elles font partie elles aussi du paysage invisible, et tout cela finit par constituer un univers assez familier pour être rassurant. Avec le temps, captive des rituels que Michaël lui a imposés, la douleur s'est presque apprivoisée : lorsqu'il ne dort pas le jour, et s'il veut se promener dans le monde, il n'a qu'à chanter une chanson, toujours la même – les mots ne veulent rien dire, mais c'est un bouclier qui repousse les présences trop envahissantes.

Et pourtant, elles intriguent Michaël, ces présences : familières ou étrangères, elles surgissent tout d'un coup aux confins du monde et y disparaissent tout aussi brusquement. D'où viennent-elles ? Où vont-elles ? Devenu plus grand, la nuit, pendant que tout dort, Michaël explore les salles, les couloirs, les jardins et les escaliers silencieux du monde, sans jamais réussir à trouver l'étrange frontière d'où surgissent les présences. Jusqu'au jour où Nourrice Frédérique le tire de son sommeil diurne pour l'emporter à travers des régions du monde qu'il ne connaissait pas encore : il y a une très grande cour, un très gros arbre, le ciel qui tremble dans un bassin, une voiture qui se met en marche dès que Michaël y est assis, pour franchir une haute porte voûtée...

Rumeur terrifiante, la douleur multipliée à l'infini roule sur Michaël, des formes qui sont des clameurs qui sont des couleurs, vertigineuses. Il se bouche les oreilles, il ferme les yeux, mais les autres yeux, les autres oreilles ne peuvent échapper à la douleur... Jusqu'à ce que, sous la pression impitoyable, quelque chose, quelque part, réagisse, proteste, refuse. Une obscurité apaisante engloutit Michaël, semblable à celle de la nuit mais plus profonde, et la douleur recule au-delà de la bulle noire.

Ce jour-là, Michaël a appris deux leçons. La première, il la soupçonnait déjà : pour arrêter la douleur, il faut s'arrêter soi-même. Mais il y a mieux pour cela que le sommeil : la bulle noire du coma. Il apprendra à la faire venir aussi sur commande. Inutile maintenant de perdre de précieuses journées à dormir : armé de ses comptines et du bouclier toujours prêt de l'inconscience, il peut se promener sans risques dans le monde ; dès qu'une présence se fait douloureuse, il s'éteint.

La deuxième révélation est accablante : si le monde est très grand, bien plus grand que Michaël ne l'a imaginé, l'espace où Michaël peut vivre est très restreint : au-delà de la frontière des présences s'agite une immensité hurlante et frénétique.

On essaiera encore quelquefois de faire sortir Michaël, mais il sombrera aussitôt dans l'inconscience. À aucun prix il ne veut franchir la frontière du monde.

Le paysage familier de Michaël, c'est la douleur. C'est sur elle que se détachent tous ses souvenirs, depuis les temps brumeux de la toute petite enfance. Un jour pourtant, il apprend qu'il existe autre chose, que la douleur peut disparaître, et non grâce au bref et fragile répit du sommeil ou du coma.

Il a quatre saisons et se promène dans le Musée (c'est ainsi que les grands nomment le monde), loin de ses chemins habituels, l'esprit aux aguets. C'est un des jours tranquilles, ceux qui reviennent tous les cinq jours, le monde est presque vide ; seules le colorent çà et là quelques présences familières. Soudain Michaël s'arrête, intrigué : il peut voir les dessins de la mosaïque sur ce mur, mais ils sont transparents, comme un rideau de fumée. Il tend un doigt, une main, le bras... la tête enfin, et, dans une lumière douce et bleue, il voit les marches de l'escalier et commence à descendre.

Quand il arrive en bas, le silence l'enveloppe comme une eau tiède où il peut s'étendre, se détendre. Ensuite il voit les étagères, les plaques, il en prend une... Et la lâche tout de suite. Qui vient de parler ? Quelle est cette présence nouvelle, étrange, intense, mais qui ne fait pas mal ?

Il regarde autour de lui, il cherche : personne.

Il s'accroupit, pose un doigt sur la feuille de métal tombée sur le sol lumineux et tiède : quelque chose, quelqu'un, remue doucement, invisible... Il prend la feuille à pleines mains.

Et la présence est là tout entière, des couleurs et des dimensions bizarrement décalées, mais très nette, très calme. Une voix parle à Michaël avec des mots inconnus tandis que devant ses yeux qui n'en sont pas se déroulent des scènes un peu floues : une étendue d'herbe bleu-vert, de grands chevaux tout blancs avec une seule corne, des silhouettes humaines...

Michaël lâche et reprend la plaque plusieurs fois : c'est toujours la même voix paisible, les mêmes images dans le même ordre. De plus en plus claires cependant, peut-être parce que Michaël s'habitue et qu'il essaie de voir ce que la voix veut lui montrer.

Lui *dire*. Michaël n'aime pas les mots, d'habitude, les vrais mots, ceux qui veulent *dire* quelque chose ; ce sont autant de pointes aiguës qui percent trop facilement la fragile carapace dont il s'est entouré : par les brèches, les présences pénètrent en lui, l'étouffent, le submergent. Quand les grands parlent avec leur bouche, ce qu'ils disent en même temps à l'intérieur devient trop fort, c'est comme si l'on poussait Michaël hors de sa propre tête. Il ne parle presque jamais ainsi, sauf s'il a faim, ou soif, ou mal ; il sait que cela ennuie beaucoup les grands, qu'il ne parle pas davantage avec des mots ; Nourrice Frédérique essaie tout le temps de lui en apprendre de nouveaux. Il pourrait les dire pour lui faire plaisir, mais il a le vague sentiment qu'il vaut mieux ne pas commencer : comment refermerait-il la brèche, ensuite ?

La voix de la plaque, pourtant, c'est différent. Elle ne fait pas mal, elle n'essaie pas de prendre toute la place dans la tête de Michaël. Aussi fait-il un effort pour la comprendre : bientôt les images et les mots commenceront à se superposer, et ce que dit la voix deviendra une histoire.

La faim le fait remonter au Musée. Dès qu'il met le pied dans l'escalier, il perçoit partout dans le monde des présences affolées qui le cherchent. Il revient dans la galerie, pressé de mettre fin à ce tumulte assourdissant. Il voit bientôt Nourrice Frédérique et court vers elle ; elle pousse un cri de soulagement en le prenant dans ses bras. Il ne répond pas, bien sûr, quand elle lui demande où il était.

Il apprend vite à doser ses disparitions : pas trop longtemps ni trop souvent pendant la journée, et la nuit seulement quand tout le monde dort. On essaie de le suivre, plusieurs fois, pour voir où il disparaît ainsi, mais c'est facile de perdre les grands dans le labyrinthe du Musée – et puis, ils ne voient pas les portes ! Il y en a d'autres un peu partout, avec des escaliers identiques qui mènent dans d'autres salles, et toutes les salles sont reliées entre elles. Michaël repère facilement les portes au tremblement des mosaïques sur les murs. Mais pas les grands. Il en est d'abord stupéfait, puis il cesse de s'interroger sur un aveuglement aussi propice : plutôt en profiter. Il faut simplement faire attention en revenant dans le monde : quelque chose dit à Michaël que les grands n'aimeraient pas le voir sortir des murs.

Antoine Fersen doit disparaître tout de suite, ici, maintenant, écrit Simon dans son journal ce soir-là, fiévreusement. *Pas question d'attendre encore deux semaines. J'ai déjà dit adieu à Tess et aux autres, de toute façon, même s'ils ne le savent pas. Un peu plus tôt, un peu plus tard... Il y a plus urgent, infiniment plus urgent ici. Michaël, bien sûr. Pourquoi faut-il que je le rencontre maintenant ? Un potentiel énorme, un vrai télépathe, rien à voir avec les proto-télépathes comme Éric, Alyne ou Tess.*

Bien plus abîmé qu'Éric pour le reste. Ce serait tout un travail de le récupérer.

La main de Simon s'immobilise, puis il raye avec rage ce qu'il vient d'écrire. N'a-t-il donc rien appris ? S'il aide Michaël, ce doit être pour Michaël et non lui-même ! Mais bon, c'est un réflexe d'Antoine Fersen, et il va bientôt se débarrasser de cette peau-là. De cette *persona*. De lui-même, l'a-t-il déjà oublié aussi ? Il est ce manipulateur trop pragmatique, tout comme il était le paisible et retiré Nathan Légaré, qui n'aimait rien tant qu'apprendre, et enseigner.

Il soupire et écrit : *S'occuper de Michaël pour Michaël et non pour moi. Même là, est-ce possible ? Les Steffenko se sont occupés de Tess, Alyne s'en est occupée, je m'en suis occupé... Lui, il est tout jeune. Si je le prends en charge, je serai seul à le faire. Et revoilà la question qui tue :* combien de temps me reste-t-il ? *Si je commence avec Michaël, et que je l'abandonne en cours de route...*

Il lâche son marqueur, se passe les mains sur le visage, s'accoude à sa table. Le cœur serré, il sait déjà ce qu'il va décider, et il se déteste pour cela, mais c'est une question de triage. À ce stade, compte tenu du peu de temps qui lui reste sans doute, les plaques sont plus importantes, le savoir contenu dans les plaques.

Dans l'une de celles qu'il a échantillonnées au hasard après le départ de l'enfant – la dernière –, il y a la Barrière, et le lac Mandarine, et le cap d'Aguay. Le paysage est parfaitement reconnaissable : la pointe du cap, là où l'île est la plus proche. La Barrière... c'est comme une étrange paroi de verre en fusion, ou de fumée presque solide, les limites avec le ciel en sont imprécises, changeantes – exactement comme Simon lui-même se rappelle l'avoir toujours vue.

L'Ancien par les yeux duquel il la voit est à la fois heureux et las. Sans tourner la tête, il pose une question à un compagnon qui se trouve derrière lui. Simon ne sait pas ce que dit la voix – contrairement au garçonnet, il n'a pas encore eu le temps d'apprendre – mais il perçoit les émotions, les images, le sens global. Plus tard, il saura que l'Ancien se nomme Oghim et qu'il a demandé, comme Simon l'avait deviné : « Dois-je voler jusque-là ? ». Et que l'autre a répondu : « Ni voler ni nager. La Barrière tue les êtres humains qui la touchent. »

L'Ancien s'affaisse un peu sur lui-même. Pour une raison ou une autre, il n'est pas vraiment surpris : « L'île des Dieux est là, et je ne peux pas y aller.

— J'en ai bien peur », dit l'interlocuteur invisible.

Alors, Simon a replacé la plaque dans sa boîte, avec soin, et la boîte dans son casier, et il a quitté le souterrain. Après tout ce temps passé à faire taire les questions sans réponses, la perspective soudaine, bouleversante, accablante, d'avoir toutes les réponses à portée de la main.

Il fuyait presque.

12

« Puis-je vous aider, monsieur ? »

Élias Navanad adresse un sourire un peu contraint au secrétaire : « Je viens pour l'emploi de gardien ? Le rendez-vous de vingt-trois heures quinze ? »

L'employé consulte rapidement son registre électronique, hoche la tête : « Monsieur Navanad, certainement ! Madame Fletcher vous attend dans son bureau, deuxième porte à gauche. »

Élias s'éloigne, et le jeune homme le regarde partir, un peu perplexe. Drôle de petit vieux. Dos bien droit, démarche encore élastique, pas un gramme de graisse, cheveux et moustache gris bien taillés, l'allure vague-ment militaire : soixante-cinq saisons environ, mais le visage semble prématurément vieilli, avec ces yeux très pâles, comme délavés, un peu inquiétants... Puis, avec un haussement d'épaule, le jeune homme retourne à son travail.

Élias entre dans le bureau indiqué, où une Asiatique menue d'environ la quarantaine lui sourit en lui tendant la main. Un dossier est ouvert devant elle.

« Monsieur Navanad », dit-elle en anglam avec un chantant accent asian. Asseyez-vous, je vous en prie. » Elle fait mine de feuilleter le dossier tandis qu'il s'assied, très droit dans le fauteuil.

« Des états de service remarquables, monsieur Navanad : 42e Régiment Virginien, officier de liaison avec une unité technique à Dalloway pendant un An, croix du Mérite pour conduite exceptionnelle lors du tremblement de terre de Pasternak, en 48, des lettres de références très élogieuses... »

Il attend, en exsudant l'aura nécessaire de fierté et d'embarras, un motif mis en relief par le *basso continuo* de calme méticuleux qui constitue la personnalité d'Élias Navanad. Les temps sont durs en ce moment, l'économie virginienne traverse une période d'inflation, la pension d'un militaire ne suffit plus à assurer une retraite suffisante, Élias Navanad ne veut pas être un fardeau pour ses enfants : il a décidé de se trouver un emploi. Il a été soldat pendant trente-cinq saisons, il jouit d'une excellente santé, il est parfaitement capable d'être gardien dans un Musée, même s'il est plus vieux que la moyenne des gardiens. Son expérience et sa fiabilité compensent largement son âge.

« Le salaire que nous sommes en mesure d'offrir n'est pas très élevé... », remarque la jeune femme.

Il l'interrompt d'un ton bourru : « Je me contente de peu.

— ... et nous n'assurons pas les bénéfices subsidiaires avant deux saisons d'emploi à plein temps. »

Il hausse les épaules : « Je suis couvert par la Sécurité sociale militaire. »

La jeune femme sait très bien que c'est une couverture des plus minimales, mais elle ne commente pas.

« Ça ne vous dérange pas de loger sur place au Musée ? »

Il hausse légèrement les épaules : « J'ai pris l'habitude de loger là où je travaille. »

Et même un peu d'humour ? La jeune femme ne peut retenir un sourire. Inattendu. Cet homme lui plaît : digne, sans amertume, encore prêt à prendre des risques à un âge où il devrait commencer à jouir des fruits de son labeur... Elle espère vieillir aussi bien. Elle feuillette de nouveau les lettres de références en pensant qu'il y a encore trois autres candidats pour le poste... Plus jeunes, de l'expérience dans la police, mais il y en a deux qui ont mis fin un peu abruptement à leur carrière policière. Et le dossier du troisième sent à plein nez le fonctionnaire borné...

Elle se décide brusquement, referme le dossier et tend la main à Élias avec un grand sourire : « Bienvenue à bord, monsieur Navanad. Quand pouvez-vous emménager ? »

Il se lève, serre la main tendue, un peu raide mais visiblement content : « Tout de suite.

— Vraiment ?

— Toutes mes possessions tiennent dans deux valises.

— Et vous les avez avec vous ? » dit la jeune femme en plaisantant gentiment ; tout d'un coup, de façon curieuse, il lui rappelle son père ; elle voudrait le mettre à l'aise.

Elle est contente de voir qu'il se détend assez pour répondre presque sur le même ton amusé : « Non. Mais j'habite à deux pas d'ici, dans la rue Carghill.

— Parfait alors. Le groupe de gardiens auquel vous allez vous joindre travaille dans l'aile ouest. C'est là que vous logerez. Ernesto Hui, le factotum, vous donnera vos clés et vous montrera votre chambre. Fred, mon secrétaire, vous indiquera où se trouve son bureau. » Elle lui sourit avec chaleur : « Encore une fois, bienvenue chez nous, monsieur Navanad.

— Vous ne le regretterez pas, madame Fletcher. »

Comme son nom ne l'indique pas vraiment, le factotum Ernesto Hui est un grand latino à la carrure de lutteur qui s'est laissé aller. Son crâne est complètement rasé, ses petits yeux obliques s'enfoncent dans des plis de graisse, sa bouche semble avoir été tracée au couteau. Élias Navanad pose ses valises dans le bureau.

« Le nouveau gardien, hein ? » dit l'autre en franca, d'une surprenante et mélodieuse voix de ténor. « Ils m'ont prévenu, au Personnel, mais je ne croyais pas que vous viendriez si tôt. Vous êtes drôlement pressé de vous installer, dites donc.

— J'aime l'efficacité », dit Élias Navanad, en franca également.

Ernesto Hui hausse un sourcil : « Si vous aimez aussi l'ordre, on va s'entendre. Votre prédécesseur n'était pas très fort là-dessus. »

Il prend un trousseau de clés dans une armoire vitrée.

«Il me semblait que c'était un prérequis pour un gardien», remarque Élias, très sérieux.

L'autre lui adresse un regard en biais, esquisse un sourire qui transforme complètement son visage en celui d'un joyeux Bouddha : «Alors, on va s'entendre.»

En cours de route, Élias le convainc de ne pas lui donner la chambre de son prédécesseur, mais plutôt une chambre au rez-de-chaussée, à l'écart des autres gardiens. «J'aime le calme», explique-t-il à Ernesto Hui, qui n'y voit aucun inconvénient : ça le dispensera de porter une des lourdes valises de Navanad dans les escaliers – même si l'autre ne semble pas avoir besoin d'aide sur ce plan, c'est une question de politesse envers un homme plus âgé. S'il y a quelque chose qu'Ernesto respecte, c'est l'âge et la compétence. Et, pour autant qu'il puisse juger le nouveau venu, Navanad possède les deux.

13

Aujourd'hui, Élias Navanad est de service pendant l'après-midi. Il peut contempler son patron, Daniel Flaherty, dans l'exercice de ses fonctions au Musée devant le bloc cristallin où, telle une mouche dans un ambre qui serait bleuté, est enfermé l'ancien roi-guerrier. Flaherty n'a pas relégué le bloc loin du public comme il l'aurait dû, avec le reste des artefacts les plus importants de la tombe. L'un des visiteurs est en train d'en faire la remarque d'un air pincé à l'oreille du vice-gouverneur Travers : Gillikho, l'homme de la Sécurité.

Le bloc luit doucement dans la pénombre voulue de la salle. L'un des Terriens allume une cigarette, malgré les avertissements répétés partout en anglam, et en lettres fluorescentes ; deux autres n'ont cessé de parler entre eux de leurs affaires depuis la fin du banquet ; la plupart des autres officiels jettent autour d'eux des regards distraits pour les délégués des Protectorats, ennuyés et secrètement mal à l'aise pour les représentants virginiens. Seule une jeune femme brune s'est glissée au premier rang et contemple le bloc lumineux avec un intérêt évident. Travers se balance d'un pied sur l'autre, visiblement gêné par les paroles rapides et sèches que lui adresse Gillikho. Il se racle soudain la gorge et Daniel s'empresse de lui couper la parole avec un geste d'une théâtralité excessive qui l'agace lui-même, en psalmodiant :

« Ce bloc cristallin a été découvert dans le Sud-Est, aux confins du comté de Joristown... »

Gillikho est furieux ; le détour par la salle du bloc n'était pas prévu au programme de la visite – une décision soudaine de Flaherty, exaspéré par le rôle lénifiant qu'on lui a fait jouer depuis le début de la visite. Même s'il la regrette déjà, il a envie de voir si Gillikho osera interrompre la présentation. Mais non, un Flaherty, ça se ménage encore, même cinquante-quatre Ans après le légendaire capitaine de la Première Expédition. Le petit homme au faciès de bouledogue a bien tort de s'inquiéter : si les officiels virginiens, comme d'habitude, préféreraient être ailleurs, les visiteurs de la Terre et des Protectorats se moquent éperdument de ce que peut raconter leur guide. Daniel élève la voix.

« Quatre archéologues effectuaient des fouilles dans une cité en ruines datant de la quinzième dynastie orientale, environ dix mille saisons. Des fermiers recherchaient l'un des leurs perdus dans la tempête... » (Et personne ne va remarquer l'incongruité de ces fouilles en plein hiver ? Apparemment pas. Ils digèrent tous. Gueule de Gillikho. Il est au courant, évidemment : il travaillait déjà à la Sécurité à cette époque-là.) « Ils ont entendu des cris dans les ruines et trouvé l'un des archéologues errant dans la tempête, complètement fou... » (là, il a capté leur attention !) « Au centre de la cité était ouvert un grand puits – vous pouvez voir les photographies sur le mur de droite. Les cris venaient de l'intérieur. Les fermiers sont descendus dans le puits pour trouver une crypte, dont l'envirosim en cours d'élaboration se trouvera dans la salle voisine. Et dans la crypte... » (Un autre geste théâtral ; cette fois, les visiteurs écoutent de toutes leurs oreilles, et Gillikho semble prêt à exploser.) « ... ce bloc de cristal. Au pied du bloc, deux hommes morts, et un troisième évanoui. »

Point d'orgue. Mouvements divers dans l'assistance, surveillés avec une satisfaction morose par Daniel, qui conclut : « Deux des hommes avaient succombé à une crise cardiaque.

— Tous les deux ? » C'est la jeune femme brune qui n'a cessé de poser des questions intelligentes tout le long de la visite ; elle a un accent slavic assez prononcé. Gillikho lui jette un regard foudroyant qu'elle ne paraît pas remarquer : cette question aussi est de celles qu'il ne faut pas poser.

« Oui. Le troisième est resté amnésique. Le dernier est toujours soigné dans une maison de repos. »

Silence épais. Gillikho contemple le bloc d'un air féroce. Avec une soudaine lassitude, Daniel entame la dernière partie de la présentation : des journalistes en mal de sensationnel ont immédiatement parlé de malédiction, rappelant les décès prétendument mystérieux des profanateurs de sépultures un peu partout sur Terre. Mais on sait évidemment à quoi s'en tenir là-dessus : gaz délétères, excitation de la découverte, fatigue conjuguée au choc nerveux... Ses auditeurs se tournent maintenant tous vers lui avec la même inquiétude qui demande à être rassurée. « Et les archéologues qui ont fait cette découverte particulière se trouvaient souffrir tous les deux de faiblesse cardiaque. Une coïncidence malheureuse. »

C'est juste trop pour la jeune femme brune, qui hausse imperceptiblement les épaules. Daniel fait le tour du bloc, traînant les visiteurs à sa suite comme s'ils étaient reliés à lui par des fils invisibles. Maintenant qu'il a réussi à les inquiéter, il va devoir les rendormir. Qu'est-ce qui lui a pris de les amener là ? Agacer Gillikho n'en valait vraiment pas la peine...

« Ce bloc est un monocristal artificiel (non, il ne dira pas "copolymère silicone-acroléine", les yeux leur sortiraient de la tête). On l'a fait pousser autour du corps qu'il renferme. Nous avons été obligés de scier le cristal, ce sont les traces de ce travail que vous pouvez remarquer. Le corps a été plongé dans une solution concentrée maintenue à température constante pendant plusieurs saisons, c'est-à-dire pendant plusieurs années terrestres. Une fois la gangue cristalline formée sur l'épaisseur désirée, le bloc a été retaillé extérieurement pour avoir sa forme actuelle, replacé dans la solution pour qu'une nouvelle couche cristalline efface les traces de la taille, puis poli. »

Il jette un coup d'œil en biais à ses auditeurs : leurs visages se détendent, les explications scientifiques commencent à produire leur effet apaisant. La jeune femme brune considère le bloc cristallin avec une expression indéchiffrable ; avalera-t-elle la finale de la présentation ?

« Le procédé peut sembler curieusement sophistiqué, étant donné ce que nous savons de la science et de la technologie des anciens autochtones. Mais il convient de se rappeler qu'il n'exige justement pas de techniques complexes. Les anciens – il se rappelle juste à temps d'ajouter de nouveau « autochtones » pour ne pas voir se froncer le sourcil de Gillikho – avaient une longue tradition minière et devaient savoir que la température est rigoureusement constante à une profondeur donnée sous terre. Quant à la formation des cristaux artificiels... Demandons-nous seulement comment nos ancêtres – il se rappelle juste à temps de ne pas ajouter « terriens », pour épargner la sensibilité des représentants des Protectorats – ont mis au point toutes leurs techniques métallurgiques si complexes... » Élégante façon de recouvrir du brouillard par de la fumée ; mais la référence aux ancêtres est toujours si rassurante...

Et le silence semble rassuré. Encore quelques secondes de contemplation et on va pouvoir passer à autre chose, plus loin, dans des régions moins compromettantes du Musée.

« Et le corps ? La lumière ? » demande la jeune femme brune.

Daniel soupire. Curiosité bien sympathique, ma belle, et bien inattendue chez une Virginienne, mais ce n'est vraiment pas le moment ! « Le corps est recouvert d'un enduit transparent rendu luminescent par l'adjonction d'un isotope radioactif à très longue période de désintégration. » (Tressaillements divers. Gillikho bouillonne derechef. Semonce en perspective. Mais en quoi ces données empêcheraient-elles la Terre de continuer à accorder quelques misérables crédits à Virginia ? Elle s'en moque pas mal, la Terre, des énigmes de Virginia. Tout ce qui l'intéresse, la Terre, c'est le remboursement de la dette énorme contractée par les Virginiens !) « Les lignes sombres sont dues aux opérations d'autopsie. Elles ont eu lieu en milieu stérile, évidemment. »

Un officiel renifle, l'un des délégués du Protectorat martien : « N'est-il pas curieux qu'un isotope radioactif... »

Il en a plein la bouche, mais Daniel enchaîne sans broncher : « Cela peut nous paraître curieux parce que nous n'avons nous-mêmes découvert la radioactivité qu'assez tard. Mais cet isotope existe ici à l'état naturel et il est probable que les anciens autochtones l'ont utilisé au cours des siècles sans savoir de quoi il s'agissait et sans développer des théories et une science atomiques dont leur culture ne nous montre aucune trace.

— Le corps est tout de même extraordinairement bien conservé », remarque la jeune femme brune. Elle paraît s'amuser.

Daniel s'aperçoit après coup qu'elle a, peut-être délibérément, parlé en slavic. Son agacement diminue ; il répète ses paroles en anglam pour les visiteurs, et reprend : « Il a en effet au moins sept mille années terrestres. Mais on a utilisé des techniques très simples, en fait : le corps a été plongé dans divers bains chimiques destinés à assurer sa conservation.

— Du formol, quoi », dit Gillikho avec impatience.

« Non, réplique Daniel, impassible, des solutions de sels de cuivre. D'où la couleur légèrement bleutée du corps lui-même, qui ajoute à la coloration du cristal. »

La jeune femme ne sourit pas de la déconfiture de Gillikho ; Daniel lui en est reconnaissant. Personne d'autre ne propose de commentaires et il se retourne

avec majesté pour conclure : « C'est tout simplement »
(tout simplement !) « une momie que nous avons sous les
yeux, embaumée selon les coutumes des anciens autochtones grâce à des procédés biotechnologiques parfaitement à leur portée, procédés qu'il serait fort étrange,
admettons-le, de voir ressembler à ceux que nous avons pu
pratiquer au cours de notre propre Histoire. Cette pièce
est pour l'instant unique. Peut-être ce type de sépulture
est-il exceptionnel. Plus vraisemblable encore, les corps
ainsi embaumés sont soigneusement dissimulés selon une
coutume indigène assez semblable à celles des anciens
Égyptiens... » Et l'antienne rassurante : « ... L'archéologie
en est encore à ses balbutiements ici, un immense champ
vierge plein de promesses qui... » Etc.

L'exaspération qui l'a poussé à faire une entorse à
l'itinéraire prévu pour la visite refait surface. Un champ
vierge ! Soigneusement tenu en friche, plutôt. Gillikho
n'a pas été apaisé par sa tentative de désamorçage : ses
yeux promettent foudre et tonnerre... Il n'irait quand
même pas jusqu'à faire couper dans les prochains budgets
de recherche ? En retenant un soupir, Daniel entraîne à
sa suite le groupe de ses moutons vers les salles voisines
et des sujets plus anodins. Au passage, il fait un petit
signe de tête au gardien (tiens, un nouveau), et Simon
referme la porte de la salle à clé derrière eux.

"Cette pièce est pour l'instant unique." Mais Simon
sait, lui, où il y en a d'autres. Dans l'île d'Aguay, là-bas,
dans le Nord. Il les voit encore, disposés en étoile autour
de la colline et de son édifice hémisphérique, à travers
les souvenirs trompeurs de Joseph et de Samuel qui
croyaient se trouver dans le labyrinthe circulaire de
rochers dorés, essayant de distinguer les sculptures qui
les ornaient, et dont le dessin se dérobait si étrangement
à leur regard. Et la perspective bien plus vaste de la
colline et des sarcophages derrière cette image un peu
tremblante – comme la mosaïque du mur dissimulant
l'entrée du souterrain. Un hologramme, quoi d'autre ?
Projeté directement dans la pupille de l'œil, comme
toutes les fausses images de l'île enregistrées par des
appareils, comme la Barrière... Mais, dans l'île comme
ici, il doit bien y avoir une machine qui projette ces

fausses images pour les non-télépathes – en tout temps, même en présence de la Mer ? Alimentée par quelle énergie ?

Des sarcophages de cristal bleuté, par dizaines de milliers. Et lui seul les a vus. Ensuite, ils ont quitté l'île tous les trois, les sphères des pylônes s'étaient allumées, les enfants ont commencé à devenir fous... Mais quel rapport avec ce roi, ce dieu-guerrier ? Y en a-t-il même un ou s'agit-il simplement d'une coïncidence ? Si vraiment ce type de sépulture était courant chez les Anciens à une certaine époque, pourquoi n'a-t-on jamais trouvé d'autres sarcophages – ni les installations où l'on faisait pousser ces énormes cristaux ? Ou bien ils étaient réservés à des dignitaires, et tout le processus se déroulait dans l'île... Mais alors pourquoi celui-ci, assurément noble parmi les nobles, se trouvait-il dans une crypte perdue ?

14

Sur – ou dans – la plaque d'adixe qui raconte l'histoire de Ktulhudar (Simon ignore toujours par quel processus les informations y sont intégrées), vers la fin du premier tiers du récit, une autre voix se fait tout à coup entendre. Très différente. Quelqu'un racontait auparavant, c'est certain, mais d'une façon... détachée. La seconde voix, par contre... Comme dans la plaque de la Barrière, il n'y a pas à s'y tromper. Derrière, dessous, dedans – aucune métaphore spatiale ne convient pour exprimer cette certitude immédiate d'une présence –, un esprit vivant oriente et colore indéniablement le complexe de sensations et d'émotions que perçoit Simon. C'est pourtant plus ordonné, plus limité dans le temps et l'espace, sans cette aura périphérique brumeuse où mémoire, peur et désir se projettent sans cesse vers le passé ou le futur du corps qui leur donne forme...

C'est une Ancienne qui vit sa propre histoire, ou qui se la rappelle avec un luxe extraordinaire de détails, des sensations d'une précision hallucinante. Et Simon avec elle.

◆

Il arrive comme la foudre, étincelant dans la pénombre. Eylaï le voit soudain se dessiner dans la lumière des brasiers par-dessus l'épaule de l'homme qui lui maintient les bras au-dessus de la tête. En trois pas il est sur eux, il soulève d'une seule main le soldat vautré sur elle. L'autre soldat la lâche aussitôt, se prosterne. Le bras puissant se détend, le soldat amolli de terreur qui pend au bout va s'écraser contre le mur. Une voix furieuse tonne. Les deux hommes ramassent leurs armes et s'enfoncent comme des chiens battus dans la nuit grondante d'incendies.

Eylaï se relève. Ses seins lui font mal là où le soldat l'a griffée. La tête vide, elle contemple les marques rouges en rassemblant vaguement autour d'elle les pans déchirés de sa robe. Dehors, des cris, des hurlements perçants de femmes, le martèlement des pieds sur les dalles, les grognements inarticulés des combattants à travers le cliquetis des armes... et derrière tout cela, la voix terrifiante du feu. Eylaï devrait s'enfuir, mais elle n'en a pas la force. Elle regarde l'inconnu se pencher sur le corps inerte de Balàn, se retourner vers elle. Elle le voit tellement bien, comme tout le reste de ce cauchemar... Son armure est maculée de sang et de suie, son épée renvoie dans les flammes une lueur liquide et rouge. Il est trop grand pour un Paalao, mais il n'y a pas à se tromper sur le dessin de l'armure, les lourds colliers qui enserrent son cou comme une collerette. Il s'approche d'elle, l'épée levée, il est immense, elle ferme les yeux, il émane de lui une odeur de carnage. Un bruit métallique, une sensation tiède contre sa gorge, elle tressaille, mais l'homme referme déjà le collier d'esclave autour de son cou. Dans un élan futile, elle agrippe le métal à deux mains. L'homme est à la porte, il lance par-dessus son épaule quelques mots en langue hébaë, « Dis que tu es à Ktulhudar », et il disparaît parmi les autres ombres qui s'agitent dans la lumière palpitante des brasiers.

Eylaï lève une main, touche le collier de nouveau ; ses doigts palpent inutilement la fermeture : elle sait que seuls les Paalani peuvent défaire leurs colliers une fois que le mécanisme secret s'en est refermé sur un cou d'esclave. Elle rampe vers le corps de Balàn, se blottit contre la chair déjà froide, ferme les yeux.

Un moment incolore, et maintenant des soldats la poussent avec le troupeau des femmes hurlantes qu'ils chassent de la cité. Les lunes sont couchées, mais les incendies éteignent les étoiles. Eylaï avance en aveugle, moitié courant moitié marchant, un bois de lance dans les côtes chaque fois qu'elle ralentit. Elle ne reconnaît rien de la cité, comme si les flammes et la fumée l'avaient projetée dans un autre monde. Çà et là des silhouettes se penchent sur des corps qui remuent encore puis s'éloignent, laissant les flammes dévorer un autre cadavre. À un détour du chemin, un groupe de soldats de la ville, hébétés, sont alignés contre un mur : des carreaux d'arbalète et des lances apparaissent soudain dans leur corps et ils tombent, un à un.

Les soldats poussent les femmes jusque sur la colline qui fait face à la cité. Eylaï sursaute à la première explosion. Elle se retourne : un nuage de fumée rougeâtre monte de l'endroit où s'était dressé le temple. Une autre explosion fait voler vers le ciel, lentement, tout un pan des fortifications. Des files de soldats paalani quittent la cité par la dernière porte intacte. Une autre explosion, le sol tremble, une autre encore... Autour d'Eylaï les femmes se sont jetées à terre, les bras repliés sur la tête, hurlant de terreur. Eylaï reste debout, pétrifiée. Les soldats regardent la cité, comme emplis eux aussi d'une sorte d'horreur sacrée. Leur capitaine s'arrache le premier à sa fascination, les rappelle à l'ordre à grands coups de plat d'épée et d'ordres gutturaux. Soudain ses yeux tombent sur Eylaï, un peu à l'écart des autres femmes. Il s'approche d'elle avec une expression de surprise et de crainte : « Femme », dit-il maladroitement en hébaë, « que fais-tu là ?

— Je suis à Ktulhudar », murmure Eylaï comme dans un rêve. Elle reporte son regard sur la cité, sa cité, des monceaux de pierres fumantes où rougeoient les dernières flammes. Elle sent des gouttes rouler sur ses joues. Mais c'est la pluie.

On l'emmène avec des égards qu'elle remarque d'une façon lointaine. Elle se trouve dans le camp des Paalani, à présent, un ensemble de tentes carrées reliées les unes aux autres par des couloirs de toile. Elle se trouve dans l'une de ces tentes. Des femmes la lavent, la parfument, lui passent des vêtements doux et brillants. Elles ne parlent pas. Aucune ne la regarde en face et toutes évitent d'effleurer le collier d'or qui encercle son cou. Au bout d'un moment, on ne la touche plus. Un homme d'armes arrive alors, lui fait signe de le suivre. Elle le suit.

Une autre tente, beaucoup plus grande. Des fourrures couvrent le sol, des armes incrustées de joyaux, des boucliers ciselés. Le soldat lui montre un siège de tingai rouge sombre, finement sculpté, lui adresse des paroles qu'elle comprend mal, mais dont l'intonation est respectueuse. Elle s'assied, les mains ouvertes sur les cuisses. Elle regarde l'incessant va-et-vient de soldats qui apportent dans la tente des bijoux, des étoffes, des objets précieux, les dépouilles de la ville écrasée. Elle voit tout, mais à travers un épuisement brumeux.

Et soudain, le brouillard disparaît. Tous les détails du décor lui apparaissent avec une acuité surnaturelle. Et même, il lui semble qu'elle voit davantage que les objets. Des hommes sont réunis dans un coin de la tente depuis un moment, ils discutent autour d'une table où ils ont déroulé de grandes cartes. Aux blasons de leurs cuirasses, aux casques héraldiques que plusieurs tiennent à la main, elle sait que ce sont des chefs parmi les Paalani. Un nom revient souvent, « Ktulhudar ». Certains jettent alors un regard furtif vers le fauteuil de bois sombre qui trône, vide, au haut bout de la table. Mais ce ne sont pas vraiment les hommes que voit Eylaï. Elle voit leur exaltation, leur crainte, leur inquiétude, comme des bouffées de fumée aux couleurs changeantes autour du nom du Prince. Ils craignent qu'il n'ait été tué – et en même temps certains le désirent. Ils le respectent et l'admirent – et en même temps certains le redoutent et le haïssent.

Mais Eylaï est trop lasse pour s'en étonner. Personne ne lui prête attention. Elle se laisse glisser de son siège et s'étend dans l'ombre parmi les fourrures.

Maintenant, elle se réveille. Dans la nuit, mais son corps reposé lui dit que c'est peut-être une autre nuit. La tente est déserte. Une lampe posée sur la table éclaire de l'autre côté un homme étendu par terre dans les fourrures. Eylaï se lève. La lampe est un globe de verre très fin empli d'une lueur immobile et douce comme elle n'en a jamais vu auparavant. Elle la saisit par son pied de métal et va se pencher, incertaine, sur le dormeur. Il est nu, sa peau lisse, imberbe comme celle d'un tout jeune homme, brille de l'éclat légèrement doré des Tyranao, mais les cheveux noirs et drus sont ceux d'un Paalao. Ses poings sont crispés dans la fourrure, ses traits se tordent comme s'il faisait un mauvais rêve. Soudain, il a un geste brusque, écartant une ombre invisible et, poussée par sa main, une mince dague vient buter contre les pieds d'Eylaï. Elle se penche pour la ramasser ; elle ne pense rien, en cet instant elle n'est que sensations. Elle ajuste ses doigts à la poignée finement sculptée de têtes de karaï dans une pierre grise où scintillent des petites particules cristallines. La pierre est froide. Le dormeur pousse un gémissement, murmure d'un ton suppliant des paroles incompréhensibles... Et tout à coup ses yeux s'ouvrent sur un regard plein d'épouvante.

Il contemple Eylaï. Elle le regarde. Les yeux sont violets, immenses, hallucinés. L'horreur y fait lentement place à une étrange attention : « Pourquoi ne pas me tuer ? dit-il enfin.

— Ktulhudar est invulnérable. » Eylaï, détachée, écoute une autre parler par sa bouche ; regarde l'homme toujours étendu, le sourire sans joie qui distend ses lèvres.

« Une légende, peut-être. Un mensonge. »

L'autre Eylaï demande avec calme : « Tu voudrais mourir ?

— Oui », répond l'homme aussitôt, d'une voix intense et soumise. Il la contemple comme si elle était une prêtresse, ou l'une de ces femmes qui traduisent les oracles divins. Eylaï s'étonne un peu d'avoir posé cette question. En même temps, avec une certitude absolue, elle sait que cet homme veut mourir, tout ce corps immobile tendu vers elle crie le désir de mourir, c'est comme un tourbillon obscur dont le centre attire invinciblement Eylaï. Elle sent ses doigts se crisper sur la poignée de la dague.

Non !

Elle force ses yeux à se déprendre du regard violet, ses doigts à s'ouvrir. La dague s'engloutit sans bruit dans la fourrure à ses pieds. « Ce serait trop facile », dit l'étrangère qui usurpe sa voix.

L'homme baisse la tête. Après un moment, il ramasse le poignard, le tend à Eylaï : « Peut-être en auras-tu besoin un jour, si tu changes d'avis. »

Pourquoi l'étrangère sait-elle exactement ce qu'il faut répondre ? « Il y a d'autres façons de tuer un homme que de lui ôter la vie. »

Même si une lueur de souffrance ne brouillait pas le regard violet, Eylaï saurait que ces paroles ont touché juste. L'homme lui tend toujours le poignard, pourtant ; un autre regard naît dans ses yeux, un sourire lent sur ses lèvres : « Prends-le pour toi, alors. »

Sans comprendre pourquoi elle doit maintenant accepter, Eylaï saisit la poignée froide et regarde Selrig Ktulhudar fermer les yeux et se laisser aller sur sa couche de fourrure.

◆

L'autre voix reprend à cet endroit. C'est un peu comme si l'on était en train de regarder avec une longue-vue qui vous serait soudain arrachée des mains. Mais ce narrateur est bel et bien aussi une personne réelle, Simon n'en doute plus – un Ancien à l'esprit remarquablement discipliné, qui transmet avec fidélité un récit dont les émotions, comme les faits, ont été fixés par une tradition.

◆

Plus tard, de retour à Dnaõzer, il ordonnerait qu'elle fût toujours dans ses appartements lorsqu'il s'y retirait loin de la Cour : elle lui servirait ses repas et réchaufferait son lit pendant les nuits de plus en plus froides de l'hiver qui s'installait sur le haut plateau. Les autres esclaves la considéreraient avec un mélange de crainte et de haine : tous des Hébao comme elle, ils marcheraient à petits pas entravés par une courte chaîne, alors qu'elle se déplacerait à grandes enjambées libres dans l'enceinte du Palais. Les capitaines du Prince baisseraient la tête à son passage comme pour la saluer, même s'ils murmureraient derrière elle. Ktulhudar l'avait choisie, Ktulhudar avait passé à son cou le collier royal, elle était sacrée comme tout ce que touchait Ktulhudar.

Mais lui ne la toucherait pas. Il la regarderait parfois – elle sortirait de son sommeil et le verrait dressé sur un coude, les yeux fixés sur elle –, mais il ne la toucherait jamais.

◆

Cette voix est-elle celle d'un acteur ? D'un conteur ? (écrit Simon dans son journal.) *Ce que je tiens là, est-ce un échantillon de l'art des Anciens ou de leur Histoire ? Comment ces voix sont-elles enregistrées dans ces plaques métalliques – sont-elles « enregistrées » ? Qu'en percevraient Tess, Éric ou Alyne ? Une chose est certaine en tout cas : c'est pour des êtres comme nous, ou du moins comme moi et, à moindre titre, Michaël, que sont conçues les portes menant aux souterrains, et ces archives de métal.*

Mais pourquoi se trouvent-elles là ? La seule certitude qu'on ait à l'égard des Anciens, c'est qu'ils ont disparu en laissant leurs demeures, leurs édifices, leurs villes absolument vides. Même pas d'objets brisés – ils les ont enfouis très soigneusement, on en a retrouvé au moins deux sites. Pourquoi auraient-ils abandonné ces archives ? Est-il possible qu'elles aient été oubliées ?

Ou alors oubliées bien avant la disparition des Anciens. Ils auraient perdu la capacité de passer par les portes ? Et, plus tard, le souvenir de ces archives ?

Il faudrait pouvoir dater souterrains et plaques.

L'ampleur de la tâche l'exalte et l'accable à la fois. Si les plaques sont rangées en ordre, il ignore lequel. L'échantillonnage, quelle qu'en soit la méthode, systématique ou aléatoire, n'en indique pour le moment aucun. Une série de signes identiques se présente parfois sur plusieurs boîtes d'affilée : un nom – celui de la personne dont on partage la conscience, celui du narrateur ou de la narratrice quand il y en a ? Ou bien le titre du sujet, ou un tout autre système de classification dont il n'a pas la moindre idée. Comment savoir ? Il y a là tout et n'importe quoi. Entre deux de ces plaques bourrées de batailles antiques, il en a trouvé une consacrée à un jeu – du moins deux Anciens, un jeune et une plus âgée, y sont-ils apparemment plongés dans une interminable discussion sur les mérites respectifs de chacun de leurs coups. Mais s'agit-il vraiment d'un jeu ? Les émotions évoquées, l'ambiance de ce dialogue, semblent renvoyer à des situations bel et bien vécues. Comment savoir ?

En étudiant le contenu de chaque plaque, et en apprenant la langue – les langues, car il lui a semblé qu'il y en avait plusieurs. Le travail de toute une vie. De plusieurs vies ! Il n'a jamais eu le loisir d'étudier les plaques de la maison du cap d'Aguay – ils l'ont vite quittée après l'île. Il en a parfois trouvé d'autres ailleurs, mais sans pouvoir s'y attarder ; et il y a eu celle du Musée de Cristobal, puis, plus tard, celles des vastes édifices qui occupent comme le Musée le centre des cinq grandes villes des Anciens ; mais ces plaques-là sont très spécialisées, elles indiquent seulement des directions. Il avait dû en rabattre de son excitation première, autrefois, quand il avait réalisé que non, les plaques du Musée et des autres édifices semblables ne lui permettraient pas de déchiffrer ces énigmes séculaires, la langue et l'écriture des Anciens !

Et c'est maintenant qu'il découvre ce trésor. Il ne sait s'il doit en pleurer ou en rire.

◆

La jeune femme brune revient au Musée le lendemain. Simon la suit, intrigué. Il sait tout d'elle, bien entendu : Marianne Hermann, une bonne sensitive – mais surtout la fille du policier qui a fait l'enquête à Vichenska. Elle n'a jamais fait partie d'un groupe ; elle vient d'arriver à Cristobal et aucun réseau ne l'a encore repérée ; elle a l'habitude de se dissimuler, par prudence logique et non à cause d'expériences malheureuses.

Elle localise assez aisément Daniel Flaherty dans la salle des boucliers, s'approche à distance suffisante sans se faire voir, et le pousse un peu pour qu'il ait envie d'aller faire un tour du côté de la salle où se trouve le sarcophage de cristal – le tout avec un certain doigté, malgré sa puissance des plus réduites : ce n'est pas la première fois qu'elle se livre à cet exercice. Elle va ensuite attendre à la porte fermée de la salle en faisant mine d'admirer les tapisseries suspendues au mur.

Il s'arrête en la voyant, un peu surpris, mais avec un sourire : il se rappelle ses interventions de la veille. « Si vous voulez visiter de nouveau cette salle, dit-il en slavic, elle est fermée au public. Entretien. Éternel. »

Elle fait une petite moue et répond de même : « Monsieur Gillikho n'a pas apprécié votre performance d'hier ? »

Daniel met plusieurs secondes à réagir, à s'empêcher de manifester sa réaction, et à en trouver une autre qui soit appropriée. Elle, elle l'observe, un peu inquiète quand même.

« Vous ne l'avez pas appréciée, vous ? » demande-t-il enfin.

Elle lui sourit, sincèrement amusée : « J'ai espéré un moment que vous alliez empêcher tous ces messieurs de digérer. »

Il la dévisage un moment sans trop savoir ce qu'il doit penser, ce qu'il doit dire. Que lui veut-elle ? Gillikho a déjà sévi, il ne lui aurait pas envoyé une moucharde en plus...

Ce n'est pas une manipulatrice endurcie, cette petite jeune femme. Elle sent le malaise de Daniel et ne peut tenir plus longtemps : elle lui tend la main en disant, pour le rassurer tout de suite. « Je m'appelle Marianne Hermann. » Elle passe à l'anglam pour ajouter, juste avec la bonne touche d'emphase bouffonne : « Je suis la deuxième secrétaire de notre nouveau vice-gouverneur. »

Il se détend en serrant la main offerte : « Et les bizarreries de Virginia ne vous empêchent pas de digérer ?

— Non. » Puis, de nouveau en slavic : « J'aimerais bien savoir exactement à quoi m'en tenir, au contraire. En particulier sur cet Ancien dans son bloc de cristal.

— Je croyais pourtant avoir concocté une version satisfaisante... »

Elle n'a pas l'intention de le laisser s'échapper plus longtemps dans le registre de la plaisanterie : « Quel effet ça fait, ne jamais pouvoir dire la vérité ? »

Il s'est raidi, la dévisageant en silence, et elle se sent brusquement coupable : elle, parler de mensonge ! Elle esquisse un petit sourire d'excuse : « Ça rend un peu agressif, n'est-ce pas ? »

Il commence à être quand même un peu surpris, de sa franchise à elle, de sa patience à lui, de cette improbable conversation devant une porte fermée. Pour se donner une contenance, et comme la ronde d'Élias Navanad amène celui-ci fort à propos dans le corridor, il lui demande d'ouvrir la porte. Le vieil homme obtempère, claque presque des talons, et s'éloigne.

« Et la vérité ne vous fait pas peur, à vous ? » demande Daniel en entrant avec la jeune femme dans la salle, sans allumer l'éclairage : au bout d'un moment d'accoutumance, la lueur bleutée qui émane du cristal suffit à éclairer les lieux.

« Non. Dites-moi tout. »

Il fait un grand geste du bras englobant le Musée tout entier au-delà de la salle et du couloir : « Cet édifice est un vaste mausolée consacré à la Tranquillité Publique et à la Bonne Conscience Officielle, j'en suis le Gardien, et vous voulez que je trahisse ma mission sacrée ? Diantre.

— Ce n'est pas comme si je ne savais rien. C'est mon père qui a mené l'enquête à Vichenska. Charles Hermann, vous savez ? À propos des... archéologues.

— Oh. Il ne l'a pas menée bien loin, son enquête.

— On a étouffé l'affaire très efficacement. Le BIAS a le bras long. »

Il lui sourit, finalement conquis, renonçant même à s'en étonner : ils parlent la même langue. « Et la BET des poches profondes. »

Ils se sont arrêtés devant le bloc. Marianne Hermann contemple le géant doré dont le regard semble posé sur eux. « C'est quand même stupéfiant qu'à seize années-lumière de chez nous, nous ayons raté de si peu une race humanoïde...

— Pas forcément. Je veux dire, le fait qu'ils aient été humanoïdes : vertébrés, environnement de type terrestre, pressions évolutives identiques, et hop, des humanoïdes. C'était une des théories existantes sur la question, elle a simplement été prouvée ici. Mais vous avez raison, nous les avons ratés de bien peu. »

Ils partagent un instant en silence la même nostalgie, puis Marianne Hermann murmure : « Il est beau, ce roi-guerrier...

— Que voulez-vous savoir de lui ? Je dirai tout – enfin, ce que je sais.

— Les résultats de l'autopsie, au moins. On ne les mentionne nulle part...

— Et pour cause. » Il hésite : « Vous voulez le jargon ou la traduction ?

— La traduction. »

Daniel ne sourit plus et se balance d'avant en arrière, les mains enfoncées dans les poches, en contemplant le bloc d'un air presque rancunier.

« Il semble avoir été abattu par une arme thermique. »

15

« Bénèsz, bon Dieu ! où est le dossier de la New Europe Industries ? ! »

Prise au dépourvu par le beuglement de Folz – elle évite toujours de regarder de son côté, elle le déteste trop – Tess répond étourdiment en slavic : « Il manque encore les bilans du dernier Mois », et elle se donnerait des claques, mais il est trop tard, Folz se met à postillonner, toujours en anglam, presque apoplectique : « On parle civilisé ici, Bénèsz ! La Mer revient dans trois jours et j'ai besoin de ce dossier *hier* ! »

Elle sent l'ambiance du bureau se faire résignée, un peu rancunière – bon, à cause d'elle, Folz va encore être d'une humeur massacrante toute la matinée – et, tout en pianotant sur son clavier pour aller chercher le dossier de la NEI, elle commence, par réflexe, à calmer tout le monde, y compris Folz, même si elle préférerait lui donner une bonne migraine. Et puis elle s'arrête, exaspérée. Pourquoi les calmer ? Folz est un tyran stupide et mesquin. Elle se contente de rediriger contre lui l'irritation vague de ses collègues envers elle et essaie de se perdre dans les données qui se déroulent à l'écran.

Elle n'y arrive pas. La crise de nerfs linguistique de Folz n'est pas la première – il vient tout droit de la Terre, nommé depuis six Mois à peine, son anglam terrien est parfois incompréhensible et il en a fait son cheval de bataille avec ses employés virginiens : ce sont eux qui sont incompréhensibles, bien entendu, qui doivent se plier à son usage, et s'ils osent utiliser les variantes linguistiques qui constituent le virginien, même leur anglam à eux, c'est carrément l'hystérie. Pas la première fois, pas la dernière sans doute, mais pour une raison ou une autre, aujourd'hui, c'en est une de trop. Dieu que Tess en a assez de la Commission du commerce extérieur, de ses bureaucrates prétentieux, de leur illusion de contrôle entretenue avec soin mais dont personne n'est dupe, comme si on ne savait pas qui tire réellement les ficelles, la BET et le cartel de ses partenaires sur Terre et sur Virginia ! Et dans l'intérêt de qui ! "La Commission du commerce extérieur " ! La Commission du pillage intérieur, plutôt.

Folz sort de son bureau pour aller parler à Nadia ; celle-là, il en a envie, il la traite mieux, même si c'est aussi une Virginienne. Tess serre les dents et continue à travailler en s'interdisant de voir le désir à la fois condescendant et brutal du Terrien, le malaise secret mais furieux de la jeune femme. Qu'est-ce que ce serait, ma pauvre Nadia, si tu pouvais le sentir ! Mais Nadia, la veinarde, est tout ce qu'il y a de plus normal.

Tess martèle son clavier en se retenant de suggérer à Folz de retourner dans son bureau. La politique du pire n'est pas sans attraits non plus : plus les gens le détestent, plus ils auront tendance à étendre cette aversion à d'autres Terriens. C'est toujours ça de gagné.

Il va falloir qu'elle change d'emploi. Qu'elle se fasse transférer ailleurs, au moins. La CCE est trop névralgique comme centre d'informations sur l'économie virginienne – et sur les relations incestueuses de la BET avec les gouvernements – pour qu'elle puisse s'offrir le luxe de trop d'états d'âme. Mais si elle ne s'éloigne pas de Folz, elle va devenir dingue. Ou en tout cas, l'hystérie n'étant pas son genre, elle va devenir imprudente, ce qui serait bien pis.

Mais si elle veut se faire muter, il va encore falloir surveiller, intriguer, manigancer. Plus que d'habitude, c'est-à-dire. Elle a pris le pli depuis presque un Mois qu'elle travaille comme sous-assistante au sous-Directeur du Département commercial des provinces du Nord ; évaluation continue et exacte des rapports de forces, bonnes remarques au bon moment, mémos au bon endroit, du coup elle passe pour un génie de l'organisation. Sauf pour Folz : elle est Virginienne, rien de ce qu'elle fait ne lui donne jamais satisfaction. Il pourrait lui être utile, il a des relations, elle aurait dû le retourner, mais elle n'a pu s'y résoudre. D'abord ç'aurait été un travail de grande envergure et de longue haleine, et elle a autre chose à faire ; ensuite... être ainsi en contact avec lui, même – surtout – à son insu, lui répugnerait trop. Elle s'est contentée de protéger ses arrières en s'assurant qu'elle ne dépendait pas que de lui, d'en faire son emblème personnel des Terriens, et de le détester avec passion.

« Tu ne devrais pas, ils ne sont pas tous détestables », ne manque jamais de lui dire alors Alyne. Et Marc de renchérir sentencieusement : « Détester, c'est une faiblesse. » Il a beau parler, il est à l'Université de l'Ouest à Cristobal, pratiquement pas un Terrien en vue. Et Alyne aussi a beau parler : elle travaille au RVI, le petit parti indépendantiste, ce n'est pas comme si elle côtoyait des Terriens tous les jours.

« Je rencontre des non-indépendantistes », remarque alors Alyne avec calme.

Mais ce sont des Virginiens, au moins. Quoique, à vrai dire, Tess en côtoie elle-même pas mal à la CCE, et il y en a qui sont pires que les Terriens. Exploiteurs de tous les pays, unissez-vous ! Oh, en s'installant à Cristobal, on comprend vite de quel côté est le manche : du côté des Terriens, des innombrables administrateurs, délégués, détachés, conseillers, observateurs et autres commissaires plus ou moins en relation avec le ComSec, la BET et leurs séides, et qui supervisent le commerce avec la planète mère. Les Virginiens qui travaillent avec eux, grands propriétaires, industriels, banquiers, hommes d'affaires... leurs portefeuilles sont terriens. Si leur cœur est tenté d'être parfois couleur locale, ils se soignent. Il est de bon ton, dans la haute société virginienne, ou celle qui se veut telle, de considérer avec une indulgence un peu méprisante tout ce qui est virginien : c'est une colonie, après tout. La vraie lumière de la civilisation brille ailleurs, n'est-ce pas, autour de ce point imperceptible dans le ciel nocturne, le soleil de la Terre.

Au mieux, ils ont des accès de lucidité : on a beau collaborer de bon cœur à l'exploitation de ses compatriotes, on ne peut pas ne pas constater de temps en temps sa dépendance ; un contrat vous passe sous le nez, et tout d'un coup on se rappelle qu'on est Virginien, que les ancêtres ont été des colons, et qu'il est donc tout à fait intolérable d'être des colonisés. Ça ne dure pas, en général. Même si bon nombre d'entre eux ne verraient pas d'un mauvais œil une révision en leur faveur des lois commerciales qui régissent les échanges entre Virginia et la Terre, et une véritable concurrence, au lieu du cartel si peu secret qui décide tout.

Mais ce sont ces gens-là qui détiennent le pouvoir, c'est chez ces gens-là qu'il faut s'infiltrer, de ces gens-là qu'il faut apprendre. Tess en est arrivée très vite à cette conclusion. Après la mort d'Antoine, ils ont déménagé à Cristobal, maintenant qu'ils en avaient les moyens. Et forts de leurs nouvelles identités à toute épreuve, ils ont pris les mesures nécessaires pour entrer dans la place. Elle le regrette tous les jours.

Quand elle revient à la maison pour la méridienne, après avoir ainsi ruminé pendant tout le reste de sa période de travail, elle n'est vraiment pas de bonne humeur. Et c'est le moment que choisit Tobee pour faire une crise : elle veut aller à ce concert de Crawling Manifesto ce soir, elle-veut-elle-veut-elle-veut. On lui a déjà dit non : Alyne a une réunion du parti, Éric est plongé jusqu'au cou dans les répétitions de la pièce d'avant-garde dont il est l'éclairagiste, Marc a ses cours et Max, comme tous les soirs, travaille au restaurant huppé où, invisible serveur, il côtoie toute la crème de la finance, de la politique et de la vie culturelle cristobaldiennes.

« J'ai seize saisons, je peux quand même bien y aller toute seule ! » trépigne presque Tobee – qui semble parfois vouloir vivre toute son adolescence en quelques semaines, pour rattraper le temps perdu ; Tess en a bien conscience et même Tobee le sait confusément ; mais ça ne change pas grand-chose. Et pas question de la pousser, elle s'en rendrait compte. Mais bon sang ! ce n'est pas comme si le groupe n'allait donner qu'un seul concert à Cristobal, il y en a trois de prévus avant le retour de la Mer, et trois concerts acoustiques après !

« Mais c'est le *premier*, geint stupidement Tobee. *Tout le monde* va être là ! »

Elle veut dire, bien sûr, sa bande de snobs du collège Serpats, rien que du beau monde, enfants d'avocats, de banquiers, de capitaines d'industrie. Tobee s'est trop bien plongée dans sa nouvelle identité, elle en devient carrément odieuse, elle aussi !

« Tu pourrais venir, toi », finit par suggérer Tobee, la goutte d'eau qui fait déborder Tess.

« Est-ce que tu t'imagines que j'ai une soirée à perdre à écouter hurler dix mille adolescents débiles ? J'ai autre chose à faire, Tobee, au cas où tu l'aurais oublié. Je me casse le cul douze heures dans un bureau, et le reste du temps je me casse le cul chez moi, voilà ce que je fais, moi, Tobee !

« Tu n'étais pas obligée », remarque la voix d'Alyne dans son dos, Alyne qu'elle n'a presque pas entendue entrer tant elle était concentrée sur Tobee.

Elle se retourne avec vivacité : « Ah oui ? C'est vous qui alliez fouiner dans les inforéseaux, sans doute ? Et puis la Mer revient bientôt, ce sera nettement plus compliqué d'y avoir accès, après !

— Tu n'es pas obligée d'y passer autant de temps. »

Elle a raison, bien sûr. En un éclair, Tess sait quelle direction va prendre la conversation, et qu'elle peut en arrêter la dérive future ici, maintenant, tout de suite. Mais il faudrait pour cela admettre qu'Alyne a raison. Et même feindre d'admettre qu'Alyne a raison, pour Tess, aujourd'hui, c'est trop. Éviter la dispute ? Elle ne veut pas éviter la dispute, elle a envie d'une dispute, elle a *droit* à une dispute !

« Oh, Tess », dit seulement Alyne en faisant un pas vers elle – Alyne qui la voit tout le temps, même quand elles ne le voudraient parfois ni l'une ni l'autre, même quand Tess se donne beaucoup de mal pour ne pas être vue. Il y a tant d'amour triste dans cette simple exclamation, tant de culpabilité aussi, c'est plus que Tess ne peut en supporter. Elle se met hors de portée de la main qu'Alyne allait tendre et s'apprête à s'élancer dans l'escalier quand la voix de Max résonne dans son dos :

« Mauvaise journée au bureau ? »

Il ne va pas s'y mettre, lui aussi ? Elle voudrait lui lancer une réplique mordante, mais une dispute avec Max ne serait pas aussi satisfaisante qu'avec Alyne. Ce n'est pas comme si Max pouvait se défendre. Voulait se défendre. Si ouvert, Max, toujours si totalement désarmé, avec juste son grand sourire, et sa lumière, et sa tendresse. Non, Max, elle ne peut pas, elle aurait honte.

Elle marmonne : « Folz me porte vraiment sur les nerfs. Je vais me faire muter.

— Pourquoi tu ne quittes pas carrément la CCE, Tess ? »

Allez donc, Marc, maintenant ! C'est quoi, un rallye pour harasser Tess ?

« Nous nous faisons du souci pour toi, Tess », dit Alyne d'un ton égal, de justesse.

« Je n'ai pas besoin qu'on se fasse du souci pour moi, seulement qu'on me fiche la paix quand je rentre du boulot !

— Tu pourrais te faire une faveur et en choisir un ailleurs », remarque Tobee, brusquement redevenue adulte.

« C'est pour vous que je le fais, pour le groupe ! »

Et une autre voix s'élève près de la porte – lui, bien sûr, elle ne l'a pas du tout entendu arriver : « Il n'y aura bientôt plus de groupe, si tu continues comme ça », remarque Éric.

Mais ne peuvent-ils donc voir la réalité en face ? C'est la seule façon d'atteindre le but qu'ils se sont fixé !

« Le but que tu nous as fixé », murmure Max.

Même Max est contre elle !

« Oh, Tess ! » soupire de nouveau Alyne.

Et Tess se sent rougir, de colère, de honte, la discussion a dérivé comme prévu, en voici le terme : elle ne peut continuer à être d'aussi mauvaise foi, pas sous le regard sévère et aimant d'Alyne. Elle s'obstine pourtant – à mesure que le temps passe, se raidir lui devient curieusement moins douloureux que de leur céder. Elle les regarde tour à tour avec défi, Marc, Tobee, Max, et Alyne à côté d'Éric, toujours à côté d'Éric. Alyne qui lui touche alors le bras sans qu'elle puisse l'éviter, en répétant « Oh, Tess ! », avec une compassion impuissante, mais elle ne veut vraiment pas être apaisée, pas cette fois, et elle quitte la pièce, tant pis pour la méridienne, elle s'en va, n'importe où, ailleurs, loin d'eux, là où elle n'aura pas à les sentir tellement ensemble, Alyne et Éric, Éric et Alyne.

Elle marche au hasard au fil de l'avenue, se laisse descendre sans y penser vers l'ouest, se retrouve sur la

Place du Musée. Elle s'arrête et toise du regard l'immense édifice. Elle n'y a jamais mis les pieds parce qu'Alyne lui a dit, un jour, qu'elle devrait y aller, qu'il y fait merveilleusement calme. Mais elle a dépassé son quota de mauvaise foi, aujourd'hui. Avec une ironie amère, écœurée d'elle-même, elle se dirige vers le Musée.

Dans la grande voûte d'entrée, elle achète un billet au distributeur automatique, prend un écouteur dans le tourniquet, entre dans la vaste cour... et s'immobilise, stupéfaite, presque dépitée : Alyne avait raison ! L'agaçant brouillard mental qui l'accompagne partout s'est effacé, elle ne perçoit que quelques rares présences ici et là, si près de la méridienne : des visiteurs, le personnel...

Elle fait quelques pas rapides, les sourcils froncés, ralentit et s'arrête malgré elle devant le large bassin rectangulaire, fascinée, la tête rejetée en arrière : un énorme arbre-à-eau en occupe l'îlot central. Elle n'en a jamais vu d'aussi gros, il doit bien mesurer dix mètres de diamètre, et ses plus hautes frondaisons se rendent jusqu'au toit-terrasse, à cinquante mètres du sol... Puis elle se reprend. Un sondage rapide autour d'elle, non, personne ne l'a surprise en plein accès de provincialisme. Elle jauge l'arbre : ils vivent deux mille ans, une taille pareille, il doit bien être au bout de sa course ; et que feront-ils, au Musée, quand il mourra ? Y ont-ils seulement pensé ? Il y a certainement d'autres arbres-à-eau dans l'édifice, dans les jardins, sur le toit-terrasse, mais ce doit être la pompe principale...

Elle a un peu honte de son agressivité mesquine devant la magnificence tranquille de l'arbre – c'est la fin de l'Automne tropical à Cristobal, les feuilles trilobées sont encore bien vertes. Le vent léger y dévoile des reflets curieusement métalliques... Une sorte de sculpture s'enroule autour du tronc, en forme d'escalier, avec des volées de marches manquantes ; et tout en haut, sans marches non plus pour y accéder, une plate-forme perdue dans les feuillages. Un ajout terrien ? Mais non, l'élan du métal est trop gracieux, trop argenté aussi : c'est de l'adixe.

Tess tourne les talons pour se rendre sous la galerie à colonnettes qui fait le tour de la cour et par où commence la visite. Elle ajuste l'écouteur derrière son oreille, suit un moment la voix trop aimable qui décrit, en anglam bien entendu, les merveilles du Musée, puis remet le petit appareil dans sa poche. Elle n'a pas envie de voir les merveilles du Musée, en fait elle n'a même pas envie d'être au Musée. Elle a envie... de quoi ?

De se cacher dans un trou et de crever, se force-t-elle à penser en espérant que l'excès adolescent de la phrase saura déclencher une ironie salvatrice. Ça ne marche pas. Elle n'a peut-être pas envie de crever (non ?) mais de ne plus penser, oui. Dormir (et ne pas se réveiller ?). Plus de projets grandioses, plus d'angoisse. Qu'est-elle allée s'embarquer, les embarquer tous, dans cette entreprise délirante ? « S'infiltrer dans les sphères du pouvoir » ! Est-ce assez grandiloquent, assez absurde ? Et pour y faire quoi s'ils y parvenaient, grands dieux ? Ils ne pourront jamais révéler ce qu'ils sont ! Elle s'est tellement hypnotisée sur les moyens de parvenir à leurs fins qu'elle en a oublié à quel point ces fins sont brumeuses, lointaines – utopiques ! Éduquer les normaux. Les amener à accepter sans crainte la différence. Vivre au grand jour. Ha !

Les autres y croient, bien sûr. Ils veulent y croire. Chaque fois que l'un d'eux faiblit, un autre lui dit « Rappelle-toi Antoine ». Et d'autres normaux qui savent et que ça ne dérange pas, les amis qu'il leur a légués avec la fortune amassée pendant toute sa vie – l'ami Antoine savait placer son argent, apparemment. C'est tombé à point, à vrai dire : on n'aurait jamais pu mettre Tobee à Serpats, ni Marc à l'UOC.

Le cœur de Tess se serre, comme chaque fois qu'elle pense à Antoine : mourir tout seul sur un canal, loin d'eux, ce n'est pas juste. Ils n'ont même pas pu lui dire adieu. Il n'a jamais su *vraiment* à quel point ils l'aimaient : il ne se le laissait pas dire, pudique Antoine, et il ne pouvait pas le *sentir*. Ce n'est pas juste.

Et que dirait-il, Antoine, de tout ce gâchis ? Elle dans un coin, et tous les autres en face, tapant sur sa porte fermée. *Il n'y aura bientôt plus de groupe, si tu continues comme ça.* Comptez sur Éric pour ne pas mâcher ses mots. Le groupe, sa seule justification à présent – et il a raison, il n'y a plus vraiment de groupe, le groupe continue sur son erre comme un bateau dont on a coupé le moteur : Max et Marc et Tobee parce qu'ils croient avoir une dette de reconnaissance envers elle, Alyne et Éric parce qu'ils s'aiment et se sentent coupables...

Parce qu'ils l'aiment, tous, et surtout Alyne, et Éric. Parce qu'ils l'aiment et qu'ils souffrent d'elle, pour elle, avec elle. Elle le voit, elle le sait, pourquoi n'est-elle pas capable de mettre un frein à sa peine, à sa jalousie, à sa colère, pourquoi ne peut-elle pas tout simplement partager avec Alyne, avec Éric ? Ils y sont prêts, eux, ils ont essayé, oh, ils n'auraient pas dû essayer, tous les trois dans le grand lit, mais ce n'est pas de ça qu'il s'agit, pas le corps, ça, ils pourraient, mais c'est le reste, l'essentiel. Éric aime Alyne qui aime Éric, et ils s'aiment davantage qu'ils n'aiment Tess. "Autrement", "davantage", quelle importance, ce n'est pas ce qu'elle voulait, ce qu'elle n'arrive pas à ne plus vouloir. Elle devrait mais elle ne peut pas, et elle ne comprend pas pourquoi, ou bien si, elle comprend exactement pourquoi, mais toute la raison du monde n'y fait rien, ah, elle avait bonne mine de trouver Tobee irrationnelle tout à l'heure ! Elle leur en veut, et elle s'en veut de leur en vouloir, et ça n'arrête pas, elle s'enfonce dans la spirale hérissée de fouets tranchants...

Ses genoux se dérobent presque sous elle, elle a envie de crier, elle voudrait sortir de sa tête, sortir, mais elle ne peut pas, bien sûr, alors elle se laisse seulement tomber sur le petit parapet, entre deux colonnettes, elle prend à tâtons ses lunettes noires dans sa poche, elle ferme les yeux derrière cet abri dérisoire, la tête tournée vers la cour et le bassin et l'arbre qui finira bien par mourir un jour, et il n'y aura plus d'eau, mais il y en a de l'eau, dans ses yeux, qui déborde.

« Tess ? »

Elle n'a même pas la force d'esquisser un refus. Alyne s'assied tout près d'elle, sans la toucher, elle sait qu'il ne faut pas essayer de la toucher. Un peu plus loin, il y a Éric, silencieux, déchiré. Et Max, et Marc, et Tobee. La grande scène de la réconciliation. Mais là non plus elle n'a pas assez d'énergie pour faire appel à l'ironie. Elle se penche, juste un peu, c'est si loin, pose sa tête contre l'épaule d'Alyne, murmure d'une voix éraillée : « Je n'en peux plus. »

Les lèvres d'Alyne, un baiser dans ses cheveux : « Reste avec nous, Tess. Sans nous, tu ne pourras jamais. »

Avec vous non plus ! a envie de hurler Tess. Mais ce n'est pas vrai. Elle le sait, Alyne le sait, ils le savent tous. Ça fait moins mal quand elle les laisse entrer, quand elle se repose en eux : c'est comme sur une glace fragile, on répartit le poids et ça ne casse pas. Elle ne sombre pas. Ou moins vite. Avec un soupir elle s'abandonne, elle laisse son paysage intérieur se colorer de leur présence, et même le surprenant silence du Musée n'a pas été un bain aussi bienfaisant.

« Et pour commencer, tu quittes la CCE », dit Marc, délibérément obstiné, au moment où elle sent qu'elle va se remettre à pleurer. « On en sait bien assez. Et on n'a rien en commun avec ces gens-là. »

Elle lui sourit avec gratitude, prend la perche tendue : « Et les autres, tu crois qu'on a beaucoup en commun avec eux ?

— Il y a des sensitifs au Parti, qui ne se connaissaient pas avant, remarque Alyne. C'est là que j'ai rencontré Sandra Doven, par exemple.

— Mais le Parti n'en sait rien. Et tu étais censée les espionner, tes révolutionnaires, pas te joindre à eux.

— Ce ne sont pas des révolutionnaires. Et ce que je voulais dire, c'est qu'on peut être comme nous et avoir des opinions politiques, préférer certaines options politiques à d'autres. Le sens de la justice et de la dignité existe indépendamment de nos facultés particulières. »

Tess le savait très bien, elle avait juste besoin de finir de se remettre. Alyne, qui le savait aussi, lui adresse un sourire complice.

« Ça ne veut pas dire qu'on arrête d'infiltrer les autres en face », remarque Tobee, pragmatique. « Mais pas pour s'installer avec eux : pour les virer de là.

— Et on joue toute la mise sur le RVI ? Ils plafonnent à vingt pour cent depuis des Années...

— Mais c'est le seul bon choix, dit Marc. Le seul avec lequel on peut dormir la nuit. Et si on est avec eux, leurs chances augmentent, non ? »

Et Max, enfin, qui n'avait encore rien dit : « Si on gagne comme tu l'envisageais, Tess, et qu'on se perd... ça n'en vaut pas la peine. »

Tess pousse un soupir. Il lui vient des dizaines d'objections, mais non, non, pas maintenant.

« Tu sais quoi ? dit Alyne. La Mer revient dans trois jours. On pourrait aller faire un pique-nique sur la Tête, l'après-midi, tous ensemble. »

Et Tess dit oui, oui, bien sûr, Tess accepterait n'importe quoi en cet instant, elle veut continuer à les sentir tous autour d'elle comme une couverture bien chaude, elle veut quitter le Musée et retomber dans la rumeur de la ville avec leurs bras autour d'elle... Et peu importe si ça ne durera pas. Pour le moment, elle est chez elle. Pour le moment, elle est avec eux.

16

« Est-ce que ça va, Monsieur le gardien ? »

Quelqu'un tire sa manche. Il baisse les yeux : une face ronde et noire, une bouche entrouverte sur une langue bien rose, l'aura inquiète et curieuse d'une fillette de sept ou huit saisons.

« Ça va très bien, ma petite », répond Élias Navanad dans la même langue, en franca. « Très bien. Va vite rejoindre tes camarades. »

Un troupeau d'élèves passe en se bousculant, poussé par une enseignante déjà harassée qui adresse au gardien un sourire d'excuse. Élias Navanad hoche la tête d'un air aimable.

Simon ne la voit pas. Foudroyé, il regarde Tess. Malgré les épais murs du Musée, malgré le bouclier que devrait être le Musée, il regarde Tess qui s'éloigne sur la Place, une main dans celle d'Alyne, sa hanche frôlant par moments le bras d'Éric qui marche tout près d'elle, tandis que Tobee, subitement rendue à son enfance, parcourt à cloche-pied une marelle à demi effacée sur les dalles rouges.

Il est 21h00. Le service d'Élias Navanad se termine à 25h30 aujourd'hui. Heureusement qu'Élias Navanad est là, l'impassible, le brave Élias, avec sa patience de militaire bien dressé. Quand il voit arriver son remplaçant, il le salue et lui cède la place comme d'habitude, posément, et s'éloigne d'une allure ni plus lente ni plus rapide qu'à l'accoutumée. Même lorsqu'il arrive dans un couloir où il n'y a personne et où se trouve un escalier secret – n'importe quel couloir, n'importe quel escalier, toutes les salles souterraines communiquent entre elles – il se force à marcher du même pas. Si Élias l'abandonne maintenant, il est perdu, il ne pourra jamais le retrouver, et qui serait-il, alors ? Il ne sait pas trop.

Tess. Qu'est-ce que j'ai fait ? Perdu mon pari. Pourrait être pire – sont encore ensemble, au moins. Qu'est-ce que j'ai fait ?

La porte, son voile d'illusion, la luminescence bleue de l'escalier, les marches, le silence. Le silence. Il ne les a jamais cherchés, il a tenu parole. Mais comment ne pas voir la douleur de Tess ? Cette explosion de lumière noire dans la cour, comment ne pas regarder ?

La spirale hérissée de fouets tranchants. Qui tourne en s'enfonçant, la spirale, et après chaque réconciliation, – chaque fois qu'ils pensent "répit", chaque fois qu'ils pensent "trêve" – Tess s'enfonce plus vite, plus profond.

Qu'est-ce que j'ai fait ?

La salle, n'importe quelle salle, les étagères et leurs piles de plaques, n'importe quelle plaque et tiens, c'est encore cette histoire-là ? Il rouvre les yeux, bouge un peu, aperçoit alors loin dans le coin d'en face le nid de coussins, la couverture. Un autre escalier, la même salle. Pas de Michaël, heureusement. Il n'aurait pas été capable de lui dissimuler sa présence, cette fois-ci.

◆

Ktulhudar ne reparut que le jour suivant, lorsque la fumée se fut dissipée, et nul ne put savoir où il était allé. Quelques-uns murmurèrent qu'il désapprouvait la mise à sac de la cité et l'exécution de ses hommes, mais d'autres firent remarquer qu'il n'avait pas refusé sa part de butin et s'était même choisi une esclave parmi les femmes hébao.

Il passa le premier hiver de la Guerre Sainte chez lui à Dnaōzer. Le bruit de ses exploits était parvenu loin au nord, jusqu'au Leïltellu. Les Paalani dispersés affluaient de toutes parts dans le sud-est pour lui déclarer allégeance, tandis que les rois paalani qui ne s'étaient pas encore ralliés à la Coalition s'empressaient de le faire de peur que, le printemps revenu, leur cité ne connût le même sort que la capitale des Hébao. Ktulhudar acceptait sans mot dire l'hommage des uns comme des autres. Nul ne connaissait ses pensées. Les plus puissants parmi les rois coalisés, le riche Argad et le rusé Balinduz, regardaient d'un œil de plus en plus mécontent les nouveaux féaux de Ktulhudar, car c'était à lui et non à eux que les Paalani du Nord ou de l'Ouest rendaient hommage. Or ces deux rois ne croyaient pas en la divinité du Prince ; ils pensaient se servir de lui pour accomplir leur propre dessein, qui était de rétablir l'hégémonie paalao sur tout le continent de Hébu. Mais comme son renom grandissant servait leurs projets, ils continuaient à lui manifester les marques du plus profond respect. Cependant, Ktulhudar voyait dans leur cœur comme dans un cristal, et sa peine était grande de savoir à quel point les mortels avaient besoin de lui.

Au printemps, le territoire ainsi contrôlé par la Coalition avait doublé sans coup férir et l'armée des coalisés était forte de plusieurs centaines de milliers d'hommes. Lorsque le temps fut venu de reprendre la guerre, Ktulhudar sortit de son long silence. Et les rois l'écoutèrent avec stupéfaction : on n'attaquerait plus de ville ouverte, on n'exécuterait plus les prisonniers mâles, seuls les soldats capturés au combat seraient emmenés en esclavage, mais ils seraient traités avec équité. Les

Paalani, déclara le Prince, étaient assez forts désormais pour être cléments et assez craints pour pouvoir continuer la guerre par des négociations plutôt que par des combats, partout où une réelle opposition ne se ferait pas jour.

Un certain nombre des coalisés approuvèrent la dernière partie de ce discours, mais la plupart furent très surpris et fort mécontents de ce qui concernait esclaves et prisonniers, car c'était contraire aux plus vénérables coutumes guerrières des Paalani. Les fidèles de Ktulhudar arguèrent qu'il était dans le vrai : trop de haine amassée contre les Paalani au temps de leur première domination avaient déjà hâté leur défaite aux mains des Tyranao pendant les grandes guerres de l'Unification. Mais Argad et Balinduz réunirent en secret autour d'eux un certain nombre de mécontents.

Nul n'osait cependant parler ouvertement contre Ktulhudar ni désobéir à ses ordres sacrés, car une grande partie des Paalani venus du Nord du continent le suivaient avec enthousiasme, ayant perdu depuis plusieurs générations tout contact avec les anciennes coutumes de Paalu ; ils formaient déjà plus d'un tiers de l'armée des coalisés, et aucun roi ne pouvait aligner une force équivalente s'il décidait de s'élever contre la volonté du Prince.

Mais les yeux des hommes s'ouvrent lentement parce que leurs blessures sont lentes à se fermer. Parmi les esclaves hébao du palais, les mieux traités pourtant de tout Dnaõzer, il s'en trouva pour penser que faiblesse et remords avaient dicté les paroles de Ktulhudar, et qu'il fallait en profiter pour venger leur cité détruite.

◆

Il est assis devant le feu. C'est à peine s'il a touché son repas. Eylaï le contemple. Son incertitude, sa lassitude, sa tristesse. C'est intolérable, effrayant, ces moments fugaces où elle a l'impression de voir ainsi ce qu'il ressent tel un brouillard autour de lui, impossible à éviter. Elle n'a que faire de ce savoir incompréhensible qui le rapproche trop d'elle, cet étranger, cet ennemi, ce Paalao.

Il lève enfin les yeux, la voit devant lui, et la dague dans sa main. Il ne tressaille pas. Ses yeux prennent l'expression intense qu'Eylaï a appris à craindre parce qu'elle annonce toujours des paroles déconcertantes. Pour échapper peut-être à ce qu'il va dire, elle fait un pas en avant, se jetant dans la décision qu'elle repoussait depuis trois jours : « Reprends-la », dit-elle en tendant l'arme, la poignée en avant, « tu vas en avoir besoin. »

Il ne bouge pas. Elle s'irrite : « On va te tuer. Cette nuit. »

Il dit enfin : « Qui ?

— Tu le verras bien. »

Et comme il ne bouge toujours pas, elle laisse tomber l'arme sur la table et s'en va très vite, pour ne pas sentir comme si c'était la sienne la colère, la tristesse, la lassitude de son ennemi.

À mesure que la nuit tombe, elle va et vient sans pouvoir dormir dans la petite chambre qu'elle occupe près des appartements princiers. Mais elle n'entend presque rien : un cri étouffé, surprise ou terreur, puis la voix de Ktulhudar appelant les gardes. Au matin, il l'appelle auprès de lui. Il joue avec la dague, pensif. Eylaï comprend que cette fois elle devra se fier à ce que diront sa voix, son visage, son corps : la brume révélatrice a disparu.

« Pourquoi ne pas avoir laissé agir cette femme ? dit-il. Tu ne permets pas qu'une autre que toi me tue ? Elle était de ta cité.

— Qu'en as-tu fait ? » ne peut s'empêcher de demander Eylaï.

« Je l'ai envoyée servir ailleurs qu'au Palais. Elle ne recommencera pas. »

Eylaï dévisage le Prince avec stupeur. Est-ce de l'amusement ou du mépris, ce pli au coin de ses lèvres ? Dans les yeux violets, pourtant, et sans feinte, de la curiosité.

« Pourquoi m'avoir averti ? Ne sais-tu pas que je suis invulnérable ? »

Eylaï hausse les épaules : « Tu as saigné, l'autre jour, quand tu as brisé ton verre. »

Sans la quitter des yeux, il lève la main qui tient la dague, tourne la lame vers lui et l'abat d'un geste brusque sur sa poitrine. Il se met à rire, ensuite : Eylaï a crié. Mais la lame s'est arrêtée sur la peau, comme si elle n'était pas plus pointue qu'un simple doigt. Pas une égratignure. Eylaï regarde à terre, les joues brûlantes d'avoir entendu le cri de la nuit précédente dans sa propre gorge : surprise... et terreur. Mais elle ne veut pas céder à la panique. Elle a vu, de ses yeux vus, Selrig Ktulhudar saigner quand il s'est coupé.

« Si tu me crois vulnérable, pourquoi ne pas avoir essayé toi-même ? Je n'ai plus envie de mourir, maintenant, ça vaudrait la peine de me tuer. »

Eylaï lui rend regard pour regard : « Si je te tue, ce sera à mon heure et à ma manière. » Elle se raidit, prête à tout. Et c'est un éclat de rire, et elle tourne les talons sans avoir reçu l'ordre de s'en aller.

« Eylaï... »

Ni menace ni moquerie dans la voix un peu étouffée. Eylaï se retourne malgré elle. Selrig Ktulhudar ne la regarde pas. Il contemple la dague. « Tu n'as pas trahi les tiens en me prévenant. Au contraire. »

17

Ce même jour, dans la soirée, Daniel et Marianne se promènent ensemble dans le Musée. Elle est revenue plusieurs fois depuis leur première rencontre, il lui plaît, elle lui plaît, quelque chose s'ébauche entre eux. Le prétexte de leurs rencontres – de plus en plus un prétexte, ils en sont assez conscients maintenant pour commencer à en jouer –, c'est la visite du Musée, avec Daniel comme guide : Marianne vient de s'installer à Cristobal, elle ne connaît personne. Elle arrive après l'heure de la fermeture ou le soir après la dernière collation de la journée, et ils passent de salle en salle en s'explorant l'un l'autre autour et au travers des exposés savants de Daniel.

Après la fermeture, après le dîner, c'est aussi le moment où Michaël se sent plus tranquille pour se rendre dans les souterrains.

Daniel et Marianne se trouvent dans la Grande Galerie ouest, dans la zone administrative où sont entreposés les objets non encore archivés ; il veut lui montrer un récent arrivage en provenance d'une fouille de récupération en catastrophe, près de Nouvelle-Venise – on construisait une annexe à une usine, on est tombé sur un site d'enfouissement datant de la disparition des Anciens, les archéologues envoyés par le Musée font la course avec les déblayeuses.

Marianne est un peu perplexe, presque méfiante : chaque fois qu'elle a perçu en Daniel ce curieux mélange de satisfaction et de rancune, elle a appris sur les Anciens quelque chose qu'elle ne savait pas, qu'on n'est pas censé savoir, et qu'elle n'est pas toujours certaine de vouloir savoir : trop de petits détails qui ne cadrent pas avec les théories existantes. Mais Daniel a trop besoin de parler, il déborde de frustrations accumulées, la présence de Marianne lui est une libération.

Les objets en question ne semblent pourtant pas particulièrement bizarres en tant qu'artefacts – trois coupes ébréchées, assez petites, taillées dans une pierre grise parsemée de myriades de petites occlusions cristallines ; des coupes, il y en a des centaines au Musée...

« Et alors ? » demande Marianne, exagérant à dessein son intonation de curiosité – elle a assez dit à Daniel à quel point cela l'exaspère de devoir jouer le rôle traditionnel de la poseuse de questions pour satisfaire aux manies pontifiantes du vice-gouverneur Travers. Avec Daniel, bien sûr, ce n'est pas pareil : ce qu'il a à lui apprendre l'intéresse malgré tout *réellement*. Mais cela fait partie de leur jeu.

« Elles sont en tillmanite », déclare Daniel sur le ton approprié aussi, mais elle sent qu'il ne joue pas vraiment – ces artefacts le préoccupent. « Cette roche se trouvait à l'air libre il y a une dizaine de millions d'années terrestres. Depuis, plus jamais. »

Marianne sursaute, et Daniel, qui se méprend sur sa réaction, remarque aussitôt : « Ne vous excitez pas trop » – il joue toujours l'avocat du diable après s'être ainsi délivré d'un autre secret. « Les gisements connus sont censés provenir des météorites qui ont déclenché la dernière glaciation. Il peut en être tombé de plus petits, formant des dépôts limités, dont certains seraient restés par hasard accessibles aux Anciens, et qu'ils ont complètement épuisés. »

Il n'y croit pas. La seule autre façon d'expliquer ces objets, c'est d'envisager un peuplement de Virginia avant les Anciens. L'histoire des humanoïdes sur cette planète est assez bien documentée : trois cent mille saisons maximum. Et donc, impossible pour les Anciens d'avoir eu accès aux gisements connus. Mais avant eux, il n'y avait personne. Théoriquement.

Marianne s'efforce de revenir au sujet sans pouvoir se remettre de son bref contact avec... qui ? Elle a beau chercher, elle ne trouve personne aux alentours. Un éclair – stupeur, excitation, si ce n'avait pas été aussi intense, elle se dirait qu'elle a rêvé.

« Ça ne va pas ? » dit Daniel, qui perçoit maintenant son malaise. « Vous savez, ce n'est ni la première ni la dernière petite énigme que nous poserons les Anciens... »

Elle frotte ses bras nus en souriant n'importe quoi, « non, ce n'est pas ça, il fait frais ici », et Daniel lui offre sa veste avec une galanterie faussement ironique et une véritable sollicitude. Il n'a pas senti cet éclair, lui : ses capacités sont si limitées, et de surcroît totalement inconscientes. Qu'est-ce que c'était ? Un qui se cache ? Et pas très loin, sûrement... À tout hasard, elle se fait rassurante, chaleureuse, accueillante, tandis que Daniel l'entraîne vers d'autres artefacts qu'il juge intéressants, mais pour d'autres raisons, moins dérangeantes.

Michaël se trouve dans les marches d'un des escaliers menant aux souterrains, montant vers la porte invisible. Il faut être tout près des portes pour commencer à percevoir ceux qui se trouvent dans le couloir. Arrivé sur la dernière marche, au ras du voile invisible, il a sondé les alentours. Et s'est pétrifié. Mais si son père est bien là, à quelques mètres seulement, la porte atténue sa présence, la rend presque supportable. La bulle noire du coma recule.

Michael devrait faire demi-tour maintenant, aller chercher un autre escalier, une autre porte. Pourtant il reste, captif d'un fil ténu de curiosité : cette autre présence dans le couloir... Un souvenir surgit, malgré lui, le temps d'avant la catastrophe, quand il était bien au chaud, bien au silence, quand la douleur était seulement un bruit lointain. C'est ce que promet la lumière souriante, là, de l'autre côté de la porte. Il se balance d'un pied sur l'autre, séduit, anxieux... et puis quelque chose, il ne sait pas bien quoi, le pousse à gravir la dernière marche, à franchir la porte invisible.

Juste devant Daniel et Marianne.

Ils le contemplent, foudroyés, leur réaction va le foudroyer à son tour : assourdi, écrasé, terrifié, il ferme les yeux et se précipite dans l'inconscience.

Daniel et Marianne affolés emportent l'enfant dans sa chambre, le confient à la nourrice-gouvernante qui ne s'émeut pas outre mesure : Michaël est encore assez coutumier de ces crises, si elles lui arrivent rarement en présence de son père – il le fuit trop assidûment d'habitude pour avoir à s'en protéger d'une façon aussi radicale, mais la nurse se garde bien de le dire à haute voix.

Ensuite, bien sûr, ils retournent dans l'aile ouest pour examiner l'endroit où ils ont vu Michaël sortir du mur. Marianne passe la main sur la porte, exactement sur la porte, mais elle ne voit, ne sent rien – sinon les mosaïques d'un mur.

Daniel observe, un peu en retrait, il se contrôle à peine, et quand elle se retourne vers lui en disant « Il n'y a rien... », il craque ; il crie : « Mais je l'ai vu sortir de ce mur, je l'ai *vu !* »

Elle oublie aussitôt son propre effroi perplexe pour lui passer un bras autour des épaules et l'entraîner jusqu'à l'une des omniprésentes fontaines qui parsèment le Musée ; elle le fait asseoir sur le rebord de la vasque, prend un verre dans le distributeur, le remplit au jet d'eau, le lui tend. Daniel reste le bras à demi tendu sans prendre le verre, les yeux dans le vide. Et Marianne est captive, comme dans un cauchemar, des émotions de son compagnon : un cercle de fer autour des tempes, le cœur qui bat à tout rompre...

Elle pose une main sur le front de Daniel sans trop savoir ce qu'elle doit ni ce qu'elle peut faire : comme beaucoup de sensitifs isolés, elle a toujours procédé plus par instinct que par expérimentation délibérée. « Détendez-vous, je vous en prie, détendez-vous. » Et son inquiétude pour lui, autant que son désir de mettre un terme à l'intolérable pression qu'elle subit elle-même, doivent lui permettre de trouver la bonne approche, car Daniel se laisse toucher : sa panique douloureuse reflue un peu.

Marianne s'assied près de lui, lui prend la main : ce sera plus pénible pour elle ainsi, mais elle sait aussi qu'il a besoin de ce contact physique. Ils restent un long moment sans parler.

« Mon pauvre petit Michaël, murmure enfin Daniel, que puis-je bien faire pour lui, que puis-je faire ? »

Il essaie de noyer l'impossibilité de ce qu'ils viennent de voir dans le problème plus ancien de Michaël, et Marianne l'accepte un moment, avec même une vague gratitude. Elle dit tout doucement : « Aimez-le. »

Daniel tressaille, de faibles défenses se reforment en lui, s'écroulent de nouveau, ne reviendront pas : elle a touché trop profond, et en cet instant il est ouvert, nu, désarmé. Il proteste, bien sûr : « Mais je l'aime ! » Puis, sur un autre ton : « Je ne l'aime pas bien ? »

Marianne se sent soudain basculer. Le hurlement du bébé. Les contours du corps sous le drap blanc. Elle est morte. Elle tombe à genoux près du lit, elle arrache le drap...

Les émotions et les sensations changent de perspective, brusquement replacées : *il* pense "elle est morte", *il* tombe à genoux près du lit, *il* arrache le drap : le visage est un peu tourné sur le côté, une fine boucle de cheveux noirs est prise entre les cils baissés. Ce n'est pas vrai, pas ainsi. Tous les deux dans un accident, le temps de savoir qu'ils meurent ensemble, mais pas ainsi ! Et il sent qu'il peut s'arrêter là, mourir sur place s'il le désire assez fort, et il le veut, il le veut, il sent qu'il s'éteint...

Mais les hurlements du bébé l'arrachent au silence. Une vague brûlante de haine le ramène à la vie, il crie « faites-le taire ! » Les hurlements s'arrêtent net, la voix alarmée de l'infirmier appelle le docteur – l'enfant est mort aussi, le petit assassin, c'est bien... La pensée paresseuse se contracte soudain, calcinée par l'horreur : non, non, il doit vivre, elle ne doit pas être morte pour rien !

Il se précipite dans la salle voisine. Entre les mains du docteur il aperçoit la face déjà cireuse, les membres abandonnés. Le docteur se tourne vers lui, consterné... NON. Avec une farouche détermination, il saisit son enfant, il le berce, effrayé de le sentir si léger, déchiré d'amour pour ce petit morceau d'elle, et le bébé bouge dans ses bras, le petit visage se chiffonne, une main minuscule agrippe l'air, le poids semble devenir plus lourd dans les bras de Daniel, un cri s'échappe des lèvres arrondies, vis, mon fils, vis !

◆

Après avoir convaincu Daniel de prendre un sédatif et d'aller se coucher, Marianne se rend auprès de Michaël pour attendre son réveil. Incertaine de ce qui s'est passé, de ce qui se passe, elle veut pourtant comprendre, refuse la tentation de la fuite. Elle s'assied près du petit lit, laissant l'enfant l'examiner tout à loisir alors qu'il feint d'être encore inconscient, attendant qu'il accepte sa présence et consente à ouvrir les yeux sur elle. Extraordinairement calme, Marianne, même en percevant sa propre aura dans l'esprit de Michaël, un miroir comme elle ne savait pas qu'il pût en exister : un reflet d'elle-même qu'elle n'a jamais vu, couleurs d'après-midi, soleil apaisé, la nuit va venir, mais sans menace...

Et Michaël, paralysé de surprise, de ce qu'il ne sait pas être de la nostalgie, s'épanouit malgré lui dans cette présence qui l'enveloppe comme une couverture moelleuse. Même pas de recul quand Marianne dit à haute voix : « Bonjour, Michaël ». Il hésite à peine à croasser en retour : « Bon... jour.

— Je suis Marianne » – et dans l'esprit de Michaël : velours et soie, parfum d'herbe coupée.

« Ma... rianne.

— Nous pouvons parler, tous les deux. » Saisie d'une inspiration subite : « Tu peux trouver les mots dans ma tête, si tu veux, n'est-ce pas ? »

Il a bien saisi le sens général : parler. Et tout à coup il a envie d'essayer, il n'a plus aussi peur... Il murmure un « oui » un peu interrogateur quand même ; il a envie qu'elle lui prenne la main, et justement elle lui prend la main.

Bien sûr, plus tard, elle lui demandera d'où il venait quand ils l'ont vu dans le couloir.

◆

Ils vont finir par découvrir les plaques, écrit Simon dans son journal. *Michaël finira par leur en apporter une. Que percevront-ils lorsqu'ils la toucheront ?*

Et finalement, ce ne sera peut-être pas une catastrophe. Marianne et surtout Daniel savent à quoi s'en tenir sur les réactions officielles à propos des Anciens et de tout ce qui risque de déranger le statu quo. Ils seront prudents. Mais ils sont aussi curieux l'un que l'autre : ils ne pourront s'empêcher d'explorer ces connaissances soudain disponibles.

Et s'ils ne perçoivent pas clairement ce que transmettent les plaques, Michaël sera leur seule source – leur seule *preuve*. Ils vont d'abord devoir comprendre ce qu'il est, et l'accepter. Le comprendre ne devrait pas poser de problème avec Marianne dans le circuit. L'accepter... Marianne acceptera. Daniel... Marianne l'aidera.

Mais ils comprendront aussi ce qui attend Michaël s'ils révèlent publiquement ce qu'ils auront appris, et comment.

Un pari – encore, mais que lui reste-t-il d'autre ? – : ils ne le feront pas. Ils essaieront tous deux de protéger l'enfant.

Ce n'était pas grand-chose, essaie de se dire Simon sans parvenir à se défaire totalement de son sentiment de culpabilité. Même pas eu à pousser réellement : Michaël voulait franchir cette porte – une partie de Michaël le voulait, en tout cas. Prêt à faire le pari de l'ouverture, de la confiance, Michaël, alors pourquoi ne pas lui en donner mieux la possibilité ? Et la possibilité de vivre autre chose que ce qui l'attendait. Au moins la possibilité. Pas de garanties. Le reste, c'est son problème. Leur problème à tous les trois. Mais cette petite Marianne est pleine de ressources inattendues. Et Daniel n'est pas vraiment Samuel, après tout.

Et Michaël n'est vraiment pas moi.
Mais peut-être aura-t-il plus de chance.

18

Le lendemain, Élias Navanad fait ses rondes comme d'habitude, calme, posé, fiable. Le reste du temps, il parcourt fiévreusement les informations tirées du Réseau par ses agents électroniques, qu'il a programmés pour ramasser tout ce qu'on sait sur la tillmanite. Il doit supposer que toute requête directe comprenant ce terme est susceptible de déclencher des alarmes – même s'il n'en a pas de preuves, c'est une mesure de sécurité élémentaire. Aussi a-t-il procédé par des voies détournées. Ses agents lui offrent d'abord des données quasiment antiques, datant du début de la colonisation, qu'ils lui déroulent en vitesse accélérée. Sur son écran, restituées en couleurs irréelles et condensées en quelques secondes explosent la formation et l'évolution de Virginia.

Cinq cent millions d'années terrestres, feu d'artifice incandescent: les deux étoiles du système double d'Altaïr, qui se sont rapprochées pendant des milliards d'années, repoussant leur système planétaire par échange d'énergie gravitationnelle, entrent en contact. C'est la fin de la dernière glaciation sur Alpha, qui deviendra Virginia, et sur Béta Prime, en orbite autour de Béta, la planète géante de type jupitérien. Les calottes polaires d'Alpha et de Béta Prime se contractent tandis que planètes et satellites se croisent, se frôlent parfois, comme des danseuses un peu ivres, et finalement l'ordre jaillit du chaos : Béta a perdu ses satellites dans l'aventure, mais si l'un a été éjecté du système, l'autre, Béta Prime, a été capturé pour devenir la lune d'Alpha, Alpha dont l'orbite est maintenant sagement circulaire à sa nouvelle distance d'Altaïr, dans la ceinture d'astéroïdes.

La vie y est apparue entre-temps : des marées de couleurs arbitraires se gonflent ou se contractent sur toute la planète, dans les océans et sur les continents qui se déforment comme de la pâte à modeler prise de folie. Et maintenant, en quelques secondes, le miracle qui a duré plusieurs millions d'années. La période tropicale aurait pu être fatale à la vie d'Alpha : l'énorme augmentation de la quantité de lumière arrivant sur la planète aurait dû faire s'élever la température jusqu'à ébullition des océans. Mais un miracle pour certains, pour d'autres le hasard, pour d'autres encore une structure profonde d'ordre spontané régissant secrètement l'univers, a placé là un bouclier : Béta, qui se trouve à orbiter autour d'Altaïr au-delà de l'orbite actuelle de Virginia. Elle a rendu fortement elliptique l'orbite d'Alpha, lui donnant ainsi à chaque révolution une période de refroidissement loin d'Altaïr. La vie qui a pris naissance sur la planète en a profité : tenace, elle s'est adaptée, elle a évolué, elle a duré.

Mais la vague gravitationnelle provoquée par les nouvelles venues a perturbé la ceinture d'astéroïdes, provoquant un bombardement météoritique lent et prolongé d'Alpha et de son satellite, puis la capture de plusieurs astéroïdes par Alpha et Alpha Prime, et enfin l'éjection hors du système planétaire de la plupart des astéroïdes de la ceinture.

La planète-bouclier, que les humains ont baptisé Hercule, intercepte la plupart des astéroïdes et comètes qui viennent se promener dans le système. Mais pas toutes – et ici les agents bien dressés de Simon ralentissent la vitesse de déroulement. Le dernier bombardement météoritique remonte à dix millions d'années terrestres. Ce sont les résidus de ces météorites qui ont donné naissance à la tillmanite – ainsi nommée par le géologue qui l'a le premier repérée dans les carottages profonds effectués en divers endroits du lac Mandarine. Et les lentes machinations géologiques, érosion, mouvements tectoniques, les ont enfouis, hors d'atteinte de la surface, bien avant l'existence avérée d'humanoïdes sur Virginia.

Pas d'artefacts en tillmanite dans le Réseau officiel. À vrai dire, il n'en attendait point, mais il devait vérifier.

Il passe donc à la deuxième volée de données, que ses agents sont allés chercher chez ceux qu'on appelle communément les DDD : Délirants & Doux Dingues. Dans leurs salons et cafés virtuels naissent et viennent mourir la plupart des théories élaborées ici et là (mais surtout sur Terre et dans les Protectorats solaires) sur les quelques bizarreries de Virginia trop massives pour être balayées sous la carpette – les Anciens disparus, la Mer... Il a toujours soupçonné des scientifiques virginiens frustrés de venir s'y encanailler parfois sous pseudonyme. Au temps où Simon Rossem faisait des études tardives mais officielles à l'UOC, il y a glissé lui-même des requêtes naïvement formulées, exprès, sur les pylônes et leurs sphères allumées. Il a été déçu : le gouvernement avait manifesté son habituelle efficacité en matière de désinformation et tout le monde spéculait sur les technologies des Anciens en matière de contrôle météorologique. Puis le sujet s'est éteint tandis que l'intérêt des DDD se déplaçait vers d'autres bizarreries plus excitantes, comme des apparitions liées à la Mer, ou des maisons hantées par des Anciens – ils avaient appris à repérer ce dernier sujet récurrent, ses frères et lui : il les amenait parfois vers l'un des leurs.

Tiens, il y a une nouvelle mode chez les DDD ? On spécule maintenant à perte de vue sur les relations qu'entretenaient les Anciens avec la mort. Évidemment provoqué par la découverte du sarcophage, ça. Les Anciens croyaient en l'immortalité, et allez donc, ils étaient peut-être même immortels ! Mais il ne se réveillerait pas, ce dieu-guerrier, imbéciles, si on le sortait de son cristal : il a été mortellement blessé, le cœur percé de part en part ! Quant aux sarcophages de l'île d'Aguay, dont vous ne savez rien, à vrai dire, leurs occupants non plus ne feraient pas un numéro de Lazare ! Incroyable comme l'esprit humain peut faire fi des évidences les plus claires...

Il prend conscience de la tonalité de ses réactions, s'adresse un sourire sarcastique : touché, Simon. Mais il ne spéculera pas, absolument pas, sur la façon dont son propre cas pourrait s'inscrire dans les débats des DDD. D'ailleurs la longévité, même inexplicable, n'a rien à voir avec l'immortalité.

Il parcourt les informations en diagonale. Les spéculations s'élaborent selon des structures sans surprise : on évoque les Égyptiens, les Mayas, toutes les cultures terriennes qui ont embaumé leurs morts (mais, curieusement, pas la superstition cryogénique de la fin du XXᵉ siècle : trop proche, pas assez romantique, sans doute !). Comme si les cultures de la Terre étaient pertinentes pour comprendre les cultures des Anciens... Une fois pris en compte les parallèles de base – les Anciens étaient des mammifères humanoïdes –, tout n'est qu'hypothèses. Leur ancêtre était une créature aquatique, pour l'amour du ciel, une espèce de salamandre ! Il y a quand même des limites à ce qu'on peut postuler à partir de là.

Mais apparemment on ne peut connaître qu'en reconnaissant, du moins en partie, et les DDD sont coincés dans la première phase du processus – pour l'éternité ! C'est intéressant, cependant. Il y a un message encore plus délirant que tout le reste : le sarcophage de Vichenska immortalise... le dernier mort des Anciens ; après lui, il n'y en a plus eu un seul, les Anciens avaient inventé la Mer, ils se jetaient dedans et devenaient immortels, n'ayant donc plus besoin de cimetières. Et oublions totalement, si même l'auteur de ce message l'a jamais su, que le site de Vichenska est bien plus vieux que la première apparition de la Mer, et que cimetières et cérémonies funèbres n'ont disparu ensuite que très progressivement, sur une durée de plusieurs centaines de saisons ! Vraisemblable en effet que les Anciens aient fini par développer une religion autour de la Mer et y aient jeté leurs cadavres, puisqu'ils avaient apparemment prévu son arrivée (à défaut de la créer, ce dont on n'a vraiment aucune ombre de preuve) : son arrivée les a forcés à déménager des deux autres continents, mais elle n'a pas été pour eux aussi inattendue et traumatique que pour les Terriens de la Première Expédition. La Mer annihile la matière organique : les Anciens croyaient à l'immortalité de l'âme débarrassée du corps, sans doute, on peut au moins postuler cela – ou ils n'auraient pas eu de cimetières ni de cérémonies funèbres. Mais de là à prendre les métaphores au pied de la lettre...

La Mer comme dispensatrice d'immortalité. Un renversement normal dans l'imaginaire virginien, sans doute : on euphémise ainsi la Grande Dévoreuse. Mais depuis que Simon observe ces discussions, c'est la première fois qu'on évoque ainsi la Mer dans un contexte positif – certainement la première fois depuis le début de la colonisation. Voilà qui déplairait fort au ministère de la Sécurité : sa manie du secret et tous les débordements qu'elle couvre deviendraient un peu difficiles à justifier si les mystères de leur planète d'adoption n'effrayaient plus les Virginiens.

Un message ne fait pas le printemps. Mais tout de même, c'est peut-être un signe.

Il interrompt la transmission avec un soupir. La quantité de déchets que ses agents sont forcés de lui rapporter est décourageante, mais il ne peut se permettre de leur imposer des paramètres trop étroits non plus. Conclusion, en tout cas : les interprétations acrobatiques de tel ou tel artefact des Anciens ne manquent pas chez les DDD – mais d'artefacts en tillmanite, et de civilisation antérieure à celle des Anciens, même chez eux, point.

Ces coupes peuvent aussi être les premières découvertes, après tout.

Un pari, facile à gagner : elles n'apparaîtront jamais dans les mises à jour du Réseau.

Il se renverse dans son fauteuil en se passant les mains sur la figure. Temps d'arrêter – il est bientôt minuit, et Élias Navanad a le deuxième quart de la matinée. Demain, avant d'aller travailler, il lancera ses agents dans une tâche plus complexe, plus périlleuse aussi : aller chercher des données mieux protégées dans les infobanques gouvernementales. Mais ils bénéficieront de la circulation intense de fin d'Année : ceux qui vont perdre leur accès au Réseau à cause du retour de la Mer semblent tous choisir le dernier moment pour faire exécuter des tâches dont ils avaient jusque-là, bien entendu, sous-estimé l'urgence. Pour les nantis qui vont migrer pour la première moitié de l'Année vers les hauteurs, au-dessus de l'influence de la Mer, le problème ne se pose évidemment pas. Les autres, pendant le séjour de la Mer, il leur faudra passer par une Tour de communication.

Élias Navanad fait partie des autres – et non seulement les prix imposés par la Société virginienne des postes & télécommunications sont-ils incompatibles avec son revenu de gardien au Musée, non seulement n'a-t-il aucune chance d'être inscrit sur les listes de priorité, mais encore l'accès au Réseau par les Tours est d'une confidentialité des plus douteuses. Simon Rossem non plus ne peut se permettre de les utiliser, avec ses curiosités hérétiques – et ses démarches illégales.

Plus qu'une journée pour se servir du Réseau. Demain, à minuit, la Mer revient, l'électricité disparaît, sauf au-dessus de deux mille mètres, et l'Année nouvelle commence. Curieux, quand même, qu'on ait institué le retour de la Mer, et non son départ, comme le début de la nouvelle Année. Une coïncidence – ou un choix délibéré des membres de la seconde expédition ? C'est juste après un retour de la Mer, après avoir déterminé à leur satisfaction que ses va-et-vient étaient parfaitement cycliques, qu'ils ont envoyé le feu vert à la Terre pour la colonisation officielle. Du moins le jour du retour lui-même n'est-il pas un jour férié : les congés commencent le lendemain. Une semaine, les vacances de début d'Hiver dans l'hémisphère nord. Élias Navanad, qui a choisi de travailler plutôt pendant les vacances de mi-saison, se rendra dans la famille imaginaire de son fils imaginaire.

En fait, il s'est trouvé une petite chambre dans les souterrains : il y en a plusieurs dans une zone centrale circulaire sur laquelle ouvrent toutes les salles – toujours ce motif concentrique des Anciens. Il ne risque pas grand-chose de Michaël, le petit a des itinéraires réguliers et les chambres ne l'intéressent nullement : pas de plaques.

Quant à lui, il s'enfermera avec le paquet de plaques qu'il a piquées un peu partout au hasard des casiers. Après-demain, Élias Navanad commence pour de bon sa nouvelle vie.

Demain, Tess et Alyne et les autres vont en pique-nique au Parc de la Tête.

Simon éteint son terminal d'un claquement de doigt, contemple dans le grand écran obscurci le visage sévère-ment ridé d'Élias Navanad. Il lui adresse un sourire ironique et las : essayé d'être sage, mon vieux, je te le jure. Pas arrêté de travailler depuis deux jours. Pas regardé une seule fois du côté de Michaël, Daniel ou Marianne. Fais mes devoirs, depuis deux jours. Vais encore travailler demain.

Demain matin. Parce que, demain après-midi, Tess et Alyne et les autres vont en pique-nique au Parc de la Tête.

19

Éric a emprunté la fourgonnette du théâtre, une vieille Bounderye grise à gaz qui a connu des jours meilleurs. Dès que Tess est revenue du bureau, ils enfournent leurs affaires dans la malle arrière avec deux paniers de victuailles et passent chercher Tobee au collège Serpats – un établissement sérieux, ça, où l'on travaille vraiment le dernier jour de l'Année, contrairement à l'UOC qui a donné congé depuis déjà deux jours à ses étudiants. Tobee n'en finit pas de dire au revoir à ses camarades et Marc se penche pour appuyer sur le klaxon. Tess a envie de le retenir, se retient elle-même : allons, per-sonne ne remarquera un klaxonneur impatient à la sortie de Serpats la veille du jour de l'An. Tobee arrive en courant, boucles blondes en désordre, saute à bord entre Max et Marc sur le siège arrière, puis se livre à une savante gymnastique pour se débarrasser de son uniforme et se glisser dans des vêtements plus festifs.

Elle se retourne ensuite pour fouiller dans les paniers : « Vous avez pris des gâteaux chez Plamondon, j'espère ? »

Marc lui saisit les poignets : « Pas touche ! On ne vous nourrit pas, à Serpats, au prix qu'on les paye ?

— C'est pas pareil ! » proteste-t-elle en se débattant.

« Oh, donnez-lui un gâteau, elle va nous casser les pieds jusqu'à la Tête », intervient Tess, qui pouffe aussitôt, comme les autres, en entendant ce qu'elle vient de dire. Tobee profite de la bonne volonté ambiante pour s'emparer d'un éclair qu'elle partage, magnanime, avec Marc.

La fourgonnette s'engage dans l'avenue Davis qui va jusqu'au Parc de la Tête, loin à l'autre extrémité de la falaise sur laquelle se trouve la ville. La circulation est calme – ça se gâtera quand les travailleurs de l'après-midi quitteront leurs usines et leurs bureaux. L'hiver tropical règne à Cristobal, en atténuant les contours lointains dans une brume bleutée : le vent souffle régulièrement de l'océan depuis une semaine, mais on est à mille mètres d'altitude, et il ne fait jamais trop humide. Sur les toits-terrasses, la végétation prend des teintes plus assourdies, avec ici et là l'occasionnelle flamme rutilante d'un racalou ; les arbres-à-eau qui bordent l'avenue commencent à perdre leurs feuilles, des pluies soudaines d'un vert en train de virer, veiné de réseaux jaunâtres ; Tobee, qui a baissé la vitre de la fenêtre pour baigner sa main dans le vent de la course, en attrape une au vol et l'agite triomphalement.

Contrairement à Bird qui ne mérite plus son surnom de Cité des oiseaux puisque presque tous les clochemerles l'ont quittée avec l'arrivée massive des humains, Cristobal et ses alentours sont remarquablement intacts après plus de deux cents saisons de présence terrienne. C'était sans doute une ville de plaisance pour les Anciens, comme Tihuanco dans le Sud ; les jardins des terrasses y sont plus luxuriants, les tourelles à oiseaux plus délicatement ouvragées que partout ailleurs. Il faut croire que les premiers colons ont été sensibles au charme particulier de la cité, puisque rien n'est venu y défigurer l'agencement concentrique des canaux, des rues et des espaces verts, caractéristique des cités anciennes. On en a fait une ville gouvernementale, universitaire, artistique. Beaucoup de services, peu d'usines à la périphérie, des bâtiments plus ou moins discrètement intégrés au paysage – comme l'inévitable Tour de communication, conçue sur le modèle effilé des tourelles locales mais dont la tête se perd dans la brume à douze cents mètres d'altitude ; on a heureusement choisi le matériau de son revêtement extérieur pour qu'il se confonde avec la couleur toujours un peu laiteuse du ciel.

Le double ruban écarlate de l'avenue traverse maintenant les faubourgs, mais comme pour la plupart des villes des Anciens, il est difficile de dire où finit la cité et où commence la campagne : les groupes d'édifices rouges et dorés s'espacent insensiblement, les taches de végétation s'élargissent et voilà, on est dans la Réserve de la Tête, un immense parc aussi artificiel que la falaise sur laquelle les Anciens l'ont aménagé. Il ne manque que des troupeaux de licornes paissant au bord des petits canaux d'irrigation et l'on se croirait revenu des siècles en arrière, quelque part dans l'une des fresques du Musée. Ils s'engagent dans la route unique qui mène à l'entrée du Parc puis ondule avec les petites collines jusqu'à la Tête proprement dite. C'est seulement une dernière colline plus large que les autres, plus haute et plus ronde aussi, striée de longs affleurements rocheux séparés par des arbres et des prairies ; ils s'ouvrent en éventail, puis disparaissent peu à peu sous terre autour du pied de la colline : la nuque et la chevelure de la Tête.

Ils abandonnent la fourgonnette et commencent à gravir la colline entre deux mèches de pseudo-pyrite. À cette heure précoce de l'après-midi, il n'y a pas trop de monde. La Mer revient à minuit ; demain, il n'y aura personne dans le Parc. Cette partie de la falaise est plus élevée que Cristobal, et la Mer s'arrête loin du sommet ; mais le brouillard scintillant qui la recouvre est néanmoins visible, montant comme une haleine, dérobant l'horizon de toutes parts pour se perdre peu à peu dans le ciel. Lorsqu'on est au cœur du Parc, on peut très bien s'arranger pour ne pas le voir : il suffit de se tourner vers l'intérieur des terres. Mais on *sait* qu'il est là, que la Mer est présente. C'est encore trop pour la plupart des gens.

« Ici ! » déclare Alyne en posant son panier d'un air péremptoire. Tess approuve : une vaste prairie presque rectangulaire à l'herbe fine et rase, délimitée aux deux extrémités par des buissons de prunelle rose ; l'affleurement de roche nue constitue le long troisième côté à gauche et, de l'autre côté, l'affleurement parallèle est masqué par une haie de petits arbres-trolls, grassement accroupis au bord du ruisseau qui longe en cascadant la veine de roc.

Ils étalent les nappes et les couvertures ; Tobee décide de retomber en enfance et envoie valser sandales et chaussettes pour aller patauger dans le ruisseau, Éric lance un ballon à Marc, Alyne s'éloigne pour voir s'il reste des baies dans les prunelliers, et Max s'allonge à l'ombre près de Tess, les bras sous la nuque, avec un soupir de contentement : « Si les animaux pouvaient être là, ce serait parfait...

— Ils te manquent tellement ?

— J'ai toujours eu des oiseaux avec moi depuis que je suis tout petit. Ce n'est pas comme Éric ou Tobee. »

Tess se mord les lèvres. Ils ont tous tant sacrifié pour la suivre... Max se redresse sur un coude, avec un sourire : « Ce n'est rien, Tess. Nous ne t'aurions pas suivie si nous n'avions pas pensé que tu avais raison.

— Et maintenant ? » fait Tess – mais elle ne peut jamais être vraiment agressive avec Max.

Il la dévisage en silence puis lui touche le bras, un peu timide : « Tu es nous. Nous sommes toi. »

Et c'est une réponse ? Pour Max, peut-être, mais pas pour elle. Comment Max peut-il avoir survécu en étant si vulnérable, si confiant ? Il a bel et bien survécu, pourtant. On peut être comme lui et survivre. "Tu es nous. Nous sommes toi", l'ultime vérité, celle à laquelle elle ne peut renoncer sans renoncer à elle-même ? Elle se retourne sur le ventre, pensive, le nez dans l'herbe, envisageant soudain pour la première fois depuis des semaines la possibilité d'un apaisement.

D'autres pique-niqueurs arrivent – une bonne vingtaine. Eux aussi, apparemment, ont décidé que c'était le bon endroit. Ils dépassent Tess et Max en échangeant des plaisanteries : des employés de bureau, qui ont décidé de faire leur party de fin d'Année sur la Tête. Leur suggérera-t-on d'aller ailleurs ? Seulement s'ils deviennent trop bruyants. Tess se sent très paresseuse, elle sent que Max et les autres le sont aussi. Cette prairie est assez grande, plus d'une centaine de mètres de long, et d'ailleurs les intrus vont s'installer complètement à l'autre extrémité, dans le coin délimité par les prunelliers et le ruisseau. Il suffit de ne pas les regarder, et leur présence s'éloigne à la périphérie de sa conscience. La Tête est à tout le monde, après tout.

C'est drôle : on ne la voit pas du Parc. Il faut être du côté de l'océan pour la voir – ou se trouver accroché avec pitons et cordes dans la grande courbe concave qui suit le contour de la baie jusqu'à la Tête : pendant l'absence de la Mer, la falaise du Parc est pour les varappeurs de la côte ouest un point de rassemblement favori ; ils sont certainement plus nombreux dans la falaise que les flâneurs sur la falaise : ils profitent de leur dernière occasion de pratiquer leur sport favori, suspendus au-dessus des territoires de la Mer, collines et plateaux rocheux qui descendent vers l'océan lointain, presque invisible à l'horizon, *no man's land* où nul ne va jamais, pas même eux : les Anciens avaient aménagé dans la falaise quelques chemins menant à de petits belvédères en surplomb, et c'est de là que partent les cordées.

Tess essaie de s'imaginer à la surface de la Tête, dans le vertigineux à-pic. Ni elle ni les autres ne font de la varappe : quand ils ont vu la sculpture, c'était à travers des jumelles depuis Cristobal – ou dans des documentaires : un visage d'un demi-kilomètre de haut sculpté dans la pierre dorée de la falaise ; une Ancienne, coiffée d'une sorte de bandeau orné de gemmes, la tête un peu rejetée en arrière ; les photographies les plus spectaculaires ont été prises de nuit : la Tête brille alors d'un éclat bleuté, dû à l'enduit luminescent dont elle est recouverte. Un seul sculpteur ancien, muni de simples outils, a tiré de la pierre ce visage rêveur – l'œuvre de toute une vie, sans doute ; l'extrémité destinée à la sculpture a été aménagée de façon à être plus élevée que le reste de la falaise, le sommet en est presque à treize cents mètres, mais la Mer arrive tout de même juste en dessous des yeux, et pendant la moitié de l'Année, la Tête n'est plus qu'un regard tourné vers le ciel.

Et pourquoi ne pas apprendre à varapper, se dit Tess, paresseuse, amusée, les paupières à demi fermées pour ne voir de l'herbe qu'une présence bleutée à travers ses cils. Ce serait quelque chose à faire tous ensemble – quelque chose d'autre, pour le plaisir. Une brève ironie la traverse : accrochés à leurs cordées, absolument dépendants les uns des autres, une métaphore de leur existence...

Alyne revient des prunelliers, satisfaite : elle a trouvé des baies qu'elle tient dans ses mains en coupe ; Éric court vers elle et vers un but imaginaire, le ballon sous le bras, Marc à sa poursuite ; Tobee a dû voir des poissons dans l'une des petites vasques formées par les cascades car elle s'est assise, contemplative, les coudes sur les genoux, le menton dans les mains...

Tout se passe très vite. Excitation, agressivité, détermination, comme à un signal, en provenance des pique-niqueurs. Des détonations étouffées, Éric trébuche et tombe, Alyne tombe aussi... Marc court vers eux, et Tobee aussi depuis le ruisseau, et Max terrifié, et Tess foudroyée essayant de toucher et d'abattre les assaillants, mais que peut-elle faire, que peuvent-ils faire sans Alyne pour les rassembler, les autres sont trop nombreux !

Mais une demi-douzaine d'autres silhouettes franchissent l'affleurement rocheux, courant elles aussi vers les assaillants, et quelqu'un crie « attention », une arme se lève, une vraie, pas un fusil anesthésiant, le coup de feu éclate, Max boule, et tombe, et ne bouge plus.

Tess avait vu l'arme, mais Marc est arrivé avant elle. Après le deuxième coup de feu, après que Marc s'est écroulé lui aussi dans l'herbe, Tess percute le tireur de plein fouet, les poings en avant, la troisième balle lui siffle aux oreilles, ils tombent ensemble, l'homme et elle, quelque chose a craqué, horrible douleur-terreur intense et brève, l'homme devient tout mou entre les mains de Tess mais elle continue à le frapper.

Une main se pose sur son épaule. Elle se retourne férocement, à demi accroupie sur le cadavre, l'inconnu recule en balbutiant, dans un slavic maladroit : « C'est fini, c'est fini, nous sommes des amis. Je m'appelle Steve, Steve Krasznic, nous sommes des amis. »

Et maintenant Tess n'est plus seulement un corps enragé, elle peut regarder de nouveau, et elle voit. Les inoffensifs employés de bureau, les hommes et les femmes désarmés et tenus en respect par les autres, ce sont des agents de la BET. Ce qu'elle a cru percevoir en eux tout à l'heure a complètement disparu, leur personnalité d'emprunt, leur masque. Et les autres, avec au premier plan le jeune homme qui la dévisage avec une désolation inquiète, elle les voit, elle les voit parfaitement bien : ils sont comme elle, comme Éric, comme Alyne – ils étaient là et elle ne les avait pas repérés. Aucun d'entre eux ne les avait repérés.

20

Il se réveille avec une gueule de bois comme il n'en a pas eu depuis... Vichenska, l'attaque dans les ruines, une autre grande réussite. Il constate avec une satisfaction sarcastique qu'il a des courbatures : on se fait vieux, mon vieux ? Il a du mal à se rappeler ses actes de la veille – quand il a été capable de faire autre chose que de rester prostré dans son fauteuil, du moins. Bu, de toute évidence. Écrit dans son journal, sans doute.

Il va vérifier : oui, des pages de gribouillis presque illisibles, ponctuées de mots soulignés et de points d'exclamation, un déluge de culpabilité et d'auto-apitoiement, "Comment ai-je pu ne rien repérer, comment ai-je pu croire Tess quand elle les croyait en sécurité, comment ai-je pu prendre mes désirs pour des réalités, c'est ma faute, c'est ma faute !" Eh bien non, Simon, ce n'est pas ta faute, ta faute ne date pas d'hier ni même d'avant-hier, ta faute c'est d'exister, et de continuer à exister – mais tu as réglé ce problème là hier une fois de plus, tu ne vas pas cesser d'exister, pas plus que tu ne pouvais cesser de regarder ou ne pas essayer d'intervenir. Pris entre le fer et l'enclume, Simon, damné si tu agis, damné si tu n'agis pas. Tu ne t'en sortiras pas indemne, ni dans un cas ni dans l'autre. Dans les deux cas, ça meurt, ça vit, tu ne peux décider lesquels vivent ni lesquels meurent. C'est la vie – ta deuxième vie, mais n'apprendras-tu jamais rien, as-tu pu être inconscient à ce point, après tout ce temps, as-tu encore vraiment pensé pouvoir t'en tirer *indemne* ?

Il ramasse les trois bouteilles, écœuré, s'oblige à les déposer sans violence inutile dans la poubelle à recy-clage – cognac, bourbon, vodka, toutes ses réserves y sont passées. Pas étonnant qu'il se sente si mal en point, non (hélas), ce n'est pas l'âge. Au contraire. Il devrait être tombé dans un coma éthylique après avoir bu tout ça !

Et maintenant, Simon ?

Il regarde autour de lui la petite chambre nue, les bandes de pierre dorée doucement lumineuses qui font le tour des murs, le lit de camp, la lampe à gaz sur la petite table un peu bancale, le vieux fauteuil de bureau également récupéré dans le débarras du Musée, le réchaud dans un coin, la cantine, la caisse de plaques. Il peut sentir Michaël dans l'une des salles voisines, plongé dans une autre plaque, une autre histoire, oublieux du reste du monde. Et voilà, Simon, tu aurais voulu en faire autant, et Max est mort, et Marc est mort.

Mais je ne suis pas tout-puissant, je ne suis pas Dieu ! Il l'a écrit plusieurs fois, en grosses lettres, avant de s'écrouler en sanglots d'ivrogne, il s'en souvient avec dégoût. Il se le redit à présent, posément, délibérément, *je ne suis pas tout-puissant, je ne suis pas Dieu.* Ce n'est pas comme si c'était la première fois. Ce qui l'accable, c'est de constater comme il l'oublie facilement. Un effet secondaire de tous ces secrets, de toutes ces machinations.

Le pouvoir ne corrompt pas nécessairement, mais l'impunité...

Je ne suis pas tout-puissant, je ne suis pas Dieu. Répéter tous les jours, matin et soir et à l'heure des repas. Et se poser ensuite la question importante, la question à deux faces : que dois-je faire, que puis-je faire ?

En dehors des plaques, du moins.

Pour Tess et les autres survivants, rien. Ils ont été pris en charge par le groupe qui les surveillait à leur insu et les a secourus – et non, il ne se laissera pas penser encore une fois "j'aurais dû connaître l'existence de ce groupe" – des groupes dont il ignore l'existence, il y en a sûrement des centaines.

Mais ce groupe-là est un groupe de proto-télépathes presque aussi forts que Tess...

Et alors ? Il se trouvait au Musée depuis un Mois, et bien loin de Cristobal avant cela, il ne regardait pas, il ne peut non plus tout regarder. D'autant que ces petits-là ont appris à se cacher d'une façon bien particulière.

Il aurait dû le prévoir, ça, quand même ! Les dernières informations reçues de sa taupe au CÉREX, juste avant de repartir de Vichenska, mentionnaient bel et bien un nouveau projet de recherches sur l'hypnotisme. Il n'a pas réagi, c'était trop vague, mais il aurait dû être alerté. Après le fiasco de la ferme, la BET a fini par additionner deux et deux, elle sait plus clairement à quoi elle a affaire désormais et de quoi il faut protéger ses agents. Ils ont dû repérer Tess et les autres à Cristobal – comment, peu importe, Tess a pu faire une erreur, ou n'importe lequel d'entre eux (mais Tess, vraisemblablement : c'est elle qui fouillait dans les banques de données ; c'est ce qu'elle doit se dire aussi – *ma pauvre Tess...*). Et l'autre groupe, qui avait repéré Tess, ou Éric, ou Alyne, depuis peut-être leur arrivée à Simck, a repéré dans leur sillage les agents de la BET, a vu comment ceux-ci procédaient, et les a imités. Que la suggestion, post-hypnotique ou non, soit encore plus efficace pour implanter une fausse personnalité sur des sensitifs que sur des normaux, il aurait dû...

Non. Il n'a jamais beaucoup expérimenté avec ses facultés. Trop de monde à sauver, hein, Simon, trop de manigances ordinaires, trop de voyages ? Et le reste du temps, il voulait les oublier, ces facultés. Savoir à quel point il est différent des autres, à quel point il est seul ? Pas question. On est humain, somme toute. On essaie de se protéger.

Un luxe qu'il faudrait ne plus jamais s'offrir, pendant le temps qui lui reste. (Et pour une fois, l'expression ne l'exaspère pas : le temps lui est compté, c'est un espoir, une promesse.)

En attendant, expérimenter. Mais comment ? Il est le seul de son espèce. De façon aléatoire, oui, sous la pression du besoin – il était en train de le faire en suivant Tess et les autres à plus de quarante kilomètres de distance depuis le Musée, malgré le Musée ; quand l'attaque s'est déclenchée, il aurait pu savoir s'il est capable de paralyser à cette distance, et combien de gens à la fois. Si tout ne s'était pas passé si vite. S'il n'avait pas été aussi concentré sur Tess. S'il avait été prêt.

Si, si, si. Inutile de revenir là-dessus. Le groupe inconnu a expérimenté, lui. Normal, sans doute, ce sont des petits qui ont été élevés dans la sécurité d'un réseau : la survie élémentaire n'a pas été leur premier souci, comme elle l'a été pour tant d'autres ; ils ont pu s'offrir le luxe d'expérimenter – un peu comme Alyne et Tess, autrefois. Des groupes qui font des expériences autrement que par besoin de survie, il doit y en avoir d'autres. Et même, sûrement, d'autres télépathes comme Michaël, mais qu'un hasard a mieux protégés au départ.

La mutation s'est sans doute encore transformée dans son dos pendant qu'il ne regardait pas, tout préoccupé de Tess d'abord, puis des plaques. Eh bien, il va regarder de nouveau. Reprendre la route ? Maintenant qu'il a connu la paix des souterrains – maintenant qu'il aurait tant à y faire ! Pénitence, Simon. Redevenir un berger. Aller vérifier où en sont les lignées les plus prometteuses, remettre ses listes à jour...

Un grand silence froid se fait en lui, alors, mais il se force à regarder le souvenir en face. Le souvenir de ses projets pour Éric, Tess et Alyne. La stupeur de nouveau, la rage, la honte : et il ne l'a pas admis pendant des Années, il a pu s'aveugler ainsi pendant des *Années* ?

Quand l'évidence de son échec a été trop forte, quand Alyne et Éric se sont choisis pour de bon, alors seulement... et trop tard pour réparer.

Il n'y avait que l'eau-de-vie de prune d'Alexis, à Vichenska, mais elle a très bien convenu cette nuit-là.

Gérer le cheptel. Croiser les éléments les plus prometteurs, améliorer le stock.

Jamais.

Tout le reste, pousser, mentir, manipuler, il le fera encore, oui, sans doute, il n'a pas d'illusion sur sa vertu. Mais ça... Jamais.

C'est peut-être ce qu'on lui a fait, tiens. À ses frères et à lui. Déclencher, ou accélérer, une mutation et, en ce qui le concerne, conserver un bon sujet en prolongeant sa durée de vie. Mais pourquoi ? Il est stérile. Sauf qu'on l'ignorait peut-être. Dans ce cas, pourquoi une deuxième manche ? Était-il censé procréer cette fois-ci ? Il n'a évidemment pas essayé – comme s'il allait essayer ! On doit être bien déçu. Tant mieux : il n'y aura pas de troisième manche, cette vie est bien la dernière.

Les réflexes prennent le dessus : pas de ça. Inutile. Stupide. Pas de "on" qui t'ait choisi comme souffre-douleur, Simon – un peu de modestie. Procéder par ordre. Pas de théories sans nouvelles données. Et s'il y a des nouvelles données, elles se trouveront dans les plaques. Voilà qui est à sa portée.

Et trouver des moyens de vérifier l'étendue de ses propres facultés. Pour être prêt. S'il y a une prochaine fois.

Seigneur, laissez-moi mourir avant qu'il y ait une prochaine fois !

Non. La complaisance à la poubelle, avec les bouteilles vides. Plutôt voir les faits, et l'aspect positif des choses : ce nouveau groupe est là, une structure d'accueil pour Tess et les autres. Tess en verra le potentiel, elle en prendra vite les rênes. Ses plans sont toujours valides. Et maintenant, elle aura des troupes fraîches.

Si Tess se remet du choc.

Tess se remettra !

Dans quel état ?

Elle survivra. Elle a toujours survécu. Tess est une obstinée.

Et Tess est capable de vraiment haïr, maintenant. Ça l'aidera à agir, et agir lui permettra de survivre.

Il s'assied avec lenteur dans le fauteuil qui grince. Il voudrait être plus horrifié de ce qu'il vient de penser mais, la gueule de bois aidant, il en voit surtout la vérité. Et que, encore une fois, tout ce qui lui reste, c'est de parier : Alyne est encore là, avec Éric. Et Tobee. Ils retiendront Tess dans la pente.

Pendant combien de temps ?

21

Ils retournent au Parc de la Tête, des semaines plus tard. Un pèlerinage, un exorcisme – ils n'en parlent pas entre eux. Ils ne disent rien aux autres non plus, le groupe de Krasznic, qui se contente de les suivre et de surveiller les alentours. Il n'y a personne, et d'ailleurs il est très tôt. Ils ne passent pas par la prairie aux prunelliers mais gravissent la colline jusqu'à son sommet, là où les cheveux de roc convergent pour disparaître sous l'arrière du bandeau. Après avoir escaladé celui-ci, ils s'assoient sur la pierre tiède, les bras autour des genoux, les yeux perdus dans la brume qui s'élève à quelques dizaines de mètres. Comme la Mer entoure la Tête, qui est un promontoire, le voile scintillant s'incurve à leur droite et à leur gauche, leur ménageant une étrange intimité, comme un refuge provisoire.

Un essaim d'oiseaux-parfums en sort soudain, droit devant eux, fait demi-tour au-dessus de leur tête, fonce de nouveau vers la Mer, reparaît, toujours à leur hauteur.

Tobee se redresse : « Tu crois qu'ils nous voient à travers la brume ?

— Ils doivent plutôt sentir notre présence », répond Alyne.

Éric ajoute : « Ils y restent longtemps, en tout cas, je les ai souvent observés. D'autres oiseaux aussi. Ils doivent avoir un moyen de s'orienter.

— Vous avez vu ? » s'exclame Tobee, soudain très intéressée – tout ce qui touche à la navigation, où que ce soit, la passionne. « Ils ressortent tout le temps dans le même ordre de couleurs et la même configuration de motifs ! Ça veut peut-être dire "terre !"... »

Max aurait su. Ou Marc.

Ils le pensent tous en même temps. Aucun n'ose le dire.

Alyne essaie de dissiper l'ombre qui s'est abattue sur eux : « Eh, ce serait pratique pour naviguer sur la Mer, non ? Il faudrait vérifier s'ils font la même chose au-dessus de l'océan quand la Mer n'est pas là. »

Tess remarque sans sourire : « On a essayé de naviguer sur la Mer au début de la colonisation, et ça n'a vraiment pas été un succès. »

Mais Tobee s'est enflammée à la suggestion d'Alyne : « Et alors ? Ils n'avaient pas les oiseaux-parfums pour les aider ! »

À moitié par jeu, pour oublier où ils se trouvent, oublier où ils s'en vont, elles commencent à imaginer à quoi pourrait bien ressembler la navigation sur la Mer par oiseaux-parfums interposés. Éric entre dans le jeu en espérant que Tess va se joindre à eux, mais Tess pense à autre chose, Tess pense à demain, à après-demain, au futur qui s'étire devant elle, le plus loin possible d'hier. À tout ce qui reste à faire : les groupes à organiser, à entraîner, à placer aux postes-clés. Une pierre qui roule dans la pente, et bientôt, demain, après-demain, un jour, l'avalanche. Pas de paix tant que la Terre sera sur Virginia. Il faudra que les Terriens s'en aillent, avec leur ComSec, leur BIAS, leur BET, qu'ils retournent sur leur planète pourrie avec leurs idées pourries. Qu'ils laissent les Virginiens entre eux. Il sera bien temps alors de s'interroger sur les pouvoirs des mutants, ce qu'on en fera, ce qu'on en dira aux normaux. Pour l'instant, il n'y a pas les normaux et les autres : il y a les Virginiens et les autres.

Tess s'est trouvé une certitude.

Et à travers les yeux de Tess, invisible, lointain, le cœur déchiré, Simon regarde l'essaim passer et repasser dans la brume au ras de la Tête. Il voudrait bien, lui aussi, disposer d'une boussole infaillible.

TROISIÈME PARTIE

22

Le docteur Marquès referme doucement la porte de la chambre et prend Martin par le bras pour l'entraîner dans la salle de séjour. Martin se laisse faire et, une fois devant la grande baie ouverte sur l'est et la brume scintillante de la Mer, il demande comme il le doit, avec l'expression anxieuse qu'on attend de lui : « C'est grave, Docteur ? » Comme s'il ne le savait pas depuis longtemps, comme si Grand-mère Sophie ne le savait pas non plus et avait été dupe des manières lénifiantes du jeune docteur. Mais cela fait partie du jeu, un jeu qui remonte pour Martin à la toute petite enfance, il en est à peine conscient la plupart du temps.

Marquès passe la main sur ses minces moustaches, qui n'ont pourtant pas besoin d'être lissées – un signe certain de son malaise. Il jauge Martin du regard – dix-neuf saisons, un adulte, le seul membre restant de la famille, inutile de tourner autour du pot : « Deux ou trois saisons si elle va se faire traiter à Dalloway. Un Mois ou deux si elle n'y va pas. Pourquoi ne pas m'avoir prévenu plus tôt ? Ce n'est pas comme s'il n'y avait pas eu de signes avant-coureurs. Même il y a deux saisons ç'aurait encore été traitable ! »

— Elle n'a pas voulu.

— Tu aurais pu me prévenir quand même !

Mais quand Martin murmure « On voit bien que ce n'est pas votre grand-mère », Marquès hoche déjà la tête d'un air compréhensif et navré. Même s'il ne l'a pas vue souvent depuis qu'il a repris le cabinet de la docteure Efremova, deux Années plus tôt, le petit docteur connaît son dossier médical, il en a tiré depuis longtemps des conclusions sur son caractère : Sophie Janvier savait qu'elle appartenait à une famille à haut risque pour ce type de cancer, elle n'a jamais voulu subir les tests de dépistage. Marquès a une bonne idée de ce à quoi Martin a affaire. Et il doit bien se douter que la seule raison pour laquelle Grand-mère Sophie a laissé Martin aller le chercher, c'est qu'à ce stade il est obligé de lui prescrire des analgésiques puissants.

« Ils ont vraiment tout ce qu'il faut à Dalloway... » insiste-t-il quand même.

« Elle ne voudra pas y aller », dit Martin avec l'accablement qui s'impose ; il est accablé, d'ailleurs, mais ce n'est pas un sentiment nouveau : il vit avec depuis plus de deux saisons. Le docteur n'a pas à le savoir, cependant, et Martin joue ce qu'il doit être, ce qu'il est : un petit-fils qui vient d'apprendre que sa grand-mère, sa seule famille au monde, est condamnée à très court terme.

« Retournez à Trois-Fontaines, au moins... » essaie malgré tout Marquès, par acquit de conscience.

Martin secoue la tête sans répondre.

Ils restent tous deux silencieux un moment – Martin est supposé assimiler la nouvelle. Puis il demande : « Elle va beaucoup souffrir ?

— Avec les anti-douleurs dont nous disposons, non, pas avant, disons, les deux dernières semaines. Là, il faudra beaucoup augmenter les doses... Elle... dormira presque tout le temps, et puis... »

Et puis elle passera du coma chimique à la mort. « Pas une mauvaise façon de mourir », lui a-t-elle dit la seule fois où ils en ont parlé, deux saisons plus tôt. Elle connaît l'évolution de sa maladie par cœur : elle a vu sa mère en mourir, bien plus jeune qu'elle aujourd'hui. Elle a quatre-vingt-une saisons, elle a vécu assez longtemps, trop longtemps, elle n'est pas mécontente d'en finir. Elle a tout prévu, son testament est fait, ses affaires sont en ordre, Martin ne manquera de rien.

Martin prend les médicaments, écoute les instructions de Marquès – « Je passerai toutes les semaines pour renouveler », « Merci infiniment, Docteur » – puis accompagne le petit docteur jusqu'à son tout-terrain. Marquès reste un instant la main sur la portière ouverte, les yeux plissés sous son large chapeau de paille.

« Tu étudies à l'Institut technique de Leonovgrad, n'est-ce pas ?

— Par correspondance. Je reste tout le temps à la maison. Je m'occuperai d'elle. »

La voiture s'éloigne puis se perd dans les ondulations bleutées de la savane. Martin retourne dans la fraîcheur relative de la maison – c'est la fin de l'Hiver, la fin de la saison des pluies à deux cents kilomètres au nord de l'équateur, et il fait déjà bien chaud le matin. Depuis la salle de séjour, il vérifie rapidement si sa grand-mère a besoin de lui – il a décidé depuis plusieurs Mois de se permettre cette infraction mineure à la règle ; il a juste conscience de son aura, il ne va pas plus loin, ce n'est pas comme s'il regardait vraiment. Et d'ailleurs elle ne s'en rend même pas compte : elle somnole, apaisée par les analgésiques.

Le fait qu'elle ne s'en rende pas compte, bien entendu, n'est pas une excuse. Jamais une excuse, « au contraire, c'est pire ! » Mais il faut composer avec les circonstances, comme le lui a toujours laissé entendre sa mère avant de disparaître. Grand-mère Sophie est très malade. Elle est *mourante*, s'oblige-t-il à penser. Un moment viendra bien où elle n'aura plus la force d'agiter la petite sonnette posée sur sa table de nuit. Il l'aime, mais il ne va quand même pas passer ses jours et ses nuits enfermé avec elle ! Bien assez qu'il ait accepté de venir s'enterrer dans ce trou perdu.

Il se sent un peu coupable de cette pensée en montant l'escalier qui mène à la terrasse. Il n'avait pas vraiment envie d'aller vivre à Leonovgrad pour ses études. Et en fait, il ne le déteste pas, ce trou perdu, cette unique maison ancienne au bout de sa piste dans la savane, si loin de tout que parfois, après le départ de la Mer, il voit passer des troupes de licornes en route vers l'Est... Mais il se plaisait bien à Trois-Fontaines. Il avait des amis à Trois-Fontaines – ou enfin, des camarades, puisqu'il ne pouvait pas avoir vraiment d'amis, puisqu'il ne pouvait jamais dire toute la vérité. Il aimait le village, il y était né, il y avait passé ses sept premières saisons, la famille y vivait depuis six générations, si les gens n'y étaient pas comme eux, quelle importance ?

Et puis sa mère est partie à Leonovgrad, et elle y est morte, et son corps avait à peine été ramené pour être enseveli dans le cimetière du village que la maison était louée et toutes leurs affaires enfournées dans un gros camion : ils ont déménagé loin à l'est, au ras des territoires de la Mer : personne à cent kilomètres. Juste quand une famille de gens comme eux venait d'arriver à Trois-Fontaines, avec des enfants de son âge ! Comme eux, ou enfin, comme Grand-mère Sophie, pas comme Annelise. Et pas comme lui. Bien sûr. Il n'y a jamais eu personne comme lui, du moins c'est ce que lui a toujours dit sa mère. Mais sans fierté particulière, comme elle aurait dit "tu as des cheveux noirs". C'est juste ça, somme toute, ces facultés : un trait distinctif dû au hasard, comme la couleur des cheveux ou des yeux. Un héritage de famille.

Sauf qu'il faut le cacher. Ou du moins ne pas en parler. Et surtout ne pas s'en servir.

« Mais pourquoi, Maman ?

— Parce que certains seraient jaloux. Et beaucoup auraient peur. »

Peur de quoi ? S'il ne regarde personne, s'il ne pousse personne... « Mais tu le pourrais. Tu serais rassuré, toi, Martin, avec quelqu'un qui peut te faire voir des choses qui n'existent pas, te faire peur ou plaisir malgré toi ? »

Et il a remarqué alors : « Mais c'est ce que tu fais quand tu me racontes des histoires », et Annelise l'a embrassé, ravie de son petit garçon. Elle a quand même repris ensuite : " Ce n'est pas pareil. Mes histoires, tu veux bien que je te les raconte. Mais si je t'obligeais ? Si tu n'avais pas le choix ? Ou bien si tu étais obligé de percevoir les gens tout le temps, tiens ? Nous avons bien de la chance, tu sais, toi et moi, de pouvoir nous en pro-

téger sans y penser. C'est beaucoup plus difficile pour
Grand-mère Sophie. »

Cet argument-là, le petit Martin le comprenait très
bien : quel cauchemar s'il avait fallu subir constamment
ces voix, ces sensations, ces émotions chaotiques ! Quelque
chose en lui luttait alors pour tout percevoir clairement,
quelque chose aurait aussi voulu aller chercher dans
chacun de ces esprits brouillés et en arracher la confu-
sion, faire taire les notes discordantes. Mais il y a eu le
corps inerte de sa grand-mère le jour où il a essayé de la
"mettre en ordre" avec toute l'impatience de ses deux
saisons, malgré la leçon répétée du plus loin qu'il peut
se le rappeler, aussi bien par sa mère que par sa grand-
mère : « On ne touche pas aux gens, ils sont comme ils
sont, ils n'y peuvent pas grand-chose. S'il y a des changements à faire en eux, c'est à eux de s'en occuper, pas
à toi. S'ils te gênent, regarde ailleurs, mais n'y touche
pas. » Et il a appris à respecter les limites qu'elles
avaient édifiées dans leur propre tête, même en sachant
qu'il aurait pu aisément les franchir. Elles l'aimaient,
même si c'était de façons différentes – il préférait la
façon d'Annelise. Il n'avait qu'elles au monde. Même si
elles n'expliquaient pas davantage leurs exigences, c'était
pour son bien.

Et puis la maladie d'Annelise s'est aggravée, elle est
partie se faire soigner à Leonovgrad, et quand elle est
revenue, elle était dans une boîte. C'est seulement plus
tard qu'il a compris : elle savait qu'elle allait mourir, elle
ne voulait pas mourir en sa présence ; dans sa panique,
dans son chagrin, il n'aurait pas résisté au désir d'être
avec elle – et avec quelles conséquences pour lui ! Déjà,
les quelques fois où il avait essayé de partager sa souffrance, vers la fin, en espérant l'alléger...

Il s'installe dans la branche basse du miralilas, à l'est
de la terrasse, son coin favori. La brume de la Mer s'élève
à cinq cents mètres de là, occultant l'horizon, mais même
quand la Mer est absente il ne peut voir autre chose que
la savane herbeuse du plateau, bleu turquoise en Hiver,
jaune éclatant en Été, avec ses petits arbustes à perte de
vue, descendant vers l'océan invisible. Du moins une
fois que les plantes ont repoussé sur le sol dénudé par la

Mer – elles y repoussent à vrai dire deux fois plus vite qu'en terrain normal. Ça ne fait rien, ça n'a jamais empêché le petit Martin de rêver à ce qu'il ne peut pas voir, quinze cents kilomètres plus à l'est : les montagnes qu'il irait explorer un jour, les plus sauvages et les plus hautes de la planète, la chaîne immense des Flaherty qui barre tout l'ancien continent Est, avec son mont Babel perdu dans les nuages, à plus de huit mille mètres d'altitude, et son unique passe praticable, l'étroit défilé de la Hache.

Martin y rêve encore parfois ; il s'est renseigné, lors de ses brefs passages à Leonovgrad. Mais les divers permis exigés par le gouvernement coûtent une fortune, et organiser l'expédition en coûte une autre. Les seuls qui ont jamais escaladé le mont Babel, en 24 puis en 32, il y a une trentaine d'Années, c'étaient des millionnaires terriens. Les seules autres expéditions sont celles du gouvernement, des expéditions scientifiques, et c'était surtout au début de la colonisation, il n'y en a plus guère à présent. Des deux autres tentatives privées, illégales et mal organisées, la première a dû faire demi-tour à cause de conditions climatiques imprévues, et l'autre s'est perdue sans laisser de traces. Mais ce n'est pas *impossible*. Sauf qu'il faudrait des commanditaires, des partenaires, des préparations qui dureraient des Années : perspectives à la concrétisation improbable et d'ailleurs non souhaitée.

Car débarquer en hélijet au pied des montagnes avec une armée de personnel de support et la technologie dernier cri de l'escalade, ce n'était pas cela, le rêve du petit Martin. Il voulait suivre les licornes qui migrent après le départ de la Mer, le petit Martin : pas de moteurs, pas de bruits humains, juste les licornes devant, lui derrière, et les montagnes. Il les aurait vues grandir peu à peu à l'horizon, les montagnes, comme un nuage d'orage, dans toute leur énorme et impitoyable splendeur, et il les aurait gagnées avec patience, avec humilité – à pied, puis avec des cordes et des pitons, comme l'avaient sûrement fait les Anciens eux-mêmes.

Il ne serait pas allé loin, le petit Martin, une fois arrivé dans les montagnes ! Quelle drôle d'idée. Il sait encore d'où elle lui vient, cependant : le rituel du coucher, le grand livre de photographies que sa mère feuilletait simplement avec lui dans son lit, vers la fin, trop fatigué pour lui raconter les longues histoires habituelles. Il y avait une photo spectaculaire des Flaherty, la page centrale se dépliait des deux côtés, un montage habile des quatre mille kilomètres de la chaîne...

Allons, il n'ira peut-être pas jusqu'aux montagnes, mais il fera certainement quelques expéditions solitaires dans le continent Est découvert par la Mer, et à pied – en commençant par l'isthme de Shandaar. Plus tard. Plus tard car, à la périphérie de ses perceptions, il sent l'aura de Grand-mère Sophie glisser vers l'éveil, et il est déjà dans l'escalier quand résonne la petite sonnette.

23

Grand-Mère Sophie avait tout prévu, mais pas la lettre qui arrive une semaine après la visite du docteur, dans le courrier parachuté du ballon postal avec le paquet habituel de journaux et de revues et la grosse enveloppe jaune frappée du blason de l'Institut. Martin replie le petit parachute, fait un signe du bras sans doute invisible pour la pilote invisible, en réponse au sonore coup de sifflet, regarde un instant le ballon miroiter au soleil tandis que l'engin s'éloigne vers Trois-Fontaines et la civilisation, puis rentre à pas pressés à travers les hautes herbes – le service ne s'améliore pas: le paquet a atterri à plus de cent mètres de la maison.

Il ouvre l'épais plastique à bulles qui protège le courrier, soulève avec un soupir le rabat de l'enveloppe jaune: un zillion de travaux pratiques à faire... Non qu'il y ait un besoin pressant de techniciens gazélec dans cette partie du Sud-Est – la moitié des gens n'ont même pas le gaz. Mais c'était le seul programme où il restait de la place, évidemment, dans cette région de Vieux-Colons endurcis, quand Martin a enfin gagné de haute lutte sur sa grand-mère le droit de poursuivre ses études après le collège, une Année plus tôt. La nature de ces études lui importait peu. Sophie lui a expliqué mille fois qu'il ne manquerait jamais de rien, que des placements judicieux leur assurent, et lui assureront, une rente modeste mais qui le dispense de jamais avoir à travailler. Mais il sait ce qu'elle veut dire : "Tu n'as pas besoin de jamais *partir*." Ce n'est pas comme s'il en avait envie, non plus, du moins pas pour aller dans une *ville*, et il a cédé assez facilement sur le compromis des cours par correspondance – il se rend à Leonovgrad uniquement pour les examens saisonniers. Mais il a tenu bon sur le principe. De toute façon, il le sait bien, il ne l'a pas emporté grâce à la qualité persuasive de ses arguments : il a seulement conclu : « C'est ce que Maman voulait », et Sophie a cédé. Il savait qu'il pourrait compter sur son sentiment de culpabilité.

Il feuillette rapidement les journaux pour vérifier les grands titres : ils n'auraient pas déclaré l'indépendance à Cristobal pendant qu'il ne regardait pas, des fois ? Comme s'il regardait ! Mais c'est sa plaisanterie habituelle. D'ailleurs, il ne peut sûrement pas regarder aussi loin. Le plus loin qu'il ait regardé, quand il était tout petit – et Annelise l'a grondé quand il lui en a innocemment parlé – c'est Leonovgrad. Et l'expérience a été aussi horrible que ce qu'elle lui en avait décrit, une épouvantable, une aveuglante cacophonie. Il en avait eu la nausée pendant des heures. « Ça t'apprendra », avait dit Grand-mère Sophie sans pitié. « On voit ce qu'on regarde, et il vaut toujours mieux ne pas regarder. » Il regardait sans problèmes, pourtant, à Trois-Fontaines ! Mais il y avait beaucoup, beaucoup moins de gens, c'est vrai... Il n'a jamais eu envie de regarder aucune ville après cet épisode.

En tout cas, les pronostics commencent à donner le RVI à égalité avec le Parti virginien aux prochaines élections, la course va être serrée. Et pendant ce temps, la Terre et Mars continuent à se faire de l'intimidation mutuelle dans les Astéroïdes. Ridicule. Mais ce n'est pas comme si ça concernait Virginia.

Grand-mère Sophie ronchonne toujours quand il lit journaux et revues devant elle : perte de temps, l'abonnement coûte cher, comme s'il pouvait se passer quoi que ce soit d'intéressant parmi les Gadgés, tous exploiteurs et compagnie ! Il se contente d'emporter loin de sa vue les objets offensants. Il accepte peut-être d'habiter au bout du monde avec elle, mais ça ne veut pas dire qu'il désire oublier, comme elle, que le reste du monde existe. Quand il partira – s'il part – il ne veut pas se retrouver dans un univers totalement étranger.

La lettre est glissée entre les revues et l'enveloppe de l'Institut. Martin l'examine avec curiosité : elle porte un tampon de Cristobal, où ils ne connaissent personne. Ils ne connaissent pas grand monde où que ce soit, de toute façon, et si au début Grand-mère Sophie a reçu quelques lettres et cartes de Trois-Fontaines, elles se sont vite espacées pour cesser bientôt, faute de réponses ; lors de ses visites trois fois par Mois au village pour les provisions, c'est comme s'il était un étranger, maintenant...

Il n'y a pas d'adresse de retour sur cette lettre-ci, d'ailleurs.

Grand-Mère Sophie est aussi perplexe que lui, vite mécontente : elle n'aime pas les surprises. Il ouvre l'enveloppe, déplie la lettre, a juste le temps de lire à haute voix la date et le début – *Chère Madame Janvier, je m'appelle Roman Oblonski*...

La vieille femme se dresse dans son lit avec une énergie inattendue et lui arrache la feuille des mains : « Donnemoi ça ! » Pris au dépourvu, il n'a pu s'empêcher de percevoir le violent éclair de rage incrédule qui l'a traversée, et il reste abasourdi, la main tendue. Elle lève les yeux de la lettre avec son expression des mauvais jours : « Martin...

— Je ne regarde pas !

— J'espère bien. Laisse-moi seule, je te prie. Je peux encore lire mon courrier moi-même. Tu as sûrement du travail à faire ? »

Il obtempère en contenant machinalement son agacement. Il a appris à composer avec les sautes d'humeur de sa grand-mère depuis qu'il est tout petit – il a eu l'exemple de sa mère. « Il ne faut pas lui en vouloir, Martin, Grand-mère Sophie a été très malheureuse. » Et il pouvait bien sentir – avec sa mère, il avait le droit, et même ils jouaient à des jeux ensemble, pour s'entraîner – la compassion navrée d'Annelise avec, en dessous, ce mélange confus de colère et de culpabilité. Mais en quoi avoir été malheureux vous donnait-il le droit d'être méchant avec les autres ?

« Ah, Martin », disait alors Annelise en souriant, gentiment moqueuse, « ça ne t'arrive jamais à toi, bien sûr ! »

Il baissait le nez, puis revenait à la charge : mais pas longtemps, lui, et pas souvent, parce qu'il savait bien que ça peinait les autres.

« Oui, mais quand tu fais exprès de ne pas regarder ? C'est ce que Grand-mère Sophie a choisi, parce que savoir lui fait trop mal. Il ne faut pas lui en vouloir. Ce sont de vieilles histoires de famille, Martin. » L'aura d'Annelise se colorait alors d'une tristesse trop personnelle, un signal pour Martin de se détourner et d'attendre qu'elle vienne le chercher de nouveau.

La lettre que Martin ne lira jamais, parce que la vieille femme la déchire avec fureur après l'avoir lue, va en vacillant faire brûler les morceaux dans la salle de bain, tire férocement la chasse d'eau sur les cendres, disait ceci :

Madame Janvier,

Je m'appelle Roman Oblonski. Vous ne me connaissez pas, mais vous connaissez mon nom. Je serai bref. D'abord – c'est une vieille histoire, mais je désire rétablir les faits – mon fils ignorait qu'Annelise était enceinte, ou il aurait remué ciel et terre pour la retrouver. Michel n'a jamais compris pourquoi elle l'avait quitté ainsi, sans rien dire, sans laisser de traces. Il en a été très malheureux. Pas longtemps : il est mort dans un accident d'avion quelques Mois après son retour de Leonovgrad.

Le réseau a retrouvé votre fille quand elle est revenue à Leonovgrad, six saisons après la naissance du petit.

Nous avons pris contact avec elle, peu avant son décès. Elle nous a donné vos coordonnées, mais sa dernière volonté, que nous avons toujours respectée, a été que vous et le petit soyez laissés en paix. Elle a toujours compris vos choix, même si elle n'était pas entièrement d'accord avec eux.

Martin va bientôt se retrouver seul. Il n'a pas à l'être. Je suis assez âgé moi-même, mais Martin a une famille prête à l'accueillir à Cristobal. Je devine aussi pourquoi vous avez choisi de vivre comme vous l'avez fait, et que vous aviez certainement son meilleur intérêt à cœur. Mais vous savez ce qu'il est. Ne le condamnez pas plus longtemps à la solitude. Envoyez-le-nous.

Roman Oblonski
247-12, avenue Carghill Sud
Cristobal
NE H2Y1-3L2C

Et c'est seulement un Mois et demi plus tard, au tout dernier moment, avant de s'enfoncer dans le sommeil qui la conduira à la mort, que la vieille femme serre faiblement la main de Martin en essayant en vain de parler. Et quand la pression de la petite main sèche se sera relâchée, pour toujours, Martin ouvrira le tiroir de la table de nuit dont il est allé chercher l'image dans l'esprit en train de s'éteindre, et il trouvera un bout de papier avec une seule ligne, à peine déchiffrable à travers les larmes : *roman oblonski avenue carghill sud cristobal.*

24

Ce n'est pas l'expédition qu'il avait espérée, mais il va voyager davantage en huit jours que pendant les vingt saisons précédentes de sa vie. D'abord, la camionnette, seule sur la piste menant à Trois-Fontaines, avec le cadavre de sa grand-mère dans le caisson à glace, à l'arrière. Trois jours plus tard, après l'enterrement, le voyage en gazobus jusqu'à Leonovgrad – une demi-journée. À Leonovgrad, un jour entier pour tout faire : lecture du testament chez le notaire, examen spécialement prévu pour lui à l'Institut puisqu'il avait raté celui de la fin d'Hiver, arrangements à prendre pour vendre la maison et redéménager toutes les affaires à Trois-Fontaines à la fin du Printemps (quand les locataires présents auront terminé leur bail, à son retour de l'Ouest).

À partir de Leonovgrad, c'était l'inconnu. Il a décidé d'effectuer le long trajet en train ; il aurait pourtant les moyens, s'il le désirait, de prendre l'avion : retourner à Dalloway, sauter jusqu'à Gresheport dans les McKelloghs et, de là, le train : trois jours de moins. Mais c'est très vraisemblablement son seul voyage à travers le continent, sa seule occasion de jamais en mesurer l'immensité, la diversité. Et, enfin, il veut se donner le temps de s'acclimater, après des Années de quasi-solitude. Il part donc pour Morgorod par le train du matin et y arrive vers le milieu de la soirée. Le choc de sa vie, il l'aura à Morgorod – aucune des autres métropoles virginiennes, par la suite, ne lui fera cet effet.

Il avait toujours trouvé Leonovgrad immense, avec ses quatre-vingt mille habitants ; Morgorod en compte plus de trois millions, et c'est la capitale du district. C'est aussi la ville des Anciens la plus transformée par les humains – la ville haute n'a pas conservé grand-chose de l'architecture ancienne : seule de toutes les grandes cités du continent, Morgorod se trouve presque pour moitié au-dessus de l'influence de la Mer quand celle-ci est présente. C'est donc la véritable capitale de Virginia, avec les sièges du ComSec, du BIAS, de la BET et d'une douzaine d'autres agences terriennes –

mais c'est la capitale *officieuse*, toujours obligée d'en référer à Cristobal ; les citoyens de Haute-Morgorod en sont perpétuellement vexés, ceux de Basse-Morgorod perpétuellement narquois. Le pourtour du lac Dolgomor recèle par ailleurs les plus grandes réserves de gaz et de pétrole du continent, et Martin contemple avec une fascination un peu horrifiée l'immense plaie de la zone industrielle traversée par la voie de chemin de fer.

Puis la voie contourne la ville, car la gare se trouve dans la ville haute ; on prend ensuite un gazobus pour traverser la zone urbaine dans toute sa largeur et se rendre dans le port, d'où partent les vapeurs assurant la liaison avec l'autre côté du lac. La traversée de la ville prend plus d'une heure ; c'est le Printemps, le brouillard quasi permanent qui couvre presque toute la cité en Hiver a disparu, et Martin a droit à Morgorod dans toute sa splendeur : dans la ville haute ses bâtiments modernes sans âme qui jurent avec les quelques édifices anciens encore debout, son quartier Horlemur surpeuplé et dilapidé dans la ville basse, et partout ses embouteillages, et ses foules.

C'est le spectacle physique de Morgorod, cependant, qui constitue un choc pour lui. Le reste, il constate non sans satisfaction qu'il est parfaitement capable de le supporter. Peu de temps après son départ de Trois-Fontaines, en réfléchissant à ce qui l'attendait, il a décidé d'expérimenter un peu en cours de route. Une infraction majeure, qui restera unique, il le jure, mais nécessité fait loi. Il obéit à la dernière volonté de sa grand-mère, il se rend dans l'Ouest pour aller trouver il ne sait pas bien quoi ou qui, et ce serait vraiment trop bête d'être tout le temps malade s'il n'arrive pas à tenir le coup.

Alors, en route vers Morgorod, bercé par le halètement du train, il se laisse jeter quelques coups d'œil prudents en direction de la présence qui s'enfle dans le lointain. Au bout de quelques heures, il peut regarder plus longtemps à la fois. À la fin de l'après-midi, il est capable de regarder à volonté, et même, parfois, il a l'impression que s'il le voulait il pourrait distinguer des individus dans la rumeur devenue tapisserie. Mais cela dépasserait la limite qu'il s'est fixée, et il s'en abstient sagement. D'ailleurs, à ce moment-là, il traverse la zone industrielle, ses tours, ses usines, ses kilomètres de conduits, ses forêts de derricks... Il a déjà vu des photos de tout cela, bien entendu, et même des envirosims à l'Institut. Et c'est censé appartenir à son domaine d'expertise, en plus! Mais ce n'est pas *pareil*. Peut-être justement à cause de la rumeur nerveuse et affairée qu'il laisse plus délibérément s'appesantir à la périphérie de son paysage intérieur, doublant étrangement ce que voient ses yeux de chair. Il y a décidément une différence marquée entre la théorie et la pratique, se dit-il en essayant de plaisanter pour dissiper son malaise : il *sait* beaucoup de choses sur l'Ouest – mais jusqu'à quel point cela lui sera-t-il utile?

Les autres passagers du train, et ensuite du vapeur pendant la demi-journée que dure la traversée du lac, ne constituent pas un problème : il sait depuis longtemps qu'il peut aussi facilement se trouver avec cent personnes qu'avec une seule, se protéger est un automatisme, il n'a même pas à y penser : au contraire de sa grand-mère, et à moindre titre de sa mère, ce qu'il doit faire délibérément, lui, c'est regarder – et bien entendu il ne regarde pas. Accoudé au bastingage sous l'auvent qui protège les passagers des rayons toujours un peu dangereux du soleil, il peut jouir sans mélange de son premier voyage en bateau, admirer les reflets satinés de l'eau, le vol gracieux des oiseaux-flèches dans le lointain, ou les sygnes noirs au cou plus serpentin que celui de leurs homologues terriens. Puis, vers le milieu de la traversée, quand la rive est a disparu (et que de l'autre côté la rive ouest n'apparaît pas non plus comme une ligne un peu brumeuse dans le lointain), il peut rêver qu'il se trouve en plein océan, voguant vers le continent Est et ses montagnes. Ou même – c'est une idée étrange, comme hérétique, mais il en est vaguement fier – sur la Mer, pourquoi pas?

Il passe la méridienne à la Maison des voyageurs de Gabbler, puis va prendre son train pour la deuxième grande partie du voyage, qui l'amène en une autre longue journée à Simck, au milieu de la Digue du Golfe. Il dort dans le train, fait la méridienne à Simck, repart. Cette fois, les arrêts sont plus nombreux : la voie zigzague jusqu'à Broglie sur la Digue, montant et descendant à travers les deux cents kilomètres de collines et de terrasses qui s'élèvent régulièrement jusqu'au niveau requis, un peu plus de mille mètres. Le vaste paysage semble si naturel ! Les Anciens l'ont construit de toutes pièces, pourtant, sur tout le pourtour du Golfe, pour empêcher la Mer d'envahir l'intérieur du continent – avec de la terre et des roches arrachées aux deux autres continents, surtout celui de l'Est, et le tout a pris à peine plus de cent saisons ! Martin doit se forcer à se le rappeler. Sur toute la planète, des falaises-digues, grandes et petites, toutes aménagées de la même façon, et les cités reconstruites aussi : pas étonnant que le continent Est soit pratique-ment scalpé jusqu'à l'os et plus profond par endroits... Puis il oublie de nouveau, simplement séduit par les courbes harmonieuses des collines, l'alternance colorée, jamais lassante, des champs, des bosquets et des vergers, le réseau miroitant des canaux et des étangs, les char-mants petits villages de maisons rouges et dorées voilés et révélés par les courbes de la voie.

Il couche à Broglie ce soir-là, et le lendemain il se rend à la gare, enregistre de nouveau ses bagages, trouve son compartiment et s'y installe avec l'aisance de l'habitude. Deux adolescentes café au lait, aux multiples petites nattes tressées de rubans multicolores, comme cela sem-ble en être la mode en ce moment dans l'Ouest, entrent dans le compartiment, l'air un peu inquiet, demandent si c'est bien le train qui s'arrête à Farlucques : il les rassure, les aide à s'installer. Il se sent très adulte tout d'un coup, imbu d'un calme souriant – dans l'expectative, bien sûr, mais ni trop excité ni trop anxieux. Quoi qui l'attende à Cristobal, il se sent prêt.

Il est assez content de lui.

25

En approchant de Cristobal, chaque fois qu'il regarde, il peut en voir gonfler la bulle excitée. Non que la cité soit si différente de Morgorod : trop de gens rassemblés dans un espace trop restreint. Mais la nature de l'excitation est différente : Virginia élit aujourd'hui son nouveau gouvernement, et la tension est particulièrement forte à Cristobal, qui en est le siège.

Lui, il a voté par anticipation à Leonovgrad, pour le RVI, bien entendu. Ses convictions ne sont pas aussi brûlantes que celles qu'il pourrait certainement percevoir ici et là parmi les passagers, s'il regardait : c'est une tradition familiale chez les Vieux-Colons ; ils ont coupé le cordon ombilical avec la Terre depuis plusieurs générations, le reste de Virginia est seulement en train de les rattraper. En fait, à cause des circonstances, il pensait à tout autre chose en votant, il le regrette un peu en percevant l'ambiance survoltée qui monte à l'horizon. Un moment historique, après tout, la possibilité d'une majorité indépendantiste, une autre option que le Parti virginien pour la première fois depuis la colonisation, après le scandale financier qui a causé la démission de Travers et le déclenchement des élections. Et soudain, la perspective d'un gouverneur vraiment virginien – le premier depuis John Carghill – et non une marionnette de la Terre comme Travers et ses prédécesseurs.

Et puis ces élections-là sont doublement spéciales : les grands votes ont toujours lieu en l'absence de la Mer, d'habitude. Pas cette fois. Le temps de rassembler tous les bulletins et de les compter, le résultat officiel ne sera pas connu avant au moins deux jours. On a bien d'abord essayé d'invoquer ce prétexte pour reconduire jusqu'à l'Été le gouvernement existant, avec le bras droit de Travers comme gouverneur intérimaire, mais les protestations ont été si véhémentes qu'on s'est résigné. Ou plutôt la Terre, avec une magnanimité calculée, a décidé de choisir cette occasion pour faire enfin plaisir à sa colonie et lui accorder ce qu'elle réclame depuis des Années : l'élection du gouverneur en même temps que celle des députés. On se dit en haut lieu que ce prochain gouverneur ne sera pas un bien grand risque, même s'il appartient au parti indépendantiste : une mère de famille et une modérée. Qui fait partie de l'aristocratie virginienne, de surcroît, puisqu'elle compte dans ses ancêtres le fameux capitaine de la première expédition, Liam Flaherty. Pas le genre de personne à casser la baraque. De toute façon, la Terre ne croit pas trop aux récents sondages qui donnent le RVI gagnant ; la Terre préfère croire ses propres sondages, sa propre propagande.

Il est midi quand le train entre en gare. Avec d'autres voyageurs sans point de chute précis, Martin se rend à la Maison des voyageurs la plus proche – il y en a cinq à Cristobal ; on les appelle ici "Maison méridienne". Peu importe le nom, l'usage en est identique partout. Martin se couche dans son petit cubicule et s'apprête à faire l'indispensable sieste qui aide l'organisme humain à supporter les trente-cinq heures de la journée virginienne. Sa voisine, une femme d'une cinquantaine de saisons au teint fleuri, semble avoir une autre idée, cependant : elle veut savoir si Martin a voté.

« Laisse le gamin tranquille, il vient du Sud-Est ! » proteste son compagnon de l'autre côté de la rangée ; Martin soupire intérieurement : son accent slavic n'est pas si marqué en anglam, pourtant, mais on l'a repéré tout de suite.

« Et alors ? Toutes les votes comptent !

— Quarante pour cent d'abstentions prévues chez les Vieux-Colons, Cass.

— Chez les *vieux* Vieux-Colons. Pas chez les jeunes, hein, fiston ? Les jeunes sont pour le RVI. »

Martin assure poliment à ses voisins qu'il a voté par anticipation à Leonovgrad ; ça ne le dérange même pas de préciser pour qui il a voté. La nommée Cass se tourne vers son compagnon d'un air triomphant : « Tu vois ? Pour une fois qu'on a l'occasion de botter le cul aux Terriens ! »

L'autre s'étire en bâillant : « Bien la seule chose que les Révistes ont en commun avec les Vieux-Colons. Ça durera pas. Ils se boufferont le nez vite fait s'ils gagnent les élections. »

L'appellation ironique indique sans doute pour qui l'homme a voté, même si les partisans du RVI se la sont appropriée fièrement – "Osez rêver !" clament les affiches de leur campagne ; la femme n'en semble pas troublée, au reste : « Mais non. On les laissera faire ce qu'ils veulent où ils sont, et ils nous laisseront faire ce qu'on veut où on est. Aussi simple que ça. » Et elle conclut : « Ce n'est pas comme s'ils allaient venir s'installer dans l'Ouest ! » en riant elle-même de sa plaisanterie.

« Et tu t'imagines qu'ils nous laisseront longtemps l'électricité s'ils ne s'en servent pas eux-mêmes ? » s'entête son compagnon.

« C'est dans la plate-forme du RVI, et ils l'ont acceptée.

— Ah oui, tout le monde comme dans les Horlemurs, aller au cybcentre quand on a besoin d'être sur le réseau, le nivellement par le bas !

— Ça vaut mieux qu'une société à deux vitesses quand la Mer est là ! »

L'autre fait « Ha ! » mais les lampes viennent de s'éteindre, et dans l'obscurité plusieurs voix s'élèvent pour réclamer le silence. Martin place les bouchons de cire dans ses oreilles et écoute un moment le bruit amplifié de son souffle, le battement sourd de son cœur. Loin de son univers familier, il a le plus grand mal à faire la méridienne, il a pu le constater depuis qu'il est parti. Il est obligé d'avoir recours au rituel que lui a montré Annelise lorsqu'il était tout petit : s'imaginer dans un œuf translucide, reposant dans le vide comme sur un matelas moelleux ; se détendre ensuite, comme si l'on voulait couler au travers du matelas ; en arriver à sentir à la surface de la peau de ses mains, de ses pieds nus, que si on les tendait on pourrait aller toucher les parois invisibles de l'œuf. Ensuite, imaginer qu'on voit son souffle, comme une lumière à l'intérieur de son corps, le traversant pour en ressortir en volutes phosphorescentes qui se tordent avec lenteur tout autour de vous, et en suivre le mouvement, de plus en plus lent... dedans.... dehors... dedans...

Et on s'endort.

Après la méridienne et la collation qui la conclut, frais et dispos au contraire de certains de ses compagnons de hasard, Martin commence sagement par se trouver un petit hôtel pas cher aux environs de la gare, puis il consulte un plan-annuaire de Cristobal. Il est presque déçu en le refermant : quoi, c'est aussi simple ? L'avenue Carghill est l'une des quatre grandes voies doubles, disposées en étoile, qui découpent la ville en parts de tarte égales, alternant avec les quatre grands canaux principaux ; comme l'indique la carte du guide acheté à la gare par Martin, Cristobal est parfaitement ronde, bien entendu, comme toutes les villes rebâties par les Anciens pendant cette période : ils ont modelé exprès en S allongé sa falaise artificielle. Carghill est orientée exactement nord-sud, il y a un Oblonski R. dans Carghill Sud, et voilà. Martin note le numéro de la maison, copie l'itinéraire, et va prendre le premier d'une série de gazobus ; Roman Oblonski travaille peut-être l'après-midi, mais il y aura peut-être quand même quelqu'un dans la maison. Au pire, on peut toujours laisser un message à la porte ou parler au voisin – reconnaître les lieux, en tout cas.

De fait, la porte est fermée et personne ne répond à l'appel de la cloche. C'est à l'extrême sud de Carghill, une zone résidentielle ; les locataires voisins doivent avoir les mêmes horaires de travail : eux non plus ne sont pas là. Martin glisse dans la boîte aux lettres le petit message qu'il a rédigé, disant qu'il repassera après l'heure de fermeture des bureaux et donnant ses coordonnées à l'hôtel, au cas où. Et maintenant ? Il est vingt heures trente, les bureaux ferment à vingt-cinq heures. Beaucoup de temps de libre. Retourner à l'hôtel ? Vraiment trop tôt. Aller au Parc de la Tête ? Un peu trop loin. Et les sites touristiques ne manquent pas à Cristobal même, c'en est même un peu accablant. Le Musée ? Le Parlement, dans l'avenue du même nom ? La Maison Flaherty, dans Greshe ? La section Est de l'avenue Bounderye, qui commence avec le Musée Bounderye et aboutit à l'Université, "où dans les galeries, les cafés à la mode et les magasins chics se retrouvent artistes, étudiants et personnalités à la mode" ?

À l'opposé, à l'extrémité de Bounderye Ouest, il y a le quartier Horlemur. Et le vaste Port des Anciens, et la Mer. La liste des attractions touristiques mentionne le Port – après tout, un certain nombre de touristes non-virginiens

viennent visiter Cristobal – mais d'une façon très suc-
cincte, et c'est surtout pour inviter à la prudence. On a
son choix de frissons : le Horlemur, traditionnellement
mal famé (le guide dit "parfois pittoresque"), les quatre
cents mètres d'à-pic de la falaise quand la Mer n'est pas
là, et la Mer elle-même l'autre moitié de l'Année. De la
Mer, bien entendu, pas un mot dans les attractions et
même dans la brève description du Port ; ces gens de
l'Ouest sont vraiment bizarres.

Martin referme le petit livret. Le Port. Et le Horlemur.
Tant qu'à jouer les touristes, soyons un peu inorthodoxes.
Il prendra l'un des ferries municipaux dans le petit canal
circulaire le plus proche, Desmond, descendra à Greshe
Nord-Ouest où commence officiellement le Horlemur –
comme à Bird-City, c'est toute la moitié de la ville la
plus proche de la Mer qui est "la ville basse" –, et de là
il continuera à suivre le petit canal jusqu'à Bounderye,
qui aboutit à l'extrémité sud du Port, la plus intéressante
d'après le guide ; environ cinq kilomètres de marche,
mais il a appris à Leonovgrad que parcourir une ville à
pied est encore le meilleur moyen de l'apprivoiser. Et
entre Leonovgrad et Cristobal, somme toute, il y a seulement une différence d'échelle.

C'est à partir du Grand Canal Greshe que commence
le vrai Horlemur, le Horlemur "dur", celui où vivent
encore les plus déshérités, parce que personne d'autre ne
veut s'installer aussi près de la Mer, absente ou présente.
Pour ce qui est du reste du Horlemur, plus rien ne le distingue vraiment de la ville haute, sinon son image dans
la tête des citoyens de Cristobal – et les graffitis plus
nombreux qu'on ne lave pas toujours comme le permettent
pourtant la paragathe des murs ou l'enduit transparent
dont les Anciens ont recouverts leurs fresques ; le Mur
n'existe plus depuis longtemps et les conduits bicolores
du gazélec courent maintenant ici aussi, accrochés bizarrement aux façades rouges et dorées, le long des fresques
et des frises défigurées. Lorsque Martin se permet un
regard, de temps à autre, à mesure qu'il avance vers le
nord, le paysage semble pourtant soulevé çà et là par un
bouillonnement constant et sourd ; l'effet en est un peu

inquiétant, comme de savoir qu'on va passer près d'une ruche d'abeilles ou de guêpes.

La dernière station de gazobus se trouve à la jonction de Desmond et de Bounderye, et deux ou trois calèches à cheval un peu défraîchies y attendent les éventuels touristes : il reste un kilomètre à faire jusqu'au Port lui-même. Et justement un gazobus vient de décharger une cargaison de passagers, et parmi eux une demi-douzaine de gens un peu trop élégamment vêtus qui montent dans les calèches. Tout en marchant d'un bon pas, Martin les regarde s'éloigner : peut-être ses premiers Terriens, ou des citoyens d'un Protectorat solaire ! Ou, si ça se trouve, des Virginiens ; ça ne se voit vraiment pas sur leur figure. Il pourrait sonder un peu, mais s'abstient : d'infraction en infraction, il finirait par se laisser aller.

Le livret touristique fournit simplement un plan des lieux, sans grande explication : les installations portuaires proprement dites se trouvaient plus au nord ; la section à laquelle conduit Bounderye était "sans doute dédiée à un culte". L'avenue franchit le Grand Canal de ceinture pour déboucher sur le côté droit d'une très grande place rectangulaire, parallèle au Canal. Si on la traverse, on arrive à un également vaste "escalier" adjacent à la place – et de même longueur, plus de trois cents mètres ; de là on descend vers un "Quai de Cérémonie". De fait, une fois passé le Grand Canal, Martin se trouve au pied d'une immense esplanade qui monte en larges ondulations gazonnées d'un jaune éclatant en cet humide Printemps de Cristobal – le gazon serré que les Anciens avaient mis au point pour leurs pelouses publiques : jamais plus de vingt centimètres de longueur, et très hostile à toute autre sorte de végétation ; pas un arbre ni un buisson indigène dans l'étendue jaune ; même les plantes terriennes n'ont jamais fait le poids. Seuls quatre énormes arbres-à-eau ponctuent le côté droit de l'esplanade, et ils se trouvent dans une bande assez régulière où pousse une autre sorte d'herbe, beaucoup plus haute. Martin sourit malgré lui : après la profusion végétale étouffante qui caractérise le reste de la ville, c'est presque un soulagement de se trouver enfin dans un vaste espace dégagé.

Les calèches sont arrêtées au pied de la pente, les chevaux broutent avec assiduité – comestible pour la faune terrienne, malgré tout, l'herbe – et les cochers somnolent à l'ombre du premier arbre-à-eau. À mi-pente, sur l'une des terrasses gazonnées, à l'ombre du troisième arbre-à-eau, il y a des auvents de toiles colorées, une demi-douzaine d'étals autour desquels sont rassemblés les touristes qui viennent d'arriver.

Bijoux, bibelots, et colifichets imités des Anciens, ainsi que de fort belles écharpes soyeuses aux couleurs éclatantes, la qualité est plutôt haut de gamme, les prix aussi. Mais la marchandise ne constitue pas l'attraction principale. Ce sont les marchands : trois hommes et deux femmes, assez jeunes, vêtus de tuniques et de pantalons légers également imités des Anciens, les cheveux longs teints en rouge sombre ou coiffés en nattes multiples d'un noir aux reflets bleutés, tressées de rubans ; et la peau dorée, ou du moins recouverte d'une fine couche d'enduit ; en les examinant de près, à la dérobée, Martin peut voir les endroits où la peau a été laissée à découvert, pour pouvoir respirer.

Ils sont remarquablement réservés, pour des piégeurs de touristes ; ils ne font pas l'article ; en fait, ils ne disent pas un mot, restent les bras noblement croisés, le regard lointain, répondant seulement de façon laconique quand un acheteur potentiel pose une question. L'un des touristes demande, en anglam plutôt terrien, si le Syndicat d'initiative organise aussi des spectacles reproduisant des cérémonies des Anciens, et pour le coup, une des femmes dorées s'anime : « Ce serait un sacrilège », dit-elle avec componction, en slavic ; elle le répète en anglam virginien, avec un accent plutôt approximatif : « Et nous n'avons rien à voir avec le Syndicat d'initiative. Nous observons les lois des Anciens, nous sommes des Immortels, comme eux. »

Elle tend au touriste interloqué un dépliant de facture artisanale, quoique fort joliment illustré de motifs anciens. « Nous montrons la voie, mais tout le monde peut être élu. Il suffit d'accepter l'enseignement des Anciens. Si vous voulez en savoir davantage, venez visiter notre confrérie, dans la rue Perelman, c'est tout près. Nous serons

très heureux de vous recevoir. Nous offrons des rafraî-
chissements et de la nourriture préparés à l'Ancienne. »

Martin retient un sourire tout en examinant les bibelots ;
il a lu quelque chose là-dessus il n'y a pas très longtemps.
Une secte d'illuminés, sans doute encouragés par les
quelques découvertes faites à propos des Anciens dans
les dernières Années. Non que ces découvertes aient rien
à voir avec une quelconque immortalité des Anciens – le
plus proche en est ce fameux sarcophage du roi-guerrier,
qui a été avalé par le Musée il y a une vingtaine de
saisons et n'en est jamais ressorti, mais Martin en a vu
des photographies. Non, on a plutôt trouvé des choses
bien profanes – entre autres, en effet, un livre de recettes
exhumé quelque part dans le Nord, au texte bien entendu indéchiffrable mais aux images très explicites. Peu
importe : qui veut croire croit, et ces gens ont apparemment décidé de croire que les Anciens étaient immortels
parce qu'ils se jetaient dans la Mer. Aucun "Immortel"
n'a encore essayé de prouver le bien-fondé de sa foi,
cependant... Le gouvernement mettrait vite le holà !
Mais on les laisse exister. Ce n'est pas comme s'ils
allaient susciter des convertis par milliers, surtout ici
dans l'Ouest : se jeter volontairement dans la Mer, qui
annihile en un éclair toute matière organique vivante ! Ils
habitent dans le Horlemur, sans grand contact avec le
reste de la population... Même Martin, qui a vécu pendant des Années tout près de la Mer, ne peut s'empêcher
de se sentir un peu mal à l'aise. Mais non, ils semblent
bien inoffensifs, ces soi-disant Immortels – un peu ridicules, en fait. Et ceux-ci sont d'excellents artisans.

Avec un soupir, Martin replace le bracelet de cuir et
d'argent filigrané sur son support : à qui offrirait-il ce
cadeau ?

« Il faut marchander », souffle quelqu'un en slavic
derrière lui.

Sourcils broussailleux, épaisse crinière de cheveux
blancs en bataille avec une casquette décolorée, un petit
vieillard d'au moins quatre-vingts saisons, au visage
tanné par l'âge, lui sourit sous d'archaïques lunettes de
soleil qui lui mangent la figure. Le vieil homme répète à
mi-voix : « Marchande, mon garçon, si tu trouves que

c'est trop cher. Marchander, c'est normal pour eux : il paraît que les Anciens faisaient beaucoup de troc... » Le sourire s'élargit : « Je te dis ça entre Virginiens, garde-le pour toi. Ils ne le disent pas non plus à tout le monde : il faut bien qu'ils vivent, quand même, tout Immortels qu'ils sont. »

Il semble très content de sa plaisanterie et Martin sourit, un peu hésitant, en se retournant vers l'étal. Marchander. Et pourquoi pas ? Après tout, il peut bien se l'offrir à lui-même, ce bracelet – un souvenir de son expédition dans l'Ouest exotique et mystérieux !

Ensuite, il fait son devoir de touriste et descend les larges marches de l'escalier de paragathe polie jusqu'au "Quai de Cérémonie" dont on ne voit que l'amorce à cause de la brume, et auquel on n'a pas accès de toute façon, puisque le bord des quais est partout interdit, à un mètre de distance, par une haute et solide grille barbelée. Les autres touristes – plusieurs Terriens, en fin de compte, et deux Martiens, il l'a compris à leurs échanges sans discrétion – semblent très impressionnés par "le mur de brouillard" qui s'élève pour eux au ras du quai ; Martin est un peu surpris : le brouillard n'est pas si dense, c'est plus un voile épais qu'un mur, en tout cas. Mais ils ne font somme toute que répéter ce qu'ils ont lu dans le guide.

L'élément le plus déconcertant pour lui, c'est le large bassin rempli d'eau qui se trouve au sommet et à droite de l'esplanade, et le court canal qui en descend, avec trois écluses, jusqu'au niveau de la Mer. Les écluses sont grandes ouvertes, l'eau se déverse en cascades bondissantes – le bassin doit être alimenté par un conduit souterrain à partir du canal, voilà qui explique la rangée d'arbres-à-eau. Juste avant le départ de la Mer, les Anciens embarquaient des jeunes gens dans un bateau flottant sur le bassin, puis le bateau était amené à la Mer, on levait la voile pour profiter du vent du départ et, une fois arrivés au large, les jeunes gens se jetaient dans la Mer. Qui annihilait leur corps et libérait leurs âmes, s'il faut en croire le dépliant des Immortels que Martin a pris machinalement sur un étal.

Il n'a plus autant envie de sourire. Les hommes et les femmes qu'il a vus sous l'arbre-à-eau ne feront certainement jamais rien de tel, mais voici un rappel concret que c'était pour les Anciens non seulement un acte rituel réservé à quelques-uns – volontaires ou désignés, on l'ignore – mais bien une coutume très répandue dans toute la population. Il a vu reproduites assez de fresques dépeignant la cérémonie, mais ici, tout près du brouillard scintillant de la Mer, avec dans les oreilles le chuintement de la cascade, en suivant des yeux les marches écarlates de l'escalier géant, cela prend une tout autre dimension. Si humains d'aspect, les Anciens – enfin, si humanoïdes – et pourtant si... étrangers. Il ne sait ce qui est le plus dérangeant, à tout prendre, la ressemblance ou la différence ; la différence, à cause de la ressemblance ?

Il consulte sa montre pour penser à autre chose : à peine vingt-trois-heures. Encore au moins trois heures à tuer. Puisqu'il est dans les Anciens, tiens, immortels ou non, il devrait retourner au centre-ville et visiter le Musée.

Il décide de s'économiser un peu – il marchera assez dans le Musée ! – et prend le gazobus qui dessert Bounderye Ouest vers le centre-ville. On ne doit plus en être très loin, un kilomètre puisqu'on vient de passer le dernier canal circulaire, quand il se rend compte que la voie ouest est complètement vide. Plus une voiture. Et au moment où il s'en rend compte, le bus freine et s'arrête. On n'est pas à une station, pourtant. À l'avant, sur la voie est, la circulation semble bloquée.

Comme les autres passagers, Martin se penche aux fenêtres ouvertes pour essayer de voir ce qui se passe – il pourrait aisément le savoir, un petit coup de sonde, mais il n'y pense même pas.

« Des étudiants de l'UOC ! » explique en asian une passante exaspérée, la tête levée vers la femme qui occupe le siège devant lui. « Une manifestation pacifique pro-RVI, paraît-il, un truc spontané. Ils essayaient d'aller manifester devant le Parlement et on les a refoulés sur la Place, et maintenant la police détourne les voitures de partout. S'ils ne veulent pas se disperser, ça va faire du grabuge ! »

Martin en déduit, comme d'ailleurs certains autres passagers, qu'il ferait mieux de descendre tout de suite du bus. Un petit vieux se lève en même temps que lui de l'autre côté de l'allée ; Martin lui fait signe de passer le premier, sursaute : c'est le vieillard de l'esplanade. Sans la casquette, mais... Il devait être vraiment distrait : il ne l'a même pas vu monter en même temps que lui à bord du véhicule !

Le vieux lui sourit, descend, disparaît à petits pas dans l'une des ruelles méandreuses qui séparent les édifices de façon plus ou moins aléatoire en dehors des rues et des canaux. Martin reste là, hésitant. Dans le lointain résonnent les trompettes, les slogans et les claquements de mains rythmés des manifestants, avec en contrepoint les avertisseurs furieux des automobilistes frustrés. La circulation est bloquée, mais pas pour les piétons, il y en a beaucoup sur les trottoirs, en train de discuter avec animation. Martin commence à remonter d'un pas nonchalant vers la Place, tout en surveillant du coin de l'œil les policiers qui détournent les voitures.

Il n'a jamais vu de manifestation, après tout.

Soudain, un grand cri collectif s'élève dans le lointain, ne s'éteint pas, et il commet l'erreur de regarder – doit se rattraper au mur le plus proche sous le déluge kaléidoscopique de sensations et d'émotions : effroi, fureur, excitation, pétarades, explosions sèches, on a les yeux qui piquent, la gorge qui brûle, on court, colère brutale, on tient à pleins bras une grosse lance d'incendie, puissance, satisfaction, on vise trois garçons qui tombent comme des quilles et glissent, trempés, sur les dalles polies, on court, on se fait cogner dessus, on cogne... Il se ferme aussitôt, le cœur battant, pris d'une vague nausée.

Et voilà la vague serrée des manifestants qui déboule avec des cris et des hululements excités dans Bounderye Ouest, la seule issue qu'on leur a laissée. Martin se colle au mur, se fait bousculer plusieurs fois, manque tomber, se redresse pour se retrouver nez à nez avec un policier en tenue anti-émeute, massif et sans visage derrière sa visière brillante, voit le bras de l'homme se lever, et la grande matraque souple... il se met à courir lui aussi vers l'est, avec un mélange d'incrédulité et de colère – mais

au bout d'un moment il oublie la colère dans la course.
Il rirait presque, c'est trop absurde. Il regarde par-dessus
son épaule, un des mastodontes gris a bien l'air de
l'avoir choisi pour cible. Il continue à courir, arrive sur
le pont du canal, aperçoit du coin de l'œil le vapeur prêt
à démarrer, oblique à droite, saute au dernier moment
alors que le ferry s'éloigne du quai.

Il paie son billet en reprenant son souffle, étrangement mécontent. Il a gagné la course, pourtant. Tandis
que la rumeur de l'émeute se perd peu à peu derrière le
bateau, il s'appuie au bastingage et contemple les ondulations de la ville dans le canal. À la surface de l'eau,
des taches huileuses diffractent la lumière en des irisations
magnifiques. Il suffit d'oublier ce que sont ces taches, et
l'odeur des machines, et les détritus qui flottent aux
alentours ici et là, se concentrer sur cette beauté dépour-
vue d'innocence et pourtant belle... C'est ça aussi, alors,
vivre dans l'Ouest : savoir où ne pas regarder ?

Autour de lui tourbillonnent des conversations excitées, perplexes ou agacées : on a vu ou deviné l'émeute,
on commente, pour, contre, on a voté, on va voter, il faut
aller voter, le pourcentage de ceci, de cela ; il y a parfois
dans les intonations une jubilation agressive, voire franchement hostile, chaque fois qu'on évoque le gouvernement
en place, la Terre ou les Terriens.

Le vapeur accoste à la station suivante et Martin suit
la foule des passagers qui débarquent. Seulement vingt-
quatre heures quarante-cinq, qu'est-ce qu'il va bien pouvoir faire, maintenant ? Il croise un vendeur ambulant de
saucisses, se rend compte que l'heure de la collation est
passée, il a faim ; il donne sa commande, mord dans le
sandwich...

« Ça creuse, les émotions fortes, hein ? »

Le petit vieux. Le même petit vieux. Plus de casquette, plus de lunettes, mais le même petit vieux. Martin
le dévisage, abasourdi. Il ne peut pas être là ! Il ne peut
pas l'avoir suivi à bord du ferry !

L'autre le regarde en souriant d'un air bonhomme –
mais il a des yeux pâles, trop pâles, presque inquiétants...
Brusquement, Martin se rappelle tout ce que sa mère ne
lui a jamais vraiment dit mais qu'il pouvait sentir parfois

dans ses silences quand elle lui parlait des villes – le danger, indéfini, mais toujours présent. « Tu n'auras pas à t'en faire, toi », concluait-elle toujours : elle savait bien qu'il n'irait jamais vivre dans une ville. Mais il se trouve dans une ville maintenant, et pas n'importe quelle ville, Cristobal ! Et ce vieillard, tout inoffensif qu'il en l'air, a croisé sa route une fois de trop.

Il marmonne une réponse, tourne les talons et s'éloigne d'un pas rapide, cherchant si par hasard il n'y aurait pas un autre vapeur proche ou, dans l'avenue, un bus. Il ne se retourne pas. Il enfreint sa règle, et il regarde derrière lui.

Le vieil homme n'est pas là.

Pas là du tout, alors que Martin n'a pas parcouru cinquante mètres.

Il lui faut toute sa volonté pour ne pas se retourner.

Le cœur battant, il cherche de nouveau en vain l'aura du vieillard parmi les passants les plus proches. Il ne sait pas trop comment repérer une structure mentale bien définie dans la masse indifférenciée d'une foule, il ignore même à quoi pourrait bien ressembler celle du vieil homme, mais il devrait pouvoir le repérer à cette image diffuse que chacun porte en soi, si déformée soit-elle, de son propre corps.

Rien. Il perçoit d'autres présences, les autres passants, sans problème. Mais pas le vieil homme.

Malgré lui il ralentit, il s'arrête. Il se retourne.

Le vieil homme est là, à deux mètres, qui lui sourit.

26

Il lui dit simplement qu'il s'appelle Roman Oblonski, entre autres. Martin ne relève pas le "entre autres", trop stupéfait pour savoir par quelle question commencer.

« Il va falloir se promener un peu, ajoute le vieil homme, en attendant que la Place ait été dégagée. »

Martin acquiesce, toujours muet. Sans échanger un mot, parfois en bus, parfois en ferry, parfois à pied, ils dessinent une trajectoire erratique autour du centre, s'en rapprochant et s'en éloignant tour à tour. L'après-midi s'achève, la lumière change, une violente et brève averse rafraîchit à peine l'atmosphère. Les lampadaires à gaz s'allument le long des rues et des canaux, dans les avenues. Après un dernier ressac – la sortie des bureaux, la course vers les bureaux de vote avant la fermeture –, le grondement de la ville se calme par degrés. Dans les cafés devant lesquels ils passent, ils peuvent voir les gens rassemblés autour du pneumatique, attendant le résultat des premiers dépouillements communiqués depuis les zones situées au-dessus de l'influence de la Mer — et les premiers pronostics. Huées, applaudissements, discussions passionnées...

Martin se sent dans un autre univers.

Le vieil homme marmonne enfin « Bon », descend à la station suivante du bus dans lequel ils se trouvaient et hèle un taxi. Après un court périple, le taxi les dépose sur la Place du Musée.

À ce stade, Martin commence à avoir une meilleure idée des questions qu'il voudrait poser, mais la prudence le retient maintenant autant que la stupeur. Il suit le vieillard sans rien dire. Le gigantesque édifice du Musée est éclairé par les projecteurs, et la végétation qui retombe du toit-terrasse luit d'un vert presque irréel. Comme il n'y avait pas de vitrines à briser, les seules traces de l'émeute sont des prospectus piétinés, des lambeaux de banderoles, ici et là une espadrille ou un parapluie abandonnés ; les équipes de nettoyage de la ville sont au travail ; demain, il ne restera plus rien. Derrière le vieil homme, qui marche maintenant plus courbé, d'un pas plus traînant, Martin passe sous la grande voûte d'entrée. Le Musée n'est pas encore fermé, à cette heure-ci ?

« Bonsoir, monsieur Navanad », lance le préposé en slavic, très fort, comme on parle à un sourd. « Vous avez raté le party, cet après-midi ! »

Martin ajoute une question à sa liste.

Et il l'oublie car il est dans la cour, mais ce ne sont pas les ombres et les lumières qui l'immobilisent, ni l'énorme arbre-à-eau dans le bassin, ni l'immensité devinée de l'édifice. C'est le silence. Il ne regardait pas la ville, mais elle était là pourtant, constamment, une pression amorphe. Et la pression a disparu. Curieux, un peu inquiet, il risque un regard... Il y a des auras ici et là, sans doute le personnel du Musée... Et là, un homme dont la présence ressemble un peu à celle d'Annelise ! Martin se retire en hâte, mais on ne semble pas l'avoir perçu.

Il doit courir pour rattraper le vieil homme, qui s'engage dans un large passage menant à un couloir où s'embranchent des corridors, de plus en plus étroits, mais tous également déserts et brillamment éclairés ; il entraperçoit des échappées de salles aux vitrines remplies d'objets de toutes sortes, des étendards pâlis au-dessus d'armures ciselées, des vases, des statues, et partout des fresques et des mosaïques aux couleurs vives. Le vieil homme ralentit à peine, entre dans un mur, mais non, dans l'arche d'une porte ouverte dans un mur – la vue de Martin s'est brouillée un instant, il cligne des yeux. Déconcerté, il s'engage dans l'escalier qui s'enfonce en tournant dans une pénombre bleutée, trébuche presque sur la deuxième marche : le silence est encore plus profond.

Mais toujours cette absence incompréhensible là où devrait se trouver l'aura de son guide muet.

Le vieil homme s'arrête devant une porte cloutée, fermée à clé, qu'il ouvre sur une toute petite pièce. Non : plus petite d'être encombrée à mort ; livres et piles de dossiers sur le lit, la table, dans des étagères le long des murs, sur le plancher, disputant l'espace à des caisses de bois ou de carton remplies d'objets indistincts aux reflets métalliques.... Martin se fait une place sur le lit sans y avoir été invité, bien décidé à attendre qu'on lui adresse la parole. Le vieil homme dégage le vieux fauteuil déglingué et s'y installe. Il observe Martin, la tête un peu inclinée sur le côté. S'il attend aussi, ça peut durer longtemps !

« Oui », dit le vieil homme avec un petit sourire.

Et Martin se rend compte que les lèvres du vieillard n'ont pas bougé et, dans sa tête, l'autre répète : *Oui*.

C'est l'interdit premier de l'enfance, avant même « on ne regarde pas, on ne touche pas » : « Sors de ma tête, Martin ! » Le tout petit Martin a très vite appris à ne plus appeler sa mère autrement qu'à haute voix. Il lui a fallu plus longtemps pour comprendre qu'Annelise, à plus forte raison Grand-mère Sophie, ne voulaient pas parce qu'elles ne pouvaient pas – et à ce moment-là ce n'était plus une privation pour lui, il ne se rappelait même pas la frustration de sa petite enfance, il a trouvé que somme toute elles avaient raison de l'en empêcher : ce n'aurait pas été équitable, puisqu'elles ne pouvaient pas.

Et maintenant, pour la première fois de sa vie... C'est si étrange, vraiment comme s'il entendait la voix du vieil homme, mais environnée d'une sorte de vague scintillement sonore... et dans sa tête.

Oui, répète le vieillard, et Martin se rend compte, fasciné, que ce n'est pas seulement une voix, elle est comme multipliée, mise en relief, en perspective, par les sensations et les émotions qu'il peut sentir à présent : fatigue vibrante, concentrée dans les genoux, les reins et la hanche droite, amusement un peu triste, anxiété...

Et le vieil homme a disparu de nouveau. Plus aucune aura, juste un corps qui se redresse un peu dans le fauteuil, un visage qui se contracte puis se détend, une poitrine qui se soulève sur un soupir... et la présence reparaît, plus ordonnée, plus... délibérée, derrière une sorte de miroitement mouvant.

Martin détourne délibérément son regard, s'adosse au mur, les mains autour des genoux. D'accord, on ne regarde pas, on ne touche pas. La règle est toujours valide, sans doute. Tant que l'autre en fait autant.

« D'accord, Martin. »

Après cela, la tête bourdonnante de questions trop nombreuses et pressées pour être saisies au vol, Martin attend que le vieil homme reprenne l'initiative, mais l'autre semble plongé dans une sorte de rêverie et se balance légèrement dans son fauteuil, les mains croisées sur l'estomac.

« Vous n'êtes pas Roman Oblonski », concède enfin Martin.

Le vieil homme revient à lui, dévisage Martin avec une hésitation qui dure bien longtemps, puis se décide : « Non.

— Qui est Roman Oblonski ? »

L'autre reste un instant interdit puis, comme accablé par une soudaine évidence : « Elle ne t'a rien dit. Tu n'as pas lu la lettre. J'aurais dû m'en douter. » Et là, de façon complètement inattendue, il se met à rire – un rire plutôt ironique, et sans joie : « C'était bien la peine ! »

— C'est vous qui l'avez écrite, conclut Martin.

— Oui. Roman Oblonski était un ami. Il est mort il y a deux Années. J'habite quelquefois chez lui. » Le vieil homme se carre dans son fauteuil, prend une grande inspiration. « C'était ton grand-père. Paternel. »

Une sorte de silence se fait en Martin. Annelise ne lui a jamais dit le nom de son père. Seulement que, parfois, certaines femmes et certains hommes ne sont pas faits l'un pour l'autre – et il n'insistait pas : il pouvait toujours sentir clairement qu'elle n'en dirait pas davantage.

« Ton père – Michel – est mort un peu avant ta naissance. Il n'a jamais connu ton existence. Ton grand-père non plus.

— Mais vous, oui. »

Le vieil homme hoche la tête, les sourcils un peu froncés : « Que t'ont-elles dit, exactement ? Sur toi, sur elles, vos capacités… ? »

Martin hausse les épaules : « Que ça remonte à plusieurs générations dans notre famille… Une mutation. Et que c'est un secret.

— Pas le montrer, pas en parler, pas s'en servir », murmure le vieil homme avec lassitude.

« Ma mère disait que c'était une question de prudence.

— Oh, elle n'avait pas tort… »

Il se lève, en s'y prenant à deux fois et en s'aidant des accoudoirs. Tout en se dirigeant vers le fond de la pièce, il marmonne « je me fais vraiment vieux », avec une intonation étrange, vaguement satisfaite. D'un petit frigo à gaz, il sort une bouteille de jus d'orange, saisit au passage deux verres sur une étagère, revient à son fauteuil. «Nous avons respecté la volonté de ta mère pendant des Années. Mais maintenant que ta grand-mère n'est plus là...

— Nous?»

Le vieil homme se laisse tomber dans le fauteuil avec un petit grognement, reste un moment à contempler Martin, bouteille et verres en suspens, soupire enfin avec un drôle de petit sourire : «C'est une longue histoire, mon garçon.

— Je crois que j'ai le temps.

— Je vais quand même résumer, si tu permets », dit l'autre en versant le jus dans les verres. «Tu n'as pas faim, dis donc? Il est drôlement tard... Il y a des sandwichs dans le frigo, n'hésite pas à te servir. Et rapporte-m'en donc un, s'il te plaît.»

Martin, qui a faim en effet, va chercher les sandwichs – œuf-jambon-cornichon-mayonnaise, son mélange préféré. Il renonce à en faire la remarque.

Ils mangent un moment en silence.

«Nous», dit enfin Martin en s'essuyant la bouche.

«Ah, oui», soupire le vieil homme, le regard lointain. Puis, d'un ton un peu emphatique, ironique : «Nous. Eux. Les autres.» Il se carre dans le fauteuil : «Nous. Nous existons depuis longtemps, Martin, et nous sommes nombreux. Pour diverses raisons, qui nous ont toujours semblé de bonnes raisons à l'époque – à toutes les époques – nous nous sommes cachés, nous nous cachons. Une mutation. Oui. Une mutation qui évolue. Nous ne sommes pas tous pareils. Il y en a comme ta mère, il y en a comme ta grand-mère. Et il y en a comme toi.

— Comme vous. Et comme celui que j'ai perçu tout à l'heure, en arrivant ici.

— Michaël n'est pas vraiment comme toi. Il a appris à se protéger, mais tu peux le trouver n'importe quand, n'est-ce pas, maintenant que tu l'as vu? Essaie.»

Martin hésite, mais l'entorse à la règle est sans doute justifiée. Il doit faire un effort, c'est un peu comme s'il fallait traverser une pellicule élastique... Et oui, il peut reconnaître l'aura de cet homme inquiet qui s'appelle Michaël, malgré la bulle de bruits miroitants où il est enfermé; il n'est pas du tout comme Annelise, en fait.

« Toi, Martin, tu es naturellement protégé. Michaël ne peut pas te voir, même s'il te regarde. Tu es... Regarde-moi. »

Martin obtempère. Et voit... simplement le vieux bonhomme inoffensif, bavard, un peu trop familier, qu'il a rencontré sur l'esplanade et dans le bus.

« Et si Michaël te regardait, il verrait un jeune homme tout à fait ordinaire, un normal. S'il pousse plus loin, et que tu ne fasses pas spécialement attention, il pourrait peut-être te voir, je ne sais pas s'il est assez fort pour ça. En tout cas, c'est en cela que tu es différent, Martin. Presque unique, ta mère avait raison. Si tu veux être vu, tu l'es. Si tu n'y penses pas, on ne te voit pas tout de suite, et certains ne te verront jamais. Si tu ne *veux pas* être vu... on ne te voit pas, point. Et surtout, si tu le désires, tu peux percevoir les pensées des gens – et transmettre la tienne. Pas seulement des émotions et des sensations. Tu es un véritable télépathe. » Il lève une main noueuse : « J'utilise ce terme parce qu'il est pratique, ne me demande pas comment ni pourquoi ça fonctionne. Je n'en sais rien. Je peux t'entraîner à mieux t'en servir, mais je ne sais pas pourquoi ça marche. »

Martin hausse les épaules : il a décidé il y a très long-temps, suivant l'exemple de sa mère et de sa grand-mère, de ne s'interroger ni sur leurs facultés spéciales ni sur les siennes. Ça ne mène vraiment nulle part ; et puis, comme de toute façon il n'est pas censé s'en servir...

« Et vous vous en servez pour faire quoi, vous ?

— Oh, des tas de choses », soupire le vieil homme en remplissant de nouveau les verres de jus d'orange. « Où en étais-je ? Ah oui. Nous. Eux. Comme je te disais, il y a longtemps que nous existons, et que nous nous cachons. Et maintenant, après tout ce temps, il y en a parmi nous, c'est normal, qui en ont assez de se cacher. Qui croient qu'ils pourraient cesser de se cacher, si les bonnes cir-constances étaient réunies. Et qui pensent avoir aujourd'hui les moyens de réunir les bonnes circonstances. »

L'intonation est parfaitement neutre : impossible de décider si le vieux fait partie ou non de ces nous-là. Martin lance un ballon d'essai :

«Et eux, alors... ils ne connaissent pas votre existence.»

Le vieux hoche la tête : «Ni la tienne.

— Pourquoi ? »

Ce doit être la bonne question : le vieux adresse à Martin un petit sourire las.

«Ce ne sont pas des télépathes. Il n'y a que toi et moi, Martin. Et Michaël, mais pas vraiment. Enfin, il est... trop fragile. Je ne veux pas le mêler à tout ça, ou le moins possible. Le fait est qu'ils sont passés à l'action. Je ne suis pas d'accord avec leur façon de procéder, mais ça n'a plus d'importance. Nous ne pouvons pas nous permettre qu'ils échouent. Ce serait une catastrophe pour tout le monde. J'ai décidé de les aider.

— Vous allez leur apprendre votre existence ?

— Non. La tienne. »

Une image passe soudain comme un éclair en Martin : un enfant suspendu au-dessus d'un gouffre, accroché à deux chaînes parallèles. L'une d'elles cède avec un claquement sec, mais l'autre tient bon et l'enfant réussit à rejoindre la terre ferme.

« Deux précautions valent mieux qu'une », traduit Martin, sans d'abord songer à s'offusquer de l'intrusion – c'était tellement naturel, il ne l'a remarquée qu'après coup : «C'est moi, la chaîne qui claque ? »

Le vieux a un petit rire bref : «Juste une métaphore, Martin ! Mais si jamais il arrivait quoi que ce soit... Je serai encore là, moi et mon groupe, pour récupérer. »

Il se mord les lèvres, lève la main pour couper court à la question de Martin : « Le moins tu en sais, le moins tu risqueras de leur en apprendre trop. Rappelle-toi seulement toujours les deux chaînes. »

Martin se raidit, maintenant agacé : «Je ne savais pas que j'avais été conscrit.

— Ta grand-mère t'a confié à moi.

— À Roman Oblonski. »

Le vieux semble se figer, puis s'affaisse un peu. « Je ne pouvais pas faire autrement, murmure-t-il. Ta grand-mère... Sophie a beaucoup souffert, Martin. Elle n'a jamais voulu posséder ces facultés. Et contrairement à toi, ou à ta mère, elle ne pouvait pas vraiment se protéger. Ce n'est pas seulement à cause de toi qu'elle est allée vivre dans un désert. Tout ce qu'elle voulait, Sophie, c'était ne jamais plus entendre parler de nous et mener une vie normale, avec son mari et ses enfants...»

Une expression douloureuse contracte le visage du vieil homme. «Elle en a eu, des enfants. Les trois premiers sont morts à la naissance. Et elle les a vus mourir. Elle les a *sentis* mourir, Martin, elle ne pouvait pas se protéger. Elle a pensé se faire avorter, quand elle a été enceinte d'Annelise. Mais elle avait cinquante-quatre saisons, la limite pour une grossesse. Elle s'est dit qu'avec un peu de chance, le bébé la tuerait.»

La voix du vieil homme déraille, se tait.

Dans le silence, Martin pense aux petites tombes auprès desquelles il a enterré Sophie, dans le cimetière de Vichenska, à côté de celle du grand-père Julien – Frédéric, Soliane, Louis. Il n'y a jamais songé ainsi. *Elle les a sentis mourir.* C'est pour cela aussi, alors, qu'Annelise est allée mourir à Leonovgrad?

Le vieil homme se racle la gorge en se redressant. «Toujours est-il que je ne pouvais pas lui dire qui j'étais.» Il a un drôle de sourire tordu. «Vraiment pas. Même avec Oblonski, je n'étais pas sûr... Et elle ne t'a pas fait lire la lettre, tu vois.»

Il se passe une main sur la figure: «Annelise ne voulait pas vivre à l'écart du monde, elle. Elle s'est disputée avec sa mère et elle s'est enfuie à Leonovgrad. Elle a rejoint l'un de nos réseaux. Là, elle a rencontré ton père. Il était moins fort qu'elle... Ou bien elle a constaté qu'elle était enceinte et elle a eu peur, à cause de ce qui s'était passé pour Sophie? Je ne sais pas. Personne ne le saura jamais, maintenant. Elle a disparu sans laisser de trace, elle t'a mis au monde... Quand tu as eu trois saisons, elle est retournée vivre avec sa mère à Vichenska. Elles se sont réconciliées – autant que Sophie le pouvait. Annelise voulait qu'on vous laisse tranquilles tant que Sophie vivrait, mais elle ne désirait pas que tu restes seul toute ta vie. Je n'ai pas vraiment menti à Sophie, Martin: nous sommes ta famille.»

Il répète plus bas, comme pour lui-même, «Nous sommes ta famille.» Et tout à coup, comme si quelque chose avait cédé quelque part, il est là dans le regard de

Martin, une présence merveilleusement claire, entière, sans mise en scène : un vieil homme anxieux et fatigué, malade de solitude. Martin a à peine le temps de réagir, la présence s'évanouit, le vieux se détourne d'un air embarrassé.

Et pour Martin, c'était... comme une clé qui tourne enfin dans une serrure dont il avait oublié l'existence. Il n'a jamais pensé, ne s'est jamais laissé penser, que son existence était solitaire : c'était simplement son existence. Et même quand il allait à Trois-Fontaines, et même quand il allait, surtout, à Leonovgrad. Il s'était tellement habitué à fonctionner comme un normal, il *était* normal ! Il habitait seulement très loin, il était en quelque sorte plus Vieux-Colon que la majorité des Vieux-Colons de sa connaissance, voilà tout. L'amitié, l'amour... Il avait aisément enfermé tout cela dans un coffre étiqueté "Plus tard", avec les expéditions vers l'Est dans le sillage des licornes. Plus tard, quand Grand-mère Sophie ne serait plus là. C'était l'héritage qu'il avait reçu d'Annelise, Grand-mère Sophie, il lui devait le même amour, la même compassion, la même fidélité. Et il ne se sentait pas "seul" avec elle : il savait qu'elle lui donnait tout ce qu'elle pouvait lui donner, et il n'en attendait rien d'autre.

Mais maintenant... Maintenant, c'est différent. Maintenant il comprend qu'il était seul, mais qu'il n'a plus besoin de l'être.

27

« Mais pourquoi faut-il que je les *impressionne* ? » s'insurge une fois de plus Martin.

Élias soupire : « Martin, tu as vingt saisons. Ils en ont quarante, cinquante. Ils ont fondé l'Organisation, ils travaillent ensemble depuis des Années à l'indépendance, et ils viennent de franchir la première étape essentielle à leur projet : faire élire Sandra Doven...

Martin reste un instant incrédule : « Vous voulez dire qu'ils ont *manipulé* les votes ? » C'est la première fois que l'idée lui traverse l'esprit ; il se sent stupide.

Le vieil homme a son petit sourire à la fois triste et narquois : « Juste poussé un peu. Ceux qui étaient pour mais ne seraient pas allés voter. Ceux qui étaient contre et n'avaient pas trop envie d'aller voter. Ceux qui balançaient entre les deux. Les premiers sont sortis de chez eux, les seconds y sont restés, et les autres se sont décidés dans le bon sens. C'est une manipulation... relative, non ? Ce n'est pas comme si on avait obligé les gens à voter contre leurs convictions.

— Mais quand même !

— Une bonne campagne de publicité ordinaire obtiendrait le même genre d'effets, tu sais, simplement d'une façon plus aléatoire », dit Navanad en l'observant avec amusement ; puis, en voyant que son indignation et son malaise ne diminuent pas, il conclut, avec une expression curieuse, mi-affection mi-regret : « Elles t'ont trop bien dressé. »

Et lui, depuis quatre semaines, il s'emploie à annuler ce dressage, ou du moins à le mettre entre parenthèses. Martin ne sait s'il doit sourire ou s'offusquer. D'un côté il se sent parfois terriblement provincial et archaïque au contact d'Élias et de ce qu'il lui révèle des dessous de la vie cristobaldienne, mais d'autres fois il ne peut se défaire du sentiment qu'il a bel et bien raison d'être scandalisé. Le vieil homme secoue alors la tête, et Martin peut sentir sa tristesse, comme maintenant : Élias n'aime pas ce que les autres l'obligent à faire.

"Les autres" : il ne devrait pas les appeler ainsi, puisqu'il va se joindre à eux, les aider. Mais c'est ainsi qu'Élias les appelle, ou encore "eux" – toujours avec le même mélange d'agacement et de tristesse. Le groupe qui dirige en secret les destinées du RVI. L'Organisation. Là aussi, il se sent partagé à leur égard entre l'admiration et la censure. « Conditionnement », soupire Élias. D'accord, intellectuellement il comprend très bien, mais ça ne retire rien à l'intensité de ses réactions, de ses réflexes. Une poignée de personnes, à peine une demi-douzaine, pour décider du futur de toute une planète ?

« N'exagérons rien, remarque Élias. L'Organisation a des réseaux dans tout le continent, qui sont d'accord avec elle. Et toi-même, tu étais pour le RVI avant de savoir, non ? Leur plate-forme te convenait, n'est-ce pas ? Qu'est-ce que ça change s'il y a des mutants parmi eux ? Tu en es un aussi, que je sache... »

Que répondre à cela ? Coincé, Martin ne peut que revenir à sa protestation initiale : « Justement. Pourquoi ne pourrais-je pas tout simplement aller les trouver et leur dire : bon, voilà, je suis là, je peux faire ci et ça, et... »

Le vieil homme s'étire avec une petite grimace, en faisant craquer ses os : « Mais c'est ce que tu vas leur dire, Martin. Tu ne leur parleras pas de moi et de mon groupe, c'est tout. »

Martin retient une fois de plus son "mais pourquoi ?". Quand Élias ne lui transmet pas pour toute réponse l'image des deux chaînes, il dit simplement : « Tu verras », et son aura s'empreint d'une mélancolie plus profonde, plus ancienne, comme maintenant – un complexe d'émotions qui évoquerait presque Annelise, et Martin voudrait alors pouvoir consoler le vieil homme, partager au moins ses souvenirs douloureux. Mais Élias n'est pas quelqu'un qui s'apitoie longtemps sur lui-même ; il se redresse dans son fauteuil, de nouveau tout occupé de la tâche à venir.

« Toujours est-il que c'est le but de l'opération, Martin, les impressionner. Songe que tu entraîneras ensuite des membres de leur réseau, et eux-mêmes, pour consolider et perfectionner leurs facultés – un entraînement sur lequel reposera le succès de leurs opérations futures. Ce n'est pas n'importe quel entraînement. Il leur faudra s'ouvrir à toi, tu le sais... C'est beaucoup leur demander, de faire ainsi confiance à un gamin inconnu. »

Il lève un doigt en souriant pour arrêter la protesta-tion de Martin – qui ne protestait que pour le "gamin", d'ailleurs ; avec les quelques membres du groupe de Navanad qui travaillent avec lui, il a pu constater depuis quatre semaines à quel degré d'intimité peuvent amener ces entraînements. Et d'abord, surtout, avec Élias lui-même. Mais avec Élias ce n'est pas pareil – il n'a pas à prendre autant de précautions, les zones à ne pas toucher sont clairement indiquées chez lui, et impénétrables : il ne risque pas d'y entrer par erreur. Tout est si facile, avec Élias, si clair... En ce qui concerne les para-télépathes de l'équipe, par contre, il a fallu tout un apprivoisement mutuel pour délimiter les zones délicates avant de passer aux entraînements proprement dits – et même là, Martin a comme un vague soupçon qu'Élias a choisi non seulement les plus puissants, mais les moins fragiles. Le vieil homme a raison, cependant : la confiance est essentielle ; ils ne pourraient lui résister très longtemps s'il voulait tout savoir d'eux, pas plus qu'ils ne se rendraient compte de ses intrusions s'il ne voulait pas se faire remarquer. Il a dû, lui, s'ouvrir à eux pour leur laisser voir sans équivoque ni doute possible qu'il ne franchirait pas leurs barrières. Curieusement, il a trouvé cette expérience plus facile qu'eux.

La plus grande surprise a tout de même été de reconnaître, dans les exercices de concentration prescrits par Élias, le rituel d'endormissement transmis par Annelise, l'œuf invisible et la course colorée du souffle, dedans, dehors. Le vieil homme a eu un sourire d'une curieuse tendresse : « C'est une tradition qui vient de loin chez nous. »

Martin dévisage Élias, un peu surpris de se sentir si agacé ; il sait bien que le vieil homme ne peut pas tout lui dire, mais parfois il aimerait plus d'explications. « Ils me feront davantage confiance si je les impressionne ? »

Le regard pâle d'Élias se voile ; il reste un moment silencieux puis murmure : « Ils t'écouteront davantage, oui. » Puis, sans laisser à Martin le temps de s'interroger sur la nuance, et avec un petit éclat complice, il tapote de nouveau le texte posé devant lui. Martin soupire : il a toujours détesté apprendre par cœur.

Il ânonne d'un trait : « C'était bien des Années après la venue de la Mer la guerre avait disparu depuis si longtemps que le mot lui-même s'était fané et les enfants chantaient les vieilles ballades guerrières sans en comprendre le sens...

— Très impressionnant », remarque Élias, un sourcil levé.

Martin prend une grande inspiration et déclame d'un ton caverneux : « C'était bien des Années après la venue de la Mer... » Puis il éclate de rire.

Après une fraction de seconde, Élias se met à rire aussi : « Quelque part entre les deux, peut-être ? »

28

La villa Doven est brillamment éclairée et une vingtaine de limousines en encombrent la route privée. Les agents de la Sécurité qui dirigent la circulation laissent passer sans problème celle où se trouve Martin – pourquoi y aurait-il un problème ? C'est celle des Flaherty, les cousins de la gouverneure ; nul n'a besoin de savoir qu'ils ne connaissent pas leur jeune compagnon – d'ailleurs eux-mêmes ne le savent pas ; ils l'ont accueilli avec amabilité lorsqu'il est monté avec eux dans la voiture au sortir de l'Opéra, à Cristobal, ont discuté avec lui du spectacle, et l'oublient dès qu'il les quitte pour se mêler aux invités dans la grande cour. Il tend sans inquiétude son invitation à l'agent de sécurité – elle est parfaitement légitime, si le nom qui y est inscrit ne l'est pas ; il aurait pu aussi bien tendre une feuille blanche, ou pas de feuille du tout ! « Inutile d'abuser », a dit Élias ; il est parfois bizarre.

Comme ses prédécesseurs, Sandra Doven s'est installée dès son intronisation dans la Maison du gouverneur, à Cristobal, derrière le Parlement. Elle n'en a pas pour autant abandonné la maison de famille sur la falaise, à mi-chemin entre la Tête et la ville. C'est là qu'elle va se détendre pendant les congés de mi-semaine et de fin de semaine ; elle s'est toujours donné beaucoup de mal pour protéger sa vie privée, celle de son mari et celle de ses enfants, et pour mener une vie aussi normale que le lui permettaient l'histoire de sa famille, d'abord, sa propre carrière politique ensuite. Il n'y a chez elle, pendant ses retraites, ni majordome, ni cuisinière ni gouvernante, et les agents de la Sécurité campent dehors, invisibles – et inutiles, mais cela ils n'ont pas besoin de le savoir.

C'est aussi l'endroit où elle reçoit intimes et semi-intimes, comme ce soir.

Sa demeure, une luxueuse villa ancienne, n'est pourtant pas tout à fait le cadre que Martin aurait prêté à une indépendantiste de longue date. Elle est équipée du système gazélec et dans la grande salle de séjour trône un complexe d'environsims dernier cri, ainsi qu'une impressionnante collection d'holocubes et de mémo-cristaux, mais aussi de disques compacts et même, antiquités plus rares encore, de véritables disques de vinyle ; des livres s'alignent aussi dans les bibliothèques vitrées le long des murs. Mais tout est parfaitement intégré à l'architecture ancienne de la maison, bien entendu, comme dans la cuisine ou les salles de bains modernes. Les meubles sont d'excellentes copies de la Huitième Dynastie, comme peu de Terriens même doivent pouvoir s'en procurer – et quelques-uns sont des originaux.

Dans les niches des murs, une fort belle collection de pierres d'hiver change lentement de couleurs – selon l'intensité d'une chaleur ponctuelle aux variations programmées, en cette période d'absence de la Mer. Ni le sol ni les murs n'ont été recouverts d'enduit opaque ou de parquet et, depuis que la gouverneure et ses invités déchaussés à l'ancienne sont entrés dans la maison, la pseudo-pyrite émet sa luminescence douce et sa tiédeur qui ne doivent rien au gazélec. Par tradition familiale et par goût personnel autant que pour les besoins de la cause, Sandra Doven n'est ni une Gadjé ni une Vieux-Colon, mais navigue avec une habileté consommée entre les deux.

Un Mois plus tôt, Martin n'aurait pas été capable de déchiffrer aussi clairement les déclarations du décor ; ni de reconnaître du Œniken dans l'aria qui flotte à travers les pièces : *Ô Reine, amante, sœur, visage dressé sur le sable des heures, pour quel marin perdu regardes-tu la*

Mer ? Il a beaucoup appris avec Élias, même s'il a parfois la vague impression de se faire présenter des éléments que le vieil homme choisit avec soin pour leur faire signifier ce qu'il désire. Mais il ne veut pas trop examiner ce sentiment, préfère l'oublier dans l'excitation de découvrir l'étendue de ses possibilités, et surtout la certitude de s'être trouvé une place – et qui plus est, au bon endroit et au bon moment.

Il se promène à travers le rez-de-chaussée pour reconnaître les lieux, écoutant au passage des bribes de conversation. « Ce n'est même pas l'un des nôtres », est en train de dire une petite femme grassouillette, tout en examinant avec intérêt les plateaux d'amuse-gueule disposés sur des guéridons hauts ; elle parle d'Œniken, bien entendu.

« Mais c'est notre futur compositeur national », réplique son compagnon, la bouche pleine.

« Un Gadgé et un normal ? » remarque la femme en plaisantant à demi.

Une mince femme d'une quarantaine de saisons, blonde et bouclée, au nez parsemé de taches de rousseur, est venue se servir et proteste : « Ça ne l'empêche quand même pas d'être un grand artiste ! »

Martin l'examine avec intérêt : Kerri le Dantec – ou plutôt Tobee Gregory, l'une de ceux qu'Élias l'a envoyé impressionner. Maîtresse de conférence à l'UOC, en biologie. C'est plutôt lui qui est impressionné !

Le compagnon de la grassouillette est de l'avis de Gregory-Le Dantec : « Les artistes ont toujours été des voyants. Œniken n'avait pas besoin d'être comme nous pour éprouver les mêmes sentiments devant la Tête. »

Tobee Gregory se met à rire : « Sans doute avons-nous quand même encore plusieurs traits communs avec le reste de l'humanité ! »

C'est dit avec le bon dosage de reproche et de légèreté – après tout, la majorité des invités sont des sensitifs très moyens, comme leur hôtesse d'ailleurs, ou à peine des intuitifs, comme son mari Philippe ou son cousin Daniel Flaherty, qui passe justement près d'eux, l'air un peu perdu, dans le sillage de sa femme Marianne. Il y en a même un ou deux qui sont des normaux – comme ce joli jeune homme timide qui les écoute sans rien dire.

Martin tressaille intérieurement, se détourne en espérant qu'il ne rougit pas – il ne s'habitue toujours pas à
voir son image dans l'esprit d'autrui, et l'appréciation de
Tobee Gregory, inconsciente d'être observée, était particulièrement franche et sans détour. Il s'éloigne avec une
fausse nonchalance, à la fois gêné et flatté. "Joli jeune
homme timide" ! Son déguisement de normal est bel et
bien imperméable, en tout cas. C'est la façade qu'il a
toujours offerte au monde sans même y penser, mais
maintenant qu'il en a conscience, et surtout maintenant
qu'il se trouve en compagnie de tous ces gens qui pourraient le voir s'il le leur permettait, il se sent mal à l'aise,
en infraction. Il l'est, d'ailleurs : il se cache non seulement sous un masque de normalité mais encore sous un
faux nom...

Non, en fait, s'il se sent en infraction perpétuelle
depuis un Mois, et malgré tout le "déconditionnement"
qu'Élias lui a fait subir, c'est surtout parce qu'il regarde.
Et il ne s'agit même pas d'épier les pensées de chacun à
tout instant, simplement d'être ouvert au miroitement
incessant d'émotions et de sensations qui les entoure,
aux images qui passent dans cette brume perpétuelle.
Mais c'est déjà trop. Il voit trop bien quand il regarde, il
a encore du mal à doser l'intensité, la profondeur de son
regard. Trop bien voir, être celui qui espionne en secret...
Il n'arrive pas à s'y habituer.

À vrai dire, il n'est pas le seul à se cacher : ceux qu'il
est venu impressionner se cachent aussi, et ils portent
ces identités depuis si longtemps qu'elles ne les quittent
jamais, même ici où ils seraient pourtant en sécurité. Le
cabinet secret de la gouverneure Doven, le véritable cercle
du pouvoir. Outre Tobee Gregory, il y a "Mélissa Antonov"
et "Todd Angström" – deux des para-télépathes les plus
puissants de l'Organisation, Alyne Steffenko, Éric
Sondheim. Alyne est une petite femme blonde dans la
cinquantaine, compacte, aux rides aimables, sereine sans
trop d'effort ; son mari, Éric, un colosse plus âgé, aux
cheveux tout blancs, se tient toujours tout près d'elle, en
l'effleurant par moments comme pour se rassurer.
L'autre para-télépathe, Tess Claërt – "Cassidy Bénèsz" –
est une femme taciturne, également dans la cinquantaine,

casque d'épais cheveux grisonnants, avec une frange
coupée net au-dessus des yeux très bleus au regard
acéré, une coiffure curieusement juvénile pour une personne de son âge. Pas n'importe qui, Tess Claërt : une
bâtisseuse d'histoire ; elle a fondé l'Organisation, fait du
RVI ce qu'il est aujourd'hui...

Martin doit se retenir de la regarder plus que les
autres : lorsqu'Élias lui en a fait la description, son aura
était particulièrement triste. Ensuite, sans que Martin
comprenne bien l'enchaînement d'idées, le vieil homme
a remarqué à mi-voix, comme s'il se parlait à lui-même :
« Et ils n'ont pas d'enfants. »

Claërt et ses compagnons circulent de groupe en
groupe, discrets comme à leur habitude. Ils occupent des
postes très secondaires dans l'organisation du RVI, ils
ne sont pas au gouvernement, on ne les voit jamais – sauf
dans ces soirées de ressourcement, dont la discrétion est
assurée. Et même là, on les connaît peu, et ils conservent
leur masque. Ils ne le retirent que pour Sandra Doven.

Martin continue à se laisser flotter dans les pièces
ouvertes à la réception, tout en repérant chacune de ses
cibles – il déteste ce terme, mais quel autre employer ?
Philippe Doven, grand, maigre, un peu voûté, l'air perpétuellement harassé. Steve Krasznic, un des gardes du corps
personnel de la gouverneure, en réalité le responsable de
la sécurité – la vraie, qui n'émarge pas au ministère de
l'Intérieur. « Un homme dangereux », a dit Élias. Martin
l'observe brièvement : un para-télépathe moyen, la quarantaine, assurance presque arrogante, pragmatisme abrupt,
patience et détermination – et des barrières intérieures
édifiées plus contre lui-même que contre autrui, derrière
lesquelles Martin s'interdit d'aller chercher. Mais un
agent de sécurité doit être au moins potentiellement "dangereux", non ? Ou bien il ne ferait pas bien son travail.
Est-ce son association trop étroite avec Claërt qui inquiète
Élias ?

Un petit groupe s'est formé autour de Sandra et de
Philippe Doven. On discute ferme : derniers développe-
ments dans le procès de l'ex-gouverneur Travers et de
ses acolytes, révélations de plus en plus compromettantes
pour la Commission du commerce extérieure, exaspérantes

manœuvres dilatoires auxquelles se livre la BET avec la bénédiction évidente du ComSec. C'est le premier test de la nouvelle administration, qui a promis "un bon gouvernement des Virginiens par les Virginiens"; c'est aussi le premier test de la bonne volonté de la Terre à laisser au moins nettoyer la maison et faire observer les lois qu'elle a elle-même édictées pour sa lointaine colonie. La Terre, nul n'en est surpris, est en train de rater le test.

« Ils sont impliqués jusqu'au cou ! Ils couvraient le cartel depuis des Années, maintenant tout le monde le sait officiellement, aucune opération de sauvetage n'est plus possible. La BET aura beau tordre tous les bras possibles, le ComSec ne pourra pas s'opposer à une dissolution de la CCE ! »

Carlyne Estéban travaille au ministère de l'Industrie et du Commerce, qui récupérerait le contrôle de toute l'économie virginienne si la CCE était dissoute. Les autres sont d'accord en principe, mais sceptiques sur le comportement futur du ComSec : « Ils exigeront des négociations, et la BET les fera traîner en longueur. Et pendant ce temps-là ce sera *business as usual* », remarque quelqu'un.

« Ils pourraient même en profiter pour bousiller notre économie. C'est pour ça qu'on devrait les mettre devant le fait accompli. Une fois le jugement rendu, la dissolution de la CCE rentre parfaitement dans les attributions du gouvernement. Le ComSec n'oserait pas mettre son veto, ce serait quand même trop gros ! »

— Ils ne peuvent pas se permettre de bouleverser notre économie », remarque Philippe Doven de sa voix posée. « Ils ont intérêt à ce que nous continuions à payer la dette de la colonisation, et ils ne veulent certainement pas de vagues. Ils nous ont laissés élire, c'est tout dire – mais dans l'idée que notre plate-forme n'est que cela, un discours électoral – et nous n'allons pas encore les détromper. Les gestes de défi sont psychologiquement satisfaisants mais politiquement coûteux pour le moment. On négociera. »

Les jeunes gens rassemblés autour de Carlyne Estéban ne semblent ni très convaincus ni très satisfaits. Sandra Doven vient à la rescousse : « Le ComSec va bientôt avoir d'autres chats à fouetter, après l'arraisonnement du *Goddard* dans les Astéroïdes. Laissons Mars faire le travail pour nous. Quand la Terre aura à choisir entre l'ordre dans son arrière-cour et une colonie située à seize années-lumière du système solaire, on sait bien ce qu'elle choisira, n'est-ce pas ? »

Sandra Doven ne correspond pas non plus à l'image que Martin s'était faite d'un futur personnage historique : petite, rondelette, l'œil bleu et malin, la lèvre gourmande, elle ressemble plutôt à la tante favorite de quelqu'un, celle qui offre toujours le bon cadeau – c'est ainsi que Martin l'a entendue décrire par l'un des membres du groupe de Navanad, une fois ; « Justement », a dit le vieux en souriant, sans élaborer davantage. Elle a en tout cas jaugé exactement l'humeur du petit groupe et l'argument à glisser dans la discussion, qui dérive vers les dernières nouvelles du conflit de moins en moins larvé entre la Terre et son Protectorat martien.

Martin se laisse dériver lui-même, grignote quelques amuse-gueule, sirote son verre de jus de fruit – l'alcool ne lui réussit pas, il l'a constaté lors de ses premières réunions avec le groupe d'Élias. Maintenant que toutes les cibles sont repérées, il devrait commencer l'opération – ces termes militaires sont décidément ridicules ! Mais il n'arrive pas à se décider. Pour l'instant il est encore... innocent. Il se cache, et il regarde, mais il n'a pas encore commencé à mentir pour de bon. Il en comprend la nécessité, Élias la lui a assez expliquée et en des termes assez convaincants, mais ce n'est pas le vieux qui va devoir vivre désormais avec ces gens !

« Tu ne vivras pas avec eux, Martin. Tu les entraîneras pendant quelques semaines, et ensuite tu iras faire du recrutement pour eux. Tu ne les verras plus. »

Peut-être, mais, en attendant, il faudra leur mentir, massivement.

À vrai dire, ce n'est pas comme s'ils ne mentaient pas eux-mêmes – aux normaux, pour commencer, et même entre eux en ce qui concerne Claërt et les trois autres. Ou même les Flaherty, tiens, qui ne se rendent jamais à une invitation des Doven sans être soigneusement protégés à distance par des membres du groupe de Navanad

auquel ils appartiennent depuis une vingtaine de saisons
– sans connaître d'ailleurs Élias autrement que comme
un ex-gardien au Musée, qu'on a laissé y loger pour
bons et loyaux services. Tant de dissimulations pour des
gens dont le but ultime est de vivre au grand jour !

« Je sais », a soupiré le vieil homme, et il a semblé
particulièrement abattu quand Martin a fait cette remarque.
« Mais nous n'avions pas d'autre choix au début. Et ils
ont l'intention de remonter la pente, accorde-leur ça. »

C'est vrai. Le groupe de travail dirigé par Alyne et
Éric Sondheim se consacre exclusivement aux façons
dont on pourra peu à peu apprivoiser les Virginiens à
l'idée d'une mutation au sein de leur population. Tout
sauf la vérité directe, bien entendu, ou du moins pas
avant très longtemps. Mais Martin ne poursuit jamais
bien loin cet argument : les contre-arguments d'Élias
sont difficiles à réfuter. Son réseau existe depuis des
Années mais, si plusieurs générations de mutants y sont
nées et y ont grandi en sécurité, ce n'est pas le cas de
tous ses membres, et on en a assez laissé voir à Martin
pour qu'il se sente un peu honteux, parfois, d'avoir vécu
une existence aussi protégée.

Mais on ne parle guère des normaux dans la présente
soirée. On se fait plutôt plaisir : l'indépendance future et
les mesures à prendre pour la concrétiser, voilà les sujets
les plus fréquents de discussion – comment on gérera la
dévolution relative des technologies de pointe afin d'effacer le fossé entre zones avec et zones sans, et surtout,
ce soir, le problème de la langue. En effet, chacun des
cinq actes de *Virginia*, l'opéra-ballet de Cora Bauman
dont on vient d'assister à la première fort controversée,
est écrit en virginien ; ou du moins dans l'une de ses
variantes – afran, asian, franca, slavic et, au dernier acte,
rompant délibérément l'ordre alphabétique du reste,
anglam, la langue officieuse de Virginia, même si, dans
sa version parlée, elle n'a guère de rapport avec celle du
ComSec et des autres institutions terriennes. Un très
petit nombre de spectateurs a pu suivre sans problème
tout l'opéra, d'autres ont dû avoir recours au livret pour
comprendre l'un ou l'autre des actes, et le reste n'en a
compris que le dernier – une bonne moitié de l'assistance

à Cristobal, qui est la ville du gouvernement et des agences officielles terriennes ; les proportions seraient différentes à Bird, Morgorod ou Nouvelle-Venise, mais la dispersion serait identique.

« Le soi-disant virginien n'est qu'un pis-aller hérité de la colonisation, un outil purement oral ! » protestent les puristes. « Ce ne peut pas être la langue de la création ! » À quoi les puristes de l'autre bord rétorquent : « Il fut un temps où l'on pouvait voyager d'un bout à l'autre du continent en étant sûr de comprendre tout le monde et d'en être compris. C'est ça, le virginien, et ça l'est encore dans plusieurs régions. C'est ce que nous avons de plus spécifique, notre héritage le plus original, nous devons le conserver, le rationaliser et l'institutionnaliser. Il faut remettre l'anglam au rang de simple variante parmi les variantes.

— Mais c'est complètement utopique ! Un gouvernement a besoin de communiquer clairement avec ses citoyens, un employeur avec ses employés !

— Le virginien est très clair. Si on en enseigne les dominantes syntaxiques et les variantes lexicales aux enfants dès le plus jeune âge, et pas seulement une ou deux, tout le monde pourra le parler et l'écrire. »

À ce stade, on brandit les coûts économiques de la traduction systématique dans toutes les variantes – pas longtemps car c'est simplement le dernier alibi, puis on en arrive au véritable nœud du problème : « Comment continuera-t-on à communiquer avec la Terre ? » disent les uns. « Pourquoi continuer à communiquer avec la Terre ? » s'emportent les autres ; un troisième parti intervient toujours pour protester que bien sûr on ne va pas rompre tous les liens avec la Terre, qu'on pourra continuer à lui parler anglam au niveau gouvernemental, et que des Terriens apprendront bien le virginien s'ils veulent continuer à faire des affaires ; les premiers dévoilent alors le fond de leur pensée en évoquant la nécessaire unité de la race humaine par-delà les distances stellaires, et un chœur de protestations s'élève du côté des plus jeunes : « Quelle unité de la race humaine ? Nous sommes *différents !* » Et tout bascule de nouveau, avec des couleurs plus âpres, jusqu'à ce que, d'un commun accord, on change de sujet pour ne pas exacerber les divergences.

Toute la discussion a eu lieu en anglam, bien entendu. On est dans l'Ouest, ici, et à Cristobal.

C'est ce qui frappe Martin, tandis qu'il passe de groupe en groupe en écoutant les conversations, en regardant de temps à autre émotions et discours intérieurs : à quel point ces gens diffèrent dans leur idée de ce qu'apportera l'indépendance, mais surtout jusqu'où ils sont prêts à aller pour croire en leur unanimité ; ils ont trop conscience les uns des autres, même Tess et ses compagnons para-télépathes qui ont appris à mieux se protéger de l'aura d'autrui. La pression du groupe, subconsciente ou non, pousse à l'effacement des différences, et d'autre part on tend à suivre ceux dont la conviction est la plus forte. « Ils sont tous trop influençables », a soupiré Élias ; Martin avait trouvé cela curieux, dans la mesure où il avait jusque-là surtout constaté les manipulations effectuées par les membres de l'Organisation – ou du groupe d'Élias, aussi bien –, mais il comprend maintenant ce que le vieil homme a voulu dire.

Voici un sujet de discussion qui lui convient mieux : une demi-douzaine de personnes sont en train d'analyser le contenu, et non la forme, de l'œuvre de Bauman, en particulier l'acte II consacré aux Anciens. Certains l'interprètent comme une satire des Immortels (qui sont d'ailleurs venus manifester en silence devant l'Opéra pour protester contre ce qu'ils considèrent comme un usage sacrilège de motifs anciens) ; d'autres y voient plutôt un réel hommage de Bauman aux indigènes disparus.

« Si nous avons un héritage », est en train de dire Daniel Flaherty avec ardeur, « c'est là qu'il se trouve ! » Marianne Flaherty est un peu inquiète – le sujet frôle d'un peu trop près ce qu'ils cachent assidûment à l'Organisation : les souterrains, les plaques, Michaël. Elle ne devrait pas s'en faire, leur protection est sans faille. Et, surtout, le vieux a décidé qu'on va en apprendre davantage là-dessus à l'Organisation.

Allons, se dit Martin avec un soupir intérieur, il est temps de lancer l'opération Tayguèn.

29

« Vos équipes ont certainement fait beaucoup pour commencer à élucider les énigmes des Anciens, monsieur Flaherty », dit Martin en s'introduisant avec souplesse dans la conversation. On lui fait place sans surprise : tout le monde est soudain persuadé de le connaître – y compris les Flaherty, qui ne reconnaissent cependant pas leur passager d'il y a deux heures. Il se lance dans une récapitulation flatteuse du travail de Daniel Flaherty depuis sa nomination à la direction de la Commission archéologique créée par Sandra Doven dès les premières semaines de son gouvernement.

Tout en parlant, il les entraîne insensiblement vers le grand balcon et la terrasse donnant sur la falaise. Ils ne savent pas ce qui les passionne dans cette énumération de faits qu'ils connaissent par cœur, mais ils l'écoutent ; ils ignorent pourquoi ils le suivent, mais ils le suivent. Il va s'accouder au balcon avec une soudaine anxiété. Jusqu'à présent, il a été un observateur, un espion, bien en sécurité, mais c'est terminé. D'un autre côté, il n'en est pas mécontent : la partie va être un peu plus égale, maintenant.

Daniel Flaherty s'accoude volontiers près de lui au parapet de pierre sculptée. Ils regardent un moment les lumières de Cristobal qui dessinent dans le lointain la courbe convexe de la falaise ; à l'opposé, vers l'ouest, le mystère paisible de la Tête brille au-dessus des terres noires, dessinant sur le ciel sa phosphorescence bleutée, avec la trouée énigmatique et sombre de ses yeux... Martin n'a même pas besoin de pousser :

« ... *des portes Où le passé devient promesse Où le
rêve devient regard* », murmure Daniel Flaherty. « Oui,
Œniken était inspiré... »

Tobee Gregory est venue rejoindre le groupe sur le
balcon ; ailleurs dans la salle, Tess a envie d'un peu d'air
frais elle aussi. Alyne et Éric sont plongés dans une conversation acharnée, mais ils vont bientôt avoir trop
chaud, comme Sandra Doven et son mari, comme Steve
Krasznic.

« Je me suis toujours demandé qui c'était », dit une
jeune femme d'un ton rêveur.

Parfait. « La grande-prêtresse Tayguèn. Elle vivait il
y a environ dix-huit cents saisons. »

Il perçoit leur surprise, l'englobe, l'empêche de diffuser dans la salle.

« C'était bien des Années après la venue de la Mer.
La guerre avait disparu depuis si longtemps que le mot
lui-même s'était fané. Et les enfants chantaient les
vieilles ballades guerrières sans en comprendre le sens... »

Ils ne peuvent pas se tromper sur l'intonation : c'est
une citation – voilà pourquoi Élias lui a fait apprendre le
texte par cœur !

« Un jour, les astronomes du Béraïltellañu, le Père des
Montagnes, décelèrent un groupe de corps étrangers aux
confins de l'espace délimité par la course du soleil. Ils
les observèrent pendant des jours et virent bientôt qu'il
s'agissait de sept vaisseaux, aussi gros que les petites
lunes. La nouvelle s'en répandit, et tous les yeux se tour-
nèrent vers le ciel où les vaisseaux s'approchaient. On
attendit avec impatience et curiosité leur arrivée, en se
demandant qui pouvaient être ces inconnus venus du
fond de l'espace, et ce qu'ils apportaient. »

Les Flaherty, comme les autres, plus que les autres,
sont abasourdis. L'histoire racontée par ce jeune homme
est sûrement une invention, un délire d'Immortel, peut-
être, comme le nom de "Tayguèn", mais "Béraïltellañu"
est exact – c'est ainsi que les Anciens appelaient le Catalin,
le plus haut sommet au nord des McKelloghs. Or ils sont
avec Michaël les seuls à le connaître – officiellement, on
n'a toujours pas déchiffré le langage des Anciens. Et
Michaël est le seul à avoir accès aux souterrains !

Martin laisse filtrer un peu de leur stupeur en direction de Tess et des autres et reprend, avec le ton de circonstance : « Les étrangers apportaient la ruine et la mort. Ils tuèrent tous les émissaires de paix, dévastèrent villes et campagnes avec des armes terrifiantes et incompréhensibles. Quelques heures après leur arrivée, il y avait déjà des milliers de cadavres, mais personne n'avait encore vu le visage des envahisseurs : ils étaient vêtus d'armures impénétrables et opaques et l'on n'était même pas certain qu'ils eussent un visage. Ils débarquèrent en très grand nombre de leurs vaisseaux et commencèrent à s'installer comme s'il n'y avait eu personne sur les terres qu'ils occupaient. »

Une petite pause, pour laisser arriver Alyne et Éric intrigués, comme Sandra et Philippe Doven, Tess vaguement inquiète, Krasznic vaguement méfiant.

« Les êtres humains ne semblaient pas exister davantage pour eux que les herbes de la prairie : là où l'herbe les gênait, ils la détruisaient. Ce furent pour le peuple des temps de souffrance et de terreur. On ne pouvait savoir où les envahisseurs allaient frapper ni quand. Des villages, des villes, des régions entières se taisaient soudain, et l'on voyait parfois arriver quelques rescapés rendus fous par la terreur, et qui ne pouvait expliquer ce qui s'était passé. Cela se produisit pendant l'absence de la Mer. Les dernières grandes guerres de l'Unification n'avaient pas fait autant de victimes, ni causé autant de dévastation que l'unique saison écoulée depuis l'arrivée des étrangers. Mais à la fin de la saison... »

Il se tait. La soirée continue à battre son plein derrière eux. À voix basse, comme pour ne pas briser un enchantement, Marianne Flaherty demande : « Qu'est-il arrivé, à la fin de la saison ? »

La Mer est revenue, leur transmet Martin, fort et clair, en même temps qu'il le dit à haute voix.

Et maintenant qu'il veut être vu, ils le voient, Tess, Alyne, Éric et les autres – uniquement eux, et ils en ont conscience dans le même instant. Ils restent pétrifiés. Tess se reprend la première : « Tout à fait intéressant, monsieur... Nous n'avons pas été présentés, je crois ?

— Martin Estéiev.

Les quatre ou cinq auditeurs qui n'étaient pas concernés se dispersent peu à peu, commençant déjà à oublier ce qu'ils ont entendu; Tess s'en rend compte, les autres aussi. Il leur faut toute leur expérience accumulée pour dissimuler leur stupeur – sans se rendre compte que Martin les y aide.

Tess le prend par le bras – constate qu'elle ne le perçoit pas mieux, refuse d'y penser : « Venez donc nous parler de tout cela dans un endroit plus tranquille, monsieur Estéiev. » Et, en passant près de Steve Krasznic : « Vérifie les alentours. »

Je suis tout seul, dit Martin en projetant la plus convaincante des innocences amusées.

Et ils le croient, même Tess, même Krasznic qui se sont entraînés depuis si longtemps à la méfiance. Plus tard, à l'étage, quand il leur raconte l'histoire soigneusement mise au point avec Élias, ils le croient aussi. Longtemps isolé loin de tout dans le Sud-Est, il a rencontré par hasard à Leonovgrad des recruteurs du RVI, il en a vu et compris les procédés (ils ne doivent pas savoir quelle est sa portée réelle); curieux, il les a suivis jusqu'à Cristobal, où il a repéré l'Organisation et, après les avoir observés un moment, a décidé de se joindre à elle.

Tout en leur mentant, il les observe, un peu abattu. Ils le croient. Jusqu'à présent, malgré la certitude d'Élias, il n'avait pas vraiment pensé qu'ils le croiraient, mais ils y sont tellement prêts ! Il est ce qu'ils ont toujours postulé, la phase suivante de la mutation, la confirmation de leurs espoirs pour le futur...

Et en même temps, sous la stupeur et la curiosité fervente des uns, sous la satisfaction vite calculatrice des autres – Sandra et Krasznic, et plus tard, Tess – rôde un réflexe dont ils n'ont même pas conscience : le respect – la crainte.

« Tu verras », avait dit Élias en réponse aux questions de Martin sur ceux en qui il espérait malgré tout des compagnons. Et en cet instant il est obligé de voir, en effet : il est des leurs, il sera des leurs. Mais il n'est pas vraiment comme eux, et ils le savent.

Plus tard, il se demandera quel était le véritable but de la mise en scène du vieil homme, et à qui elle était réellement destinée.

30

À la fin d'Août, deux Mois après l'entrée officielle de Martin dans l'Organisation, on vient le chercher à Trenton, la petite ville de Nouvelle-Europe où il entraîne discrètement des groupes de para-télépathes – le bâtiment qui occupe le centre de la ville est aussi bien isolé que le Musée : on l'a baptisé "Centre olympique" et les recrues sont censées y subir un entraînement sportif haut de gamme ; depuis l'élection de Sandra Doven, on transforme d'ailleurs systématiquement ces bâtiments en écoles primaires et secondaires partout où on le peut dans tout le continent, moins pour le bénéfice des normaux que des autres, mais personne n'a besoin de le savoir.

On le conduit directement à la Maison du gouverneur, et au bureau de Sandra Doven. Elle s'y trouve seule avec Tess, qui accueille Martin avec un sourire en biais : « Je suppose que tu sais pourquoi tu es ici », dit-elle sans même passer par les salutations d'usage.

Martin hausse les sourcils : « Non. » Puis, à retardement, il comprend ce que veut dire Tess, et maîtrise son agacement – il a suffisamment eu affaire à cette attitude parmi les recrues, et tout récemment avec Krasznic. « Je ne regarde pas tout le temps, Tess. En fait, je ne regarde pas.

— Les recrues, non ? » remarque Sandra Doven.

Comment leur faire comprendre ? Elles n'ont ni l'une ni l'autre subi les entraînements – la gouverneure pour de bonnes raisons : elle ne peut se libérer pendant les trois semaines consécutives nécessaires, son emploi du temps est trop chargé. Tess n'a pas vraiment cette excuse, mais cela ne l'a pas empêchée d'en user. « Elle viendra », a dit Alyne en quittant le Centre avec Éric et Tobee – ils ont tenu à être entraînés ensemble. Martin n'a jamais exploré la source de leur tristesse, puisqu'on la lui a clairement refusée, mais il en a deviné assez ; il n'a pas insisté. Il se doute bien que Tess viendra – elle est trop pragmatique pour laisser ses craintes la couper d'une efficacité accrue. Mais elle viendra à reculons. C'est un entraînement qui ne sera facile pour personne.

Il répond posément : « Ce n'est pas la même chose. C'est volontaire de part et d'autre, et je ne regarde que ce qu'on me permet de regarder. Le reste du temps... Vous ne vous promenez pas constamment avec des jumelles pour voir ce que vous ne verriez pas autrement, n'est-ce pas ? Eh bien, moi non plus. Et je dois vouloir pour voir, beaucoup plus que vous. » Il ne peut retenir un certaine ironie un peu amère : « Vous devriez pourtant bien savoir que les gens ne sont pas si passionnants qu'on ait tout le temps envie de les regarder. »

Tess hoche la tête malgré elle. Il y a un silence un peu embarrassé, auquel Sandra Doven met brusquement fin : « Nous avons besoin de toi, Martin. Les négociations avec le ComSec et la BET piétinent. Pour ce que nous en savons au contact des négociateurs, ils ne veulent pas qu'elles aboutissent, c'est clair. Pourquoi ils font traîner, ça l'est moins.

— Peut-être veut-on voir comment la situation va tourner entre la Terre et Mars », enchaîne Tess, qui s'est reprise. « Après tout, nous attendons que ça se dégrade, ils peuvent bien attendre que ça s'arrange. En même temps, plus ça traîne, plus c'est embarrassant pour nous : nous avons promis d'être un bon gouvernement, et on nous guette à ce tournant-là. Économiquement, ce n'est pas l'idéal non plus. Tant que la situation de la CCE n'est pas réglée, personne ne sait vraiment sur quel pied danser, et le champ est ouvert à des manœuvres déstabilisatrices, pas trop graves pour la dette, mais ponctuellement dangereuses pour notre crédibilité. Les électeurs n'aiment pas avoir l'impression que leur portefeuille est menacé. »

Elle se tait et regarde Martin comme si elle attendait qu'il continue à sa place. Mais il ne voit toujours pas où elle veut en venir et hausse des sourcils interrogateurs. Elle a une petite mimique agacée. Sandra Doven reprend : « L'autre possibilité, c'est qu'ils veulent nous obliger à prendre l'initiative de rompre les négociations et de dissoudre unilatéralement la CCE. Nous l'envisageons. Pas de gaieté de cœur : tu imagines sûrement les conséquences possibles... Mais, justement, nous manquons de données pour les évaluer. Nous avons fait flotter cette idée, dans le registre le plus hypothétique, lors de la dernière séance de négociations. Tout ce que nous avons eu en réponse, ce sont des protestations de bonne volonté – que nous savons fausses – et des menaces voilées – que nous savons fausses également, du moins chez les négociateurs. Les négociateurs *ne savent pas* ce que ferait le ComSec dans ce cas, on leur a dit de traiter la chose comme un bluff et de contre-bluffer.

— On, c'est Ho Zhiang, le délégué du ComSec, continue Tess, et William Farris, celui de la BET. Qui tirent les ficelles mais ne se trouvent pas à la table des négociations. Et qui sont les seuls sans doute à savoir à quoi s'en tenir. » Elle lève une main pour prévenir le commentaire de Martin : « Nous n'avons jamais pu les approcher d'assez près.

— Je les ai personnellement invités à plusieurs reprises, à des événements officiels et semi-officiels, dit Sandra. Ils ont toujours refusé, avec de bonnes mauvaises raisons. En fait, et c'est très clair pour tout le monde, ils manifestent ainsi la mauvaise humeur de la Terre à notre égard pour avoir exigé ces négociations. »

Elle se tait à son tour en observant Martin comme Tess l'a fait plus tôt, et cette fois il en sait assez pour comprendre pourquoi on veut faire appel à lui.

Il reste silencieux, et le visage de Tess s'assombrit. Il n'a pas besoin de la regarder pour savoir d'avance les arguments qu'elle va lui présenter. Il les comprend très bien, il est même *d'accord*. Mais il peut sentir en même temps ce recul en lui, ce malaise... Le conditionnement a décidément la vie dure, dirait Élias. Mais Élias n'est pas là, Élias a disparu depuis la fameuse soirée chez Sandra Doven – « Tu te débrouilleras bien mieux sans moi, Martin. » Et, ma foi, il s'est en effet bien débrouillé.

Mais, pour la première fois depuis deux Mois, il voudrait qu'Élias soit là. Pas pour lui demander conseil – il a déjà décidé qu'il allait faire ce que Sandra et Tess ne lui ont pas encore demandé. Mais... pour en parler. Avec quelqu'un qui comprendrait vraiment ce qu'il va lui en coûter. Ils ne comprendraient pas, eux, pas même Alyne ou Éric – ce qu'ils ont payé pour ce qu'ils ont déjà fait justifie trop aisément à leurs yeux ce qu'ils feront.

Et Tess comprendrait moins encore, Tess si rapide à soupçonner chez lui ce qu'elle serait tentée de faire elle-même si elle disposait de ses capacités, Tess qui le fait déjà trop souvent avec les normaux, Tess qui va dire, bien sûr : « C'est un cas de force majeure, Martin », et il ne pourra qu'acquiescer.

Il se lève, et son mouvement arrête les paroles de Tess : « D'accord », dit-il. « Mais ensuite vous revenez avec moi à Trenton. »

Elle le dévisage, irritée, amusée, calculatrice – effrayée. « Trois semaines, hein ? »

— Trois semaines. » S'il vient à bout de Tess en trois semaines, ce sera toute une réussite !

Tess lui renvoie un sourire sarcastique : « D'accord. »

31

L'homme est à terre, les bras sur la tête, le colosse en tenue grise le frappe avec méthode. Deux jeunes gens et une adolescente sautent sur le dos du policier qui s'écroule, lui arrachent son casque. Panoramique sur les autres silhouettes qui se battent dans la rue, indistinctes à travers la fumée des gaz lacrymogènes ; un gazobus brûle, roues en l'air, vitres fracassées. Zoom arrière sur le quartier zébré par les projecteurs aériens de la police, plusieurs rues également pleines de monde, d'autres incendies, des véhicules de la police, une rangée d'uniformes gris qui chargent la foule, bâtons levés.

« ... à Morgorod et sur la côte est, la colère provoquée chez les Virginiens par l'arrivée du *Mercure* et des deux croiseurs du ComSec ne semble pas en voie de se calmer de sitôt. Ici Annie Mandalay, à Morgorod, pour VNN. Nous allons retrouver Bob Gaillard, à Bird, après... »

Quelqu'un claque des doigts et la voix se tait.

Personne ne parle dans la lueur palpitante du grand écran muet. Que pourraient-ils dire ? Ils ne peuvent que baigner dans le même accablement, la même stupeur hébétée. Que s'est-il passé ? Quand ont-il perdu le contrôle, *comment* ont-ils pu perdre le contrôle ? Toutes les manifestations jusque-là ont été pacifiques, et parfaitement encadrées du début à la fin, même quand elles étaient spontanées : les équipes locales ont toujours réussi à isoler et à calmer plus ou moins vite les individus potentiellement violents. Et là, tout d'un coup, dérapage sur dérapage, on éteint le feu ici, il reprend là, l'incendie s'est maintenant propagé à toutes les grandes villes de l'Est, et l'Ouest est en train de se réveiller pour la deuxième journée consécutive avec ces images sur ses écrans.

Sandra Doven est encore plus effondrée que les autres.

« C'était une décision collective, Sandra », murmure Alyne, qui prend encore le temps d'être ouverte à autrui. Ils étaient tous d'accord : la Terre était trop occupée, et trop affaiblie politiquement, pour réagir à une déclaration d'autorité somme toute bien limitée de sa lointaine colonie ; Mars avait lancé le gant publiquement en refusant le million de colons que la Terre voulait lui envoyer pendant les quatre années à venir, la Lune avait pris position pour Mars... Mais la Terre s'est jugée trop affaiblie pour *ne pas* réagir dans sa lointaine colonie, elle a même sans doute décidé d'en faire un exemple à l'adresse de Mars : "Voyez comment nous traitons l'insolence à seize années-lumière de chez nous, et tirez-en les conséquences qui s'imposent." Sandra, Tess, eux tous, ils ont parié à partir des données en leur possession – et ils ont perdu. Mais ce n'est la faute de personne en particulier. Les dés auraient pu tomber de leur côté.

Ce n'est pas l'avis de Sandra Doven. Leur erreur de calcul, elle l'a faite sienne dès qu'a été signalée l'arrivée du *Mercure*, la veille au matin. C'est elle qui avait annoncé publiquement la décision unilatérale de dissoudre la CCE devant le blocage des négociations par la BET et le ComSec. C'est elle qui est responsable aux yeux de la population. Et à ses propres yeux.

Sur l'une des quatre chaînes, l'écran silencieux montre de nouveau la première image qu'on a reçue du *Mercure*, l'énorme coque cylindrique avec les deux croiseurs lourds attachés sur les côtés – le *Mercure* est, avec l'*Ulysse*, le seul vaisseau terrien à être équipé de la propulsion Greshe. L'image date de la veille. Les croiseurs orbitent maintenant autour de la planète – et tous les contingents de l'armée terrienne sur Virginia sont sur le pied de guerre. Pour des exercices de défense planétaire, c'est la raison officielle de la présence du *Mercure*. Des exercices de défense planétaire visant un ennemi non humain qui n'a jamais été repéré nulle part depuis près de deux cent cinquante saisons, déclenchés au dernier moment, et sans avis préalable au gouvernement virginien. Pas étonnant que les gens soient dans la rue.

« Mais pas comme ça, Tess ! » proteste Alyne.

Tess se referme comme une huître. Elle ne laissera pas filtrer le reste de ses pensées, de ses émotions – la perplexité, le soupçon : les émeutes ne peuvent pas avoir dérapé aussi désastreusement, on les a laissées déraper, on les y a même peut-être aidées. Steve est à Morgorod, avec plusieurs membres de son groupe sur lesquels l'entraînement dispensé par Martin a particulièrement bien pris...

Martin se détourne, atterré. Non du soupçon de Tess concernant Krasznic, non de l'usage que celui-ci et son groupe peuvent avoir fait de ce qu'il leur a montré. Mais du fait que Tess n'en dira rien aux autres – et défendra Krasznic avec acharnement quand le même soupçon naîtra dans l'esprit de ses compagnons, chez Sandra Doven sans doute, pour commencer.

Les quatre chaînes retransmettent des scènes de violence nocturne, toutes différentes et pourtant monotones. Martin pense à la manifestation sur la Place du Musée –

trois saisons plus tôt, une éternité, et en même temps le souvenir en est intact : la course légère, exultante, le sentiment d'un jeu absurde, mais d'un jeu... Il voit de nouveau les manifestants culbutés par les puissants jets d'eau de la police anti-émeute, et ça n'a jamais été un jeu.

« Il faudrait faire quelque chose », murmure Alyne avec désespoir. Les autres ne réagissent pas. Ils ont fait tout ce qui était en leurs pouvoirs, littéralement : l'appel au calme de Sandra Doven a été diffusé partout la veille, dès la première émeute, et toute l'Organisation a été mobilisée pour essayer d'apaiser les manifestants ; mais on ne s'attendait pas à une réaction aussi unanime de la population, et les sensitifs à moyenne portée ne sont pas assez nombreux, ni assez puissants ; les para-télépathes ont une portée supérieure, mais ils constituent une minorité dans l'Organisation, et de cette minorité Martin n'a entraîné qu'une poignée, peut-être trois cents en tout, qui se trouvent presque tous dans l'Ouest.

L'image de VNN change à l'écran, Alyne et Tobee disent en même temps « son ! » en voyant l'expression à la fois catastrophée et excitée de la journaliste à Morgorod.

« ... et plusieurs dizaines de blessés. Il est encore trop tôt pour savoir exactement ce qui s'est passé, ni qui a tiré les premiers coups de feu, mais les ambulances convergent vers Horlemur ainsi que les hélijets amenant des renforts de l'armée. Nous essayons de rétablir le contact avec notre envoyé sur place qui... »

Le téléphone sonne, couvrant la fin de la phrase. Personne ne bouge. Martin va appuyer sur la touche micro. La voix haletante de Steve Krasznic demande à parler à Tess.

« Nous sommes tous là, Steve », dit Sandra Doven d'une voix blanche, mais il y a déjà quelque chose de dur dans son aura.

« L'armée a tiré sur la foule dans Horlemur. Nous avons essayé de l'empêcher, mais ils les bombardaient de bouteilles et de pierres depuis au moins une heure, et puis quelqu'un a commencé à lancer des cocktails molotov. C'est l'armée, pas les forces de sécurité, ils ont tiré, et à partir de là on n'a pas pu... »

Il a l'air complètement bouleversé – si c'est de la comédie, c'est convaincant. Martin réfrène son réflexe d'aller le chercher pour vérifier : sa portée maximum, c'est environ mille kilomètres ; Krasznic est trop loin, bien sûr, à Morgorod, de l'autre côté du continent.

« Faites ce que vous pouvez et restez en contact les uns avec les autres », dit Sandra, en faisant signe à Martin de couper la communication téléphonique.

Presque en même temps, les quatre images sur l'écran géant changent, tandis que toutes les chaînes de télévision sont asservies à l'émission en provenance du *Mercure* et montrent la même silhouette en plan américain : l'amiral Chênier, médailles bien en vue, l'air à la fois sévère et paternellement navré.

« En conséquence des actes terroristes d'extrémistes et d'agitateurs étrangers visant à détruire les bonnes relations ancestrales de la planète mère et du Protectorat virginien, et pour assurer le rétablissement de la paix publique, je me vois dans l'obligation de proclamer la loi martiale, qui entrera en vigueur immédiatement. La gouverneure Doven me rendra dans l'heure qui suit la démission de son gouvernement et de nouvelles élections auront lieu dans deux Mois, au plus tard le 40 de novembre. »

Chênier disparaît, tandis que défilent à l'écran les articles de la loi martiale, lus en même temps par une journaliste à la voix un peu altérée.

Tess ferme image et son de deux claquements de doigts.

Sandra Doven est déjà debout. Les autres se lèvent aussi, rassemblent leurs affaires – Alyne, Éric, Tobee. Ils flottent tous dans une lucidité détachée, au-delà du choc. Mia Turrek, responsable de la sécurité personnelle de la gouverneure en l'absence de Krasznic, entre en coup de vent, constate que tout le monde est prêt, hoche la tête en disant « cinq minutes », ressort. Tess est au téléphone, lançant le mot d'ordre qui va effacer les banques de données essentielles, faire disparaître les dossiers vitaux, envoyer dans la clandestinité tout le personnel désigné. Et faire diffuser partout où c'est possible une déclaration préenregistrée de Sandra Doven appelant à la résistance passive et au boycott des élections. Un enregistrement parmi d'autres. Oh, ils avaient prévu toutes les possibilités. Ils ne voulaient seulement pas croire que ce serait la pire qui se réaliserait, et horriblement à chaud.

Sans se concerter, Tess et les autres se sont fermés à ce qui transpire autour d'eux. Pas Martin : il a l'impression que c'est son devoir de tout percevoir, de ne rien s'épargner, ni ce qui flotte dans la Maison ni ce qui bouillonne dans la ville – affolement, stupeur, détresse, crainte, résolution, colère. Et d'ailleurs il doit surveiller l'arrivée des troupes qui viennent "accompagner" Sandra Doven au Parlement. Chênier n'a pris aucun risque : ce sont de ses hommes à lui, même pas ceux de l'armée terrienne de Virginia, pourtant sous commandement terrien.

Ils traversent les couloirs de la Maison du gouverneur, croisant au passage des employés catastrophés – la nouvelle a voyagé vite ; certains, les larmes aux yeux, viennent serrer la main de Sandra Doven : ils croient qu'elle se rend au Parlement pour annoncer la démission du gouvernement ; ceux qui savent ce qui se passe réellement sont trop occupés pour des manifestations de soutien. Personne (en dehors de ceux qui savent) ne s'étonne de voir la gouverneure descendre au sous-sol avec ses gardes du corps personnels, même s'ils sont plus nombreux que d'habitude : on ne les voit pas descendre au sous-sol ; personne ne connaît même l'existence des souterrains – même Tess et les autres l'ignoraient, il y a un Mois, avant que Martin ne leur en fasse voir et franchir une porte invisible. Les soldats du *Mercure* encerclent la Maison tandis qu'un petit détachement entre dans la cour et monte à l'étage où se trouve le bureau de la gouverneure. Le personnel fait de l'obstruction polie. Mais la gouverneure et les autres se trouvent déjà à plusieurs centaines de mètres plus au sud dans la falaise, en route vers une sortie en rase campagne où les attend un véhicule tout-terrain qui les emmènera vers l'est et la clandestinité.

En route, ils apprendront que les émeutes de Morgorod ont fait vingt-sept morts et plus de cent blessés, dont une dizaine seulement dans les forces de l'ordre. En ce jour,

le 42 Septembre de l'An 61, la cause de l'Indépendance
vient d'être définitivement gagnée dans l'esprit des
Virginiens.

Dans le groupe des fugitifs, personne n'y pense ainsi.

Sauf Tess, peut-être.

32

Tout est dans le minutage. Ils se sont entraînés pendant des semaines avec Cory, dont le seul rôle consiste à
regarder le chronomètre ; leur lien avec elle par l'intermédiaire de Martin est passé au plan du réflexe, c'est
comme si une horloge égrenait les secondes dans leur tête.
D'abord, l'incendie dans les entrepôts civils. Depuis la
centrale électrique au bord du lac, à l'extrême pointe
ouest du périmètre, dissimulé dans la forêt dense avec
son groupe, Aquino entend les sirènes des pompiers
s'éloigner vers le sud de l'astroport, où le ciel nocturne
rougeoie : l'équipe de Sabrina n'a pas lésiné. Invisible
dans l'obscurité, le commando d'Aquino gagne ses positions autour de la centrale tandis que celui de Nat se
dirige vers les hangars où sont entreposés avions, trans-
bordeurs et navettes, le long du lac qui borde le flanc
ouest du périmètre ; le groupe de Charline Tessère est
tapi dans les hangars de la piste d'atterrissage GW7, où
ils accueilleront les troupes des 3e, 5e et 12e bataillons
virginiens d'infanterie mécanisée en provenance de la
Réserve militaire Desaix, venus boucler l'astroport pour
les Indépendantistes.

Martin aussi s'est entraîné pendant des semaines – et
bien avant, avec Élias et son groupe : il est capable de
reconnaître la signature mentale de chacun des membres
de chaque équipe, et de laisser sans problème leur pré-

sence colorer la périphérie de son paysage intérieur tandis qu'il arrive avec ses quatre compagnons au point de contrôle séparant la zone civile de la zone militaire, dans le souterrain de la tour de contrôle. Leurs laissez-passer sont en règle, ils reviennent plus tard que d'autres des festivités du Nouvel An où ils ont été invités par les officiels de Dalloway, ils vont rejoindre leurs unités dans les quartiers sud.

Le soldat et le sergent de garde se laissent relever sans faire d'objections, suivent Martin et les deux commandos restants jusqu'à l'une des petites salles de détente, s'asseoient, échangent quelques mots et s'endorment, les bras croisés. On les désarme, on leur injecte un somnifère, on les couche par terre et on les enferme à clé.

Martin et les deux autres ont continué leur route vers la salle d'où l'on contrôle tous les systèmes de sécurité de l'astroport. Martin seul y entre ; on ne songe pas à s'en étonner – il est en uniforme, après tout, et un lieutenant. Un par un, les techniciens de service mettent leur station en automatique, se lèvent pour se dégourdir les jambes, pour aller aux toilettes, pour fumer dans le couloir. Les deux compagnons de Martin les cueillent à la sortie, les endorment, les ligotent. Dans la salle de contrôle, personne ne s'étonne de leur absence.

Une fois seul, Martin neutralise les systèmes de sécurité qui doivent l'être, nourrit les caméras de fausses images là où c'est nécessaire, ouvre les portes commandées à distance là où ils en auront besoin, tandis que ses deux compagnons alignent contre un mur la demi-douzaine de techniciens inconscients. Pendant ce temps, les équipes qui vont neutraliser les soldats endormis ou festoyant encore dans leurs quartiers foncent dans le souterrain, se divisant à l'embranchement vers le nord et vers le sud.

L'équipe d'Aquino est dans la centrale, *pas de problèmes*. Charline est en place au bout de GW7, *tout va bien*. Nat est en train de neutraliser les patrouilles surveillant les hangars, c'est le plus long, cinq kilomètres à couvrir, *deux au dodo, six more to go*. Matt Sanders a pris position à la gare ferroviaire, à la pointe nord-est de l'astroport, *rien à signaler*, tout comme Erèn Choufta à l'académie militaire, et Olaf Pliousk à l'hôpital. Okiku et les siens sont en route vers l'armurerie, Korès vers le QG – *y aura pas grand monde là non plus !* Et Tess et son équipe viennent faire leur jonction avec Martin. Sans un mot, une partie des commandos s'installe aux stations de sécurité, le reste, une douzaine, suit Martin et Tess vers la tour de contrôle.

Il n'y a pas de trafic spatial – tout ce qui avait à quitter Virginia pour l'espace l'a fait dans la journée, ou bien avant : on n'attend pas à la dernière minute avant le retour de la Mer. Le trafic aérien est presque nul : on ne voyage pas non plus en avion si près du retour, et pour ce qui est du fret commercial, l'aéroport est en mode de nuit. Les techniciens militaires qui veillent à la bonne marche des systèmes n'ont aucune raison d'être spécialement méfiants quand des officiels de la Virginia Air & Space Control Commission entrent dans la salle d'opérations : inspection-surprise un soir de Nouvel An, c'est bien le genre de ces emmerdeurs ! L'un des chefs-contrôleurs a brièvement le réflexe de vérifier avec ses supérieurs, l'oublie, s'endort ensuite comme les autres.

La centrale est sous contrôle, l'armurerie aussi. Dans les quartiers sud et nord, les soldats dorment d'un profond sommeil – il y a eu quelques petits accrochages avec des fêtards, rien de grave. Nat continue de ratisser le secteur des hangars, en direction du sud de l'astroport, *presque fini.* Le QG... *OK.*

Martin et les autres se permettent une brève détente, stupeur, exultation, *on a réussi !*

Cent vingt contre quatre mille soldats pourvus de toute la technique moderne. La partie n'était pas égale !

Une double pensée moqueuse a répondu à celle de Martin : Judy et son jumeau Dominic, les plus jeunes du groupe avec lui, dans l'équipe de Nat. Plaisanteries et protestations silencieuses s'entrecroisent un moment d'équipe à équipe, relayées par Martin, puis il renvoie tout le monde à Cory, qui n'a pas quitté des yeux le chronomètre depuis le début de l'opération, trente-huit minutes. La tension refait surface, tandis que tous ceux qui le peuvent jettent un coup d'œil vers le ciel.

Une étoile plus grosse que les autres traverse lentement la nuit : le *Mercure*, qui porte collé au flanc le *Lexington*, l'un des deux croiseurs lourds qu'il va ramener dans le système solaire. L'autre croiseur, le *Jean-Bart*, est une bien plus petite étoile sur la même orbite. Bientôt, un mince croissant sombre entamera la Lune. Bientôt, le cercle du Petit Œil commencera son transit sur la partie éclipsée. La lueur violette se répandra dans le ciel tandis que s'amenuisera le croissant encore éclairé ; bientôt les planètes et leurs satellites seront en conjonction, l'œil de la Lune aura trouvé son regard.

Moins cinquante minutes à l'heure de Cristobal. Là-bas, loin à l'Ouest, le soleil monte vers son zénith. Ici, de l'autre côté du continent, la nuit violette de l'éclipse va commencer. Dans trente minutes, dans tous les endroits de la planète équipés du système gazélec et soumis à l'influence inhibitrice de la Mer, l'éclairage électrique va être automatiquement remplacé par le feu blanc du gaz. Dans cinquante minutes, quarante-neuf à présent, un point brillant va surgir loin sur l'océan, se transformant en une ligne étincelante qui remplira l'horizon comme un éclair. Sur toutes les côtes en même temps, la Mer sera de retour.

Personne ne la regardera arriver : tout le monde est chez tout le monde en train de festoyer, ou chez soi en train de dormir ; malgré les événements, ou à cause d'eux, on n'a pas voulu mettre un frein aux fêtes qui célèbrent sur Virginia le commencement de la nouvelle Année. Une saison s'est écoulée depuis les troubles, les élections ont eu lieu ; sous l'ombre du *Mercure* et des croiseurs, avec dans les rues les soldats venus renforcer les contingents terriens déjà présents, les Virginiens se sont pliés au verdict, préférant la résistance passive – mais malgré le boycott très étendu, il y a quand même eu près de quarante pour cent de votants ; n'y en aurait-il eu que dix pour cent, les élections auraient bien entendu été déclarées valides. Un nouveau gouverneur a été nommé. Des "terroristes" et des Révistes trop récalcitrants sont sous les verrous, on continue à en pourchasser d'autres sur tout le continent. Mars défie toujours la Terre, mais le conflit n'a pas encore atteint son point d'étincelle dans le système solaire, ne l'atteindra peut-être pas. Sur Virginia, l'ordre règne.

Dans quarante-huit minutes, quarante-sept maintenant, on va déclarer l'indépendance.

À côté de Martin, Tess et le reste de leur équipe
attendent. On a essayé de dissuader Tess de participer
directement à l'action, en vain. Depuis la fusillade de
Morgorod, elle est devenue d'une sensibilité inhabituelle
à toute approche, réagissant avec brusquerie lorsqu'on
essaie de la toucher. Malgré sa réticence, Martin l'a fait
une fois, à la prière d'Alyne – il est le seul qui peut s'y
risquer sans être détecté. Il a trouvé une étendue morne
et froide, sans écho ; Tess sait exactement à quoi s'en
tenir à propos de ce qui s'est passé à Morgorod, même
si, comme prévu, elle a défendu Krasznic.

Martin n'a même pas essayé de la dissuader de venir :
il sait qu'elle l'écoutera encore moins que quiconque. Il
s'est simplement arrangé pour se retrouver dans le
même groupe d'attaque ; sans poser de questions, Tobee,
qui coordonnait la préparation, a acquiescé à sa demande.
Tess n'a rien dit.

Le ciel commence à prendre une nuance violette.
Martin se demande s'il a peur. Mais non, l'action est
trop proche. Il doit maintenant suivre ce qui se passe au-
dessus de leurs têtes. Il lève machinalement les yeux
pour chercher dans le ciel le point lumineux du vaisseau
qui finit de parcourir l'horizon vers les montagnes : de
ceux qui sont en train de passer à l'action là-haut dépend
le véritable succès de l'insurrection. L'amiral Chênier,
avant de repartir pour la Terre, a aimablement accepté de
recevoir le gouverneur Anderson et une bonne partie des
membres du gouvernement désireux d'observer l'éclipse
et le retour de la Mer depuis l'espace. La visite s'est transformée en une grande soirée spatio-mondaine, et le tout-
Cristobal, comme le tout-Bird et le tout-Morgorod, s'est
bousculé pour obtenir une invitation. On a soigneusement
filtré les invités et tout le personnel d'accompagnement.
Bien sûr.

Il n'y a à bord du *Mercure* que le personnel essentiel,
ceux qui vont faire éveillés le premier quart du voyage,
et le *Lexington* est vide : les troupes qui font leur rotation
vers la Terre sont toutes en hibernation dans les caissons
" frigo " du *Mercure*. Les cachettes ne manquent pas.

Quant au *Jean-Bart*, une fois le *Mercure* arraisonné, il va recevoir une visite-surprise d'inspection, lui aussi – bénis soient militaires et fonctionnaires, avec leur mentalité sournoise ! Le contingent à bord du *Jean-Bart* n'est pas très nombreux non plus : on n'a pas besoin de beaucoup de monde pour manier les armements modernes.

Une mauvaise coordination, une erreur de minutage, un obstacle inattendu dont les capacités des para-télépathes envoyés là-haut ne pourraient venir à bout, et c'en est fait ; même en présence de la Mer, la puissance de feu du croiseur, terriblement précise, causerait des ravages dans les zones situées au-dessus de mille mètres, et en particulier l'astroport, un point stratégique vital. Mais il est bien trop tard maintenant pour une angoisse de dernière minute : la dernière minute est en train de s'écouler. Tess fixe avec une brûlante détermination les images relayées par Martin depuis le *Mercure*. Vingt secondes... dix... neuf...

On a décidé d'avoir recours à la simple force brute, sur le *Mercure*, une fois neutralisé le personnel militaire : du gaz somnifère dans la grande salle tapissée d'écrans où les quelque trois cents invités se sont rassemblés avec l'état-major pour voir la culmination de l'éclipse. Il y a quelques cris, une brève terreur – mais les équipes se sont fermées, et Martin ne perçoit plus rien d'autre que les images des corps qui s'affaissent les uns sur les autres. Il sait qu'ils ne sont qu'endormis, mais il ne peut s'empêcher de penser, très vite, que ce pourraient être des cadavres – c'est horrible, un tas de trois cents corps humains inertes, surtout ceux-là, dans leurs beaux habits de soirée, les femmes comme des fleurs coupées...

Un contact rapide avec les autres dans l'astroport. Souffles courts, cœurs battants, esprits tendus à craquer, mais jusque-là tout va bien. Nat arrive au contact avec la dernière patrouille, au sud-ouest, près des hangars à navettes. Les transports de troupes en provenance de la Réserve militaire sont en vol d'approche et atterriront sur GW7 dans quelques minutes. Tess se laisse tomber dans un fauteuil vide, vaguement étourdie. Elle a froid, ses jambes tremblent, la réaction. Quarante minutes. La navette s'est détachée du *Mercure* et s'approche du *Jean-Bart*, les minutes s'égrènent, Tess a l'impression qu'elle ne respire plus. On échange les codes de reconnaissance, pour l'instant tout se déroule comme prévu, un peu d'avance même, il reste douze minutes... La navette fait sa jonction avec le *Jean-Bart*. L'équipe est à bord. Les premiers soldats qui l'accueillent se mettent à bâiller, lâchent leurs armes, se couchent par terre – Cyril ne fait pas dans le subtil non plus, pas le temps, sept minutes avant l'éclipse totale.

Une vague d'exultation balaye le réseau mental à chaque soldat neutralisé, avec une coloration un peu hystérique. Tess a fermé les yeux, pour mieux suivre la progression de Cyril et de son équipe. Comme un mantra, elle se répète les premières phrases du communiqué de victoire qui va être diffusé sur toute la planète juste après l'arrivée de la Mer.

Martin sursaute. Tout le monde se fige. Des ondes de souffrance se réverbèrent soudain dans le réseau, une déchirure par où l'énergie mentale saigne, une aura qui pâlit : Judy. Des bribes de pensées mal contrôlées, atterrées, incrédules : *Un réfractaire ! Un réfractaire dans la patrouille !* Images confuses, rage, douleur, silhouettes en pleine course le long d'une paroi métallique violemment éclairée, éclair de thermique, odeur de chair brûlée, *Judy, Judy!*

Un corps est étendu dans la lumière des projecteurs, Judy, pas encore morte ; le reste du groupe de Nat est accroupi derrière une empilade de conteneurs. Dominic, le visage convulsé. Il veut aller chercher sa sœur, ils sont deux à le retenir. Quelqu'un lève une arme. Un crépitement, un claquement suivi d'autres explosions étouffées, la brève cécité quand la lueur de l'éclipse remplace la lumière crue des projecteurs. Trois soldats sont tapis dans le hangar, tellement terrorisés qu'il n'y a aucune brèche par où s'introduire en eux. Trois, ils sont seulement trois. Ne pas les laisser s'échapper. Martin se concentre, mais à cette distance, près de trois kilomètres, il peut percevoir, non contrôler. Un seul de ces soldats est peut-être capable de faire voler une navette – et c'est lui le réfractaire ! Un sur cinq mille, ils avaient calculé, un sur cinq mille Terriens est réfractaire, le risque d'en trouver un à Dalloway était presque nul – ils ont pris leur désir pour la réalité.

Un tout-terrain arrive : Aquino et Justine Malartic. Un barrage d'éclairs les accueille, mais ils se trouvent juste hors de portée. Aquino n'essaie même pas de communiquer non verbalement, le choc a effacé son entraînement trop hâtif : « Il faut essayer de les prendre à revers !

— Pas le temps. Il ne vous reste plus de cartouches de gaz ?

— On est trop loin pour les lancer. »

Dominic cesse de se débattre entre les bras de ses compagnons, le regard fixe. Un trou noir s'est ouvert dans le réseau. Judy n'est plus là.

Tess se lève, se dirige vers la sortie.

NON.

Elle s'arrête en plein élan et vacille, comme assommée par l'injonction brutale, incroyablement claire et nette. Martin la soutient, stupéfait, la tête sonnante. Élias ? Où est-il ?

NAT VA S'EN OCCUPER.

Tess résiste, furieuse, affolée... Et puis elle ne résiste plus.

Martin prend conscience du message à la fois triomphant et inquiet qu'il reçoit de l'espace : le *Jean-Bart* a été arraisonné sans une anicroche, *répondez, qu'est-ce qui se passe, en bas ?*

La voix de Cyril disparaît, écrasée par celle du vieux : *TOTALITÉ. LA DÉCLARATION, TESS.*

Et, moins brutal mais tout aussi net : *Martin, avec elle.*

Tess se dirige vers la salle des communications. Elle s'y engouffre sans voir ses compagnons angoissés, sans entendre leurs questions. Elle ne les sent même pas. La voix d'Élias, irrésistible, occupe toute la place, c'est à peine si, dans un coin reculé de sa propre tête, Tess hurle et sanglote encore.

Elle tend la plaque, quelqu'un la prend. Sur les écrans de contrôle, Sandra Doven apparaît, assise à un bureau sur lequel trône une mappemonde de Virginia. Derrière elle le général de brigade Von Anspach et son état-major, le maire de Nouvelle-Venise, Adam Minh, et Patricia Naiscomb, la sous-directrice de la BET pour le district du Dolgomor. D'un ton ferme, à l'enthousiasme retenu, Sandra Doven explique que le *Mercure*, le *Jean-Bart*, le spatioport de Dalloway, le siège du gouvernement central et ceux des gouvernements de district, le siège de la BET à Morgorod, les Tours de communication, les aéroports et les grands axes de transport sont entre les mains des insurgés. Sur les ondes au-dessus de deux mille mètres, porté par les bras des télégraphes optiques en dessous, le message de liberté court comme un feu de prairie sur tout le continent.

Il y avait une autre plaque dans la sacoche de Tess – celle de l'appel au calme après l'échec de l'insurrection. Mais Tess n'y pense pas. Tess ne pense à rien. Tess est prise dans la toile vibrante où l'a clouée la volonté du vieux, et elle écoute, de très loin, la voix de Sandra Doven qui coule comme du sang.

Les planètes ont poursuivi leur route, un liséré lumineux reparaît, la teinte violette de la Lune et du ciel se fane peu à peu. Des messages radio arrivent, excités, pour confirmer la réussite à Morgorod, Gresheport dans les McKelloghs, Trentonport dans les montagnes du sud... Martin pose une main sur l'épaule de Tess. Tess ne réagit pas, Tess est recroquevillée dans l'espace minuscule où l'avait repoussée la présence du vieux maintenant disparue. Tess ne veut plus sortir.

Et Martin se raidit, catastrophé, en entendant le nouvel avertissement d'Élias: tendu vers Tess, il avait écarté tout ce qui lui parvenait du reste du spatioport. En un éclair, il perçoit la peur, le souffle court, métal et plastique sous des doigts en sueur qui glissent, le cœur qui bat à tout rompre, la vibration de la navette en plein élan dont le nez se soulève, trop tôt, trop tôt, l'arrière retombe et frappe la piste, le choc arrache les commandes des mains du soldat, l'avant bascule, le garçon épouvanté se couvre le visage de ses bras en hurlant...

Martin sent l'explosion avant de la voir. Ensuite il devient sourd. Le temps se met à pulser par saccades. La tour vibre comme un diapason. Les vitres de la salle de contrôle volent en éclats silencieux, des fleurs rouges s'ouvrent brusquement dans le visage de Tess. Martin lève la main pour les toucher. Le mur à sa gauche se replie vers lui comme du carton, très lentement. Très lentement, Martin se couche sur Tess pour la protéger. L'ouïe lui revient tout d'un coup, ou bien est-ce la douleur des autres qui crie dans sa tête ? Et puis plus rien.

33

Les flammes bleues et dorées des danseurs ondulent dans la lumière des projecteurs. Le leitmotiv musical se simplifie, devient de plus en plus linéaire. Le martèlement profond et vibrant des tambours à eau s'intensifie, le son distinctif des autres instruments anciens se détache peu à peu aussi du reste de l'orchestre, flûtes, cordes, trompes et percussions, se fondant bientôt en un seul son pur, exultant. Les mouvements des danseurs se décomposent en vagues de plus en plus lentes, puis leurs corps s'immobilisent dans la triomphante lumière d'aurore qui baigne la scène.

Une mer crépitante d'applaudissements vient battre les murs du Musée, rebondit en écho vers les confins de la Place. La fleur de chair se défait sur l'estrade, les pétales en redeviennent des jeunes hommes et des jeunes femmes souriants, épuisés, en sueur, qui s'inclinent la main dans la main. Un cri naît quelque part, d'abord presque inaudible, puis s'enflant en chœur : « L'auteur, l'auteur ! » Un homme blond très mince dans sa combinaison de soirée jaune et noire apparaît dans les faisceaux convergents des projecteurs et salue, accueilli par une nouvelle marée enthousiaste. Il désigne les danseurs derrière lui, les musiciens groupés de part et d'autre de la scène avec leurs instruments anciens aux formes étranges, et de nouveau l'ovation déferle sur les silhouettes inclinées.

Dans la loge présidentielle, Martin touche le bras de Sandra Doven : Michaël ne tiendra plus très longtemps sous l'assaut mental de la foule. Sandra hoche la tête, donne le signal du feu d'artifice. Libérant Michaël sur la scène, l'attention des spectateurs se tourne vers le ciel où des détonations sourdes font naître d'immenses bouquets chatoyants, sans cesse renaissant pour jaillir chaque fois plus haut, une ascension pulsante et colorée qui semble devoir les emmener jusqu'aux lunes... Mais la splendeur finale se rétracte peu à peu en un nuage d'étincelles silencieuses qui s'effacent en plein vol, et la foule pousse un soupir unanime, comme un nuage de plaisir et de regret mêlés montant vers la fumée encore obscurément lumineuse qui commence à se dissiper sur la Place.

Sandra Doven se penche vers le micro, annonçant la fin officielle du Festival. L'hymne national éclate alors et la foule le reprend en chœur, se tournant spontanément vers les gradins où se trouvent la Présidente et les membres du gouvernement.

Sandra chante aussi, comme Alyne, Éric, tous les autres. Même Tess. Surtout Tess. Les émotions de la multitude lui sont comme toujours un baume, une justification, elle ne s'y ferme pas comme Martin l'a fait machinalement. Et c'est vrai que les réactions ont été largement positives pendant toute la durée du Festival. On a célébré le départ de la Mer avec autant de bonne volonté qu'on célébrera son retour, dans deux saisons, pour le premier anniversaire de l'Indépendance. « Les Anciens, notre héritage aussi », a martelé sur tous les tons la campagne de publicité du Festival, avec succès : dans toutes les grandes villes, et surtout ici à Cristobal, au Musée, un public curieux a visité les expositions, commenté les costumes, acheté livres, copies d'objets d'art, cartes postales, holocubes et plaques. Ce soir, pour le spectacle de clôture, au moins cinq mille personnes se sont rassemblées sur la Place du Musée pour écouter les instruments des Anciens, pour regarder les danses hiératiques ou déchaînées reconstituées d'après les fresques des

peuplades disparues. La dédicace de l'oratorio de Michaël
– « À la Mer » – n'a pas suscité autant de réactions négatives qu'on l'avait craint. Disséminés dans la foule, les
agents de l'Organisation veillent d'ailleurs à apaiser réticences et craintes quand elles font mine de reparaître.

Les spectateurs se dispersent lentement à présent ;
certains se dirigent vers les centres de transport d'où ferries
et gazobus vont les ramener chez eux ; d'autres, par petits
groupes, prolongeront la fête plus avant dans la nuit.
Une atmosphère générale de satisfaction et de fierté
règne sur la ville, dans tout le continent. Deux saisons
seulement, et les changements sont nettement perceptibles.
L'électricité a remplacé le gaz au départ de la Mer, dans
les rues, les édifices municipaux et les commerces, mais
pas dans les demeures privées. Et personne n'a trop
protesté – deux saisons de propagande intensive, sans
compter la substantielle diminution des taxes, ont un peu
adouci les objections des Gadgés les plus endurcis. Dans
les rues, le nombre des voitures particulières a diminué au
profit des taxibus ; beaucoup de Cristobaldiens ont même
mis un point d'honneur à se déplacer à pied pendant toute
la durée du Festival, ou avec les bicyclettes du nouveau
réseau communautaire... Bref, comme toutes les autres
depuis deux saisons, l'opération Festival a été un succès.
C'est ce qu'ils pensent tous, Sandra, Tobee, Alyne, Éric
– et Tess.

Dans la nuit encore chaude et humide, les officiels se
dirigent vers les gazillacs qui les attendent, après les
dernières poignées de main ou les accolades chaleureuses.
Martin reste un peu en arrière. C'est inutile, il le sait
bien : Sandra Doven va l'inviter à finir la soirée chez
elle avec les autres. Et il ne pourra pas refuser. Ils iront
dans la grande villa au bord de la Mer absente, ils dis-
cuteront – du Festival, de l'oratorio de Michaël, des
prochaines opérations. Et de temps à autre Sandra ou
Daniel Flaherty se tourneront vers lui pour l'attirer dans
la conversation. Et il devra voir le raidissement de Tess,
le recul intérieur des autres – ils en auraient encore plus
honte s'ils savaient qu'il en a conscience, sans doute.
Tess en serait simplement plus irritée.

Ils croient tous que c'est lui qui s'est emparé de l'esprit de Tess, à Dalloway. Il pourrait sûrement les détromper : Tess connaît bien sa voix, elle devrait pouvoir se rendre compte que ce n'était pas lui, même si les souvenirs qu'elle a de l'astroport sont plutôt confus. Mais elle veut trop pouvoir le blâmer ; et il est ligoté par sa promesse à Élias de ne pas leur révéler son existence – il en comprend trop bien la nécessité à présent. D'ailleurs, même s'il voulait la leur révéler, le croiraient-ils ? Depuis Dalloway, le vieil homme a de nouveau disparu, sa présence est indétectable.

Coincé. Avec un mélange d'incrédulité, de colère et d'abattement, il se dit pour la centième fois qu'il est coincé. Il a parfois envie de tout laisser tomber, de repartir pour le Sud-Est, mais il ne peut pas, on compte sur lui, on a besoin de lui : recrutement, entraînements, surveillance... Et surtout, jour après jour, Alyne, Éric, Tess, Tobee, leur souffrance secrète, les voix d'enfants perdus qu'il entend lorsqu'il se laisse les écouter. Il les regarde, parfois à leur insu, et c'est comme un vertige, la certitude d'une future catastrophe indéfinie, il ne peut se résoudre à les abandonner. Mais en éprouveraient-ils de la gratitude ? Il a sauvé la vie de Tess, et tout ce qu'elle en ressent, c'est de la rancune. Et puis, depuis quand est-il un sauveur ? Qui lui confie ce rôle sinon lui-même ?

Il ne lui vient pas à l'idée qu'il a besoin d'eux, que même le chagrin perpétuel de les sentir si loin lorsqu'ils sont ensemble lui est moins pénible que l'idée de devoir être de nouveau seul. Et un autre jour passe, et il se retrouve dans la chambre qu'il a tenu à conserver au Musée, au calme enfin dans les souterrains près de la chambre fermée d'Élias, et il se dit que demain il parlera à Sandra, ou même à Alyne, qu'il leur expliquera...

Mais il sait bien qu'il n'en fera rien, et ce soir non plus. Il s'extirpe du divan où il a passé deux heures à essayer de ne pas se laisser entraîner vers des sujets dangereux par l'agressivité larvée de Tess. Tout le monde y a d'ailleurs mis du sien : la conversation est restée à peu près anodine – ce qui est pénible, c'est l'effort des uns et des autres pour la maintenir dans des limites non compromettantes.

« Tu seras là à l'inauguration ? » lui lance Tess au moment où il s'en va. Il fait un effort pour ne pas manifester son agacement, incline seulement la tête. Elle sait bien, comme les autres, qu'il ne peut pas ne pas être là ; mais sa question a un autre but, dont comme d'habitude elle n'a pas conscience. Eh bien non, Tess, je ne suis pas comme vous, je suis un "vrai télépathe" ! Il ne dit rien, bien sûr, il part sur un dernier au revoir secrètement navré d'Alyne.

◆

Sur le petit podium installé devant l'édifice de la nouvelle délégation martienne, Sandra Doven continue son discours, entourée des officiels souriants. Devant le podium, au premier rang, une adolescente brune d'une quinzaine de saisons l'écoute sans se douter qu'elle va bientôt sauver la vie de la Présidente. Allons, il est temps. La fausse image meurtrière vient envahir la conscience de l'adolescente : la mire du fusil alignée sur la tête vue de trois quarts de Sandra Doven depuis la terrasse de la troisième maison, à gauche...

Au dernier moment, comme il n'a plus besoin de se concentrer sur sa cible, Martin balaie machinalement la foule, et soudain il a l'impression de voir double. Une autre mire, la tête de Sandra vue de face, un autre doigt sur une autre détente, qui se contracte...

Il bondit, bouscule Sandra, la fait rouler au sol, se couche sur elle. Presque en même temps l'adolescente brune sautait vers l'estrade avec un cri inarticulé. Des corps s'empilent sur Martin. Il regarde frénétiquement aux alentours, cherchant l'assassin, tout en bloquant la douleur qui irradie de l'agent de la Sécurité touché par la balle.

La foule n'a pas entendu de coup de feu, mais elle a vu le soudain tumulte, et les gens se mettent à crier. Quelqu'un s'est emparé du microphone et y déverse des paroles apaisantes et inaudibles ; le micro lance un sifflement aigu, assourdissant. Martin s'est relevé, des agents de sécurité l'entraînent avec Sandra tandis que d'autres refoulent les journalistes ; quelqu'un est agenouillé près de l'agent blessé et réclame une ambulance. Une autre limousine emporte Tess et l'adolescente en état de choc.

Martin continue à chercher l'assassin en transmettant ce qu'il a brièvement perçu de lui : en vain, l'homme semble avoir disparu. Une pensée rageuse et désolée, l'un des agents qui bouclent la rue : *On ne le trouve nulle part !* Puis un autre contact, incrédule, plus proche : *On vient de buter dessus, il n'a pas bougé ! La maison en face de la Délégation. Il est mort. Pas de blessure apparente. Cyanure.*

Martin se laisse aller contre le dossier du siège, les yeux fermés.

Au bout d'un moment, d'une voix blanche, Sandra Doven murmure : « Je n'avais rien senti.

— Les autres non plus. Moi non plus. Je regardais la petite. »

Ils se retrouvent tous dans le grand bureau de la Maison présidentielle – sauf l'adolescente dont s'occupent les médecins. Pendant un bon moment, personne ne dit mot.

« Cette petite... », dit enfin Sandra avec un effort. Elle s'est laissée tomber dans le premier fauteuil venu, en face de son bureau.

Tess hausse les épaules – elle commence à se reprendre : « Deux héros, voilà tout. »

Martin s'entend dire : « Non ».

Tess se tourne vers lui avec une vivacité menaçante : « On te présentera avec la gamine. Steve va t'écrire un texte et tu l'apprendras par cœur, ce n'est pas bien compliqué.

— Non. »

La colère de Tess devient plus concentrée, mais Martin se sent flotter dans une curieuse indifférence. La réaction, peut-être ? Ou bien il a passé un seuil, mais il ne sait pas encore trop bien dans quelle direction. Alyne se penche vers lui : « Mais, Martin, tout le monde t'a *vu !*

— Arrangez-vous comme vous voulez, je n'irai pas à la conférence de presse.

— Ce n'est pas grand-chose, Martin », reprend Tess d'une voix qui s'altère ; elle est allée s'asseoir dans le fauteuil présidentiel, les bras croisés ; elle ne restera pas calme bien longtemps. « Il s'agit simplement de dire ce que tu as fait et pourquoi. Tu as vraiment sauvé la vie de Sandra, après tout.

— Moi peut-être, mais pas la petite. » Il regarde ses mains : elles tremblent. Il va s'asseoir dans une embrasure de fenêtre, très loin de tout le monde.

« Pour elle, c'est tout comme », remarque la voix toujours trop posée de Steve Krasznic. « Elle a capté ta pensée au moment où tu percevais celle de l'assassin, et elle est arrivée presque en même temps que toi sur Sandra. Elle est des nôtres, c'est ça qui compte. »

Tess hoche la tête, les bras toujours croisés. Martin prend une grande inspiration : « Je refuse d'y aller, un point c'est tout. Je ne réciterai pas de texte, je ne raconterai pas de mensonge, je ne me prêterai pas davantage à ces mises en scène. »

Et, contrevenant à la règle de conduite qu'il s'est fixée en ce qui les concerne, il les touche, traversant leurs barrières inutiles d'un éclair bref mais impossible à ignorer : sa décision est sans appel.

La voix d'Alyne s'élève enfin dans le silence, atterrée : « Mais cet homme a réellement essayé de tuer Sandra ! Et il était comme nous !

— Crois-tu que nous n'y pensions pas ? » s'écrie Tess avec férocité, et Martin réalise qu'elle est aussi bouleversée, aussi perdue que les autres.

« Non », dit-il avec lassitude. Il a eu le temps d'examiner sa brève perception de l'assassin. « Juste un talent sauvage. Une très bonne barrière-miroir, c'est tout. L'excitation l'a trahi. Il était seul. Personne derrière. Juste un dingue agissant de sa propre initiative. Un dingue mécontent.

— Talent sauvage ou pas, dit Krasznic, il va falloir contrôler davantage. »

Et les émotions de Tess changent de pente, deviennent elles aussi froides et menaçantes. Martin dévisage les autres tour à tour : pas une voix ne s'élèvera pour protester ? Même Alyne, même Éric hochent la tête, tristes mais résignés.

« On ne peut pas permettre que ça se reproduise », dit Éric, avec une inflexion vaguement interrogative tout de même.

« Pas question ! » réplique aussitôt Tess d'une voix métallique.

Martin se laisse aller contre la fenêtre, la tête vide. Alyne se penche vers lui : « Martin, on ne peut pas faire autrement. Qu'il y ait des mécontents, c'est inévitable, mais on ne peut pas les laisser tout démolir. La situation est encore extrêmement délicate. Nous sommes obligés de voir plus large... »

Sandra Doven, moins sensible qu'elle, esquisse le geste qu'Alyne a su ne pas faire : poser un bras autour des épaules de Martin ; devant son raidissement et son refus, elle s'immobilise mais demande : « Si tu étais médecin, Martin, tu ne soignerais pas les gens malgré eux pour leur bien ? »

Oui, oui, ils ne veulent que le bien de tous, celui des normaux et le leur, c'est toujours leur justification. Voir plus large. Ils ont peut-être raison. Mais il sait qu'il n'a pas tort non plus. Un réflexe de sa part, un conditionnement, somme toute (« Les gens sont comme ils sont, n'y touche pas »), il le sait, mais il ne se sent soudain plus la force d'y résister pour rester avec eux. Même l'affection ambiguë qu'il éprouve pour eux ne suffit plus, tout à coup.

L'interphone tinte, les figeant tous sur place. Krasznic se penche par-dessus l'épaule de Tess pour appuyer sur la touche de communication : « Les journalistes s'impatientent », remarque une voix anonyme.

« Cinq minutes », dit Krasznic, très calme.

Éric se lève et vient s'adosser au mur près de Martin – choisissant son camp. Dans l'espace qui sépare Tess et Krasznic des autres, il n'y a plus que Tobee, soudain consciente de l'existence de camps, de frontières à franchir dans un sens ou dans l'autre. Pour lui éviter d'avoir à choisir tout de suite, sensible à sa panique désolée, Éric dit avec fermeté : « On leur présentera seulement la petite, on leur dira que Martin a été bouleversé par l'attentat, qu'il est sous sédatif. Que, de toute façon, il s'est passé la même chose pour les deux. Ça ira comme ça, Martin ? »

Martin incline la tête sans un mot. Tout d'un coup, il pourrait pleurer.

34

La carriole roule sans trop cahoter, accompagnée du tintement allègre de ses minuscules clochettes. Sur la route qui suit les ondulations paresseuses des collines, les dalles écarlates étincellent au soleil matinal ; il fait beau, malgré la fraîcheur de l'air et la netteté de la lumière, annonciatrices de l'Hiver.

Martin ne se lasse pas du paysage de Nouvelle-Dalécarlie, tellement moins étouffant que celui de la côte Ouest : moutonnement régulier des collines et des plateaux, horizon lointain de vieilles montagnes arrondies par le temps, les chapelets de petits lacs, forêts spacieuses de racalous et d'arbres-rois que les conifères terriens n'ont jamais réussi à remplacer, villages et petites villes paisibles... L'omniprésente pseudo-pyrite s'y combine ici avec du granit bleu, au lieu de la paragathe qui domine à Cristobal. Les bâtiments ressemblent à des toupies ou à des champignons, ce qui parachève le dépaysement. C'est l'architecture commune aux Anciens dans tout le nord du district de Nouvelle-Dalécarlie excepté sur la rive du lac Mandarine, lui a volontiers expliqué son guide ; si Martin avait fait connaissance avec la région pendant l'Hiver, il en aurait mieux compris la fonction : la neige monte à trois ou quatre mètres au-dessus du sol et les entrées du rez-de-chaussée sont condamnées ; on sort par les portes-fenêtres pratiquées dans la circonférence ventrue des édifices, de plain-pied avec ce qui est, pendant presque cinq Mois sous ces latitudes, le sol de neige, tassé et durci. Au Printemps, pendant l'inévitable période d'inondation dans les terres basses, on amarre les barques familiales à des pontons flottants et on laisse descendre le tout avec le niveau de l'eau, jusqu'à ce qu'on puisse enfin rouvrir les portes étanches du bas. Comme presque partout dans le Nord – et ailleurs – les premiers colons n'ont rien trouvé à redire à une architecture aussi bien adaptée aux conditions locales, et ils se sont installés dans les demeures des Anciens.

Mais leurs descendants grognent tout le temps. Et Trevor aussi, le guide de Martin qui est pourtant né pratiquement de l'autre côté du continent, à Pasternak, sur le plateau des Deux-Rivières. L'Hiver est trop long, l'Été trop court, et quant au Printemps, quel Printemps ? Le mot existe à peine dans le langage des habitants de la région ; c'est « la sloche » : la neige fondante, fondue, tout ce qui détrempe, tout ce qui mouille, tout ce qui colle aux pieds avec des bruits mous. La sloche, c'est le dégel : un Mois épouvantable – explique Trevor avec les grimaces appropriées – où l'on ne peut plus se fier à la neige ni à la glace pour vous porter convenablement et où traîneaux, skis et raquettes sont remisés, inutiles. Pendant la sloche, tout le monde grogne deux fois plus fort : parce qu'on ne peut pas sortir, parce que les enfants galopent avec impatience dans les maisons et rendent tout le monde fou, et parce que l'Été s'en vient.

Ils doivent pourtant bien l'aimer, leur Été, a remarqué Martin un peu étonné. Trevor s'est mis à rire : bien sûr qu'ils aiment l'Été, comme ils aiment l'Hiver en réalité – l'alternance des saisons, la garantie de l'ordre du monde. Mais les Mois d'Été, quand enfin le soleil a séché la boue et fait surgir du sol une végétation étonnamment rapide, ce sont près de trois cents jours d'incessante activité : premières semailles, premières moissons, cueillette des fruits, deuxièmes moissons, nouvelles semailles, vendanges, troisièmes moissons, fenaison, labours, semailles... Et il fait trop chaud, et il faut ramer ou godiller sur les canaux au lieu d'y glisser sans effort. Pourtant, la Mer n'est pas là, en Été, on pourrait utiliser des moteurs ? Mais Martin s'est prudemment abstenu de faire cette remarque, tout en étant surpris d'y avoir pensé : c'est le nord de la Nouvelle-Dalécarlie, la place forte des vrais Vieux-Colons. (N'en est-il donc plus un ? Qui est-il, maintenant ? Il préfère ne pas trop approfondir cette question.)

En fait, les gens du Nord aiment grogner, tout simplement ; ils sont ravis de leur Été : travailler au soleil est une bénédiction après le long confinement du froid, comme voir les collines se couvrir d'herbe fraîchement jaune après l'austère noir et blanc de l'Hiver.

L'Été touche maintenant à sa fin. C'est l'Automne, une saison aussi brève que le Printemps, mais bien plus agréable : tout se transforme, les champs et les forêts, la forme des nuages, la couleur du ciel et celle des lacs. Un matin, enfin, le jaune des collines vire, miné de nuances verdâtres, et le lendemain, ou le surlendemain, tout semble bleu, de ce bleu que Martin connaît bien ; mais ce n'est pas comme dans son Sud-Est ici, le moment est très bref où terre et ciel pourraient se confondre. En quelques heures à peine, le bleu de l'herbe devient plus franchement turquoise, et le bleu du ciel pâlit bientôt jusqu'à une teinte encore plus laiteuse où les nuages ne sont que des condensations locales plus foncées.

Et partout, splendeur inconnue dans la savane, les feuilles des arbres-rois virent à l'orange puis au rouge, tapissant bientôt les routes en forêt, toutes différentes, toutes semblables dans leur magnificence naïve. Martin les écoute craquer sous les roues de la carriole, sourit aux averses éclatantes déclenchées par un coup de vent. D'autres cascades de feuilles signalent l'envol de sonnettes déjà parées de leurs plumes d'hiver blanches et grises, ou parfois, avant l'hibernation, les dernières sorties en famille des écureuils volants. Les chevaux trottent allègrement, les clochettes tintent avec un bruit de glace qui se craquelle, évoquant la neige et le prochain silence vibrant de l'Hiver ; Trevor pense des pensées paisibles et, si Martin regardait plus loin, il verrait les présences affairées de la petite ville toute proche où ils vont bientôt passer. Alors le travail reprendra, le dépistage, l'entraînement. Mais il ne regarde pas. Pas tout de suite. Il veut profiter de la forêt.

Son travail dans le Nord n'est pas si différent de ce qu'il faisait à Cristobal, mais il se sent plus détendu ici. Si Trevor n'est qu'un para-télépathe assez moyen, il fait preuve d'une sérénité rafraîchissante : tout ce qu'il veut savoir, c'est qu'il a plus de chances de dénicher de vrais télépathes avec Martin. Il n'en a jamais repéré lui-même et pense que seul le champ restreint de ses capacités l'en empêche. Martin ne l'a pas détrompé : à part Élias et Michaël, il n'en a jamais rencontré, et quelle preuve a-t-il que le vieil homme dissimule les vrais télépathes aux recherches de l'Organisation, qu'il les garde pour son propre réseau ? D'ailleurs faut-il même encore parler d'Élias au présent ? Il a disparu depuis près de six saisons maintenant, quatre si on compte depuis Dalloway. Peut-être est-il vraiment mort, et non retourné à une totale clandestinité.

Non, non. Il se cache, pour une raison ou une autre, c'est tout. Il suffit d'attendre, et il refera surface. Sûrement. Ne pas trop s'en faire. Plutôt profiter du voyage, de ce temps volé au recrutement...

Le Nord n'est pas tout à fait non plus ce que Martin avait espéré, à vrai dire : il ne peut davantage qu'à Cristobal se permettre une véritable franchise dans ses contacts avec ceux qu'il recrute pour l'Organisation, à plus forte raison avec les normaux de Nouvelle-Dalécarlie. Du moins les nombreux incidents qui leur apprennent l'existence parmi eux de gens pourvus de capacités un peu particulières sont-ils plus souvent authentiques et spontanés que ceux manigancés dans l'Ouest. De loin en loin, grâce à une capacité mentale subitement révélée, un enfant ou une jeune fille rougissante sauvent un candidat au suicide, un voyageur perdu, un malade abandonné ; ils se retrouvent ensuite devant les journalistes, touchants dans leur gêne d'être soudain célèbres ; ces enfants, ces adolescents, n'ont rien de menaçant, au contraire : la réaction du public est largement positive, pour l'instant.

Martin sort de sa rêverie, pose une main sur les rênes, mais Trevor a déjà arrêté les petits chevaux.

« Tu as senti ?

— J'ai senti que tu as senti quelque chose. »

Martin cherche l'aura qui l'a surpris : « Deux garçons. Des petits. Là-bas sur la gauche. Ils ne nous ont pas perçus. »

Très étrange. Rien de commun avec l'aura de Trevor ou d'autres para-télépathes. Mais ces enfants ne sont pas non plus de véritables sensitifs. Martin guide les perceptions de son compagnon, qui finit par hocher la tête : « Bizarre, en effet. On va voir ? »

Les deux garçonnets sont si occupés à se bourrer de graines d'arbres-rois qu'ils ne les entendent même pas approcher. Les arbres sont hauts dans cette partie de la forêt : on ne les a jamais coupés ; même les branches qui retombent vers le sol, chargées de gousses, sont largement hors de portée des enfants. Cela ne semble pas les avoir gênés : assis dans une fourche, à dix mètres du sol, ils ont tiré vers eux les branches les plus minces et se gavent de graines croquantes. L'un des garçons baisse enfin les yeux, aperçoit Martin et Trevor, pousse un petit cri étranglé. Son mouvement de surprise lui fait perdre l'équilibre, il tombe.

Mais Martin, comme Trevor, s'arrête en plein élan : la chute de l'enfant s'est ralentie, il se balance, il flotte... et finalement se pose en douceur au pied de l'arbre, les joues écarlates.

« Madre de Dios ! » s'exclame Trevor, dévoilant inopinément une ascendance espagnole sous le coup de la surprise.

L'enfant, un rouquin d'une demi-douzaine de saisons, lève vers eux un regard apeuré ; Martin lui sourit et l'enveloppe d'une caresse rassurante, mais il sent que le garçon ne répond qu'à son sourire. Quoi, même pas des intuitifs ? L'autre garçon est toujours perché dans l'arbre, un petit visage inquiet entre les feuilles écarlates.

« Descends donc ! » lui crie Trevor.

Après une hésitation, le petit se laisse flotter à son tour auprès de son compagnon auquel il ressemble comme un reflet dans un miroir.

« Eh bien, ma foi ! dit Trevor.

— Vous ne le direz pas, m'sieur ? » implore le jumeau de gauche, le premier descendu. Trevor s'assied en tailleur pour être au niveau de l'enfant, ramasse une feuille et se met avec une apparente nonchalance à en découper la chair suivant les nervures. Martin s'assied aussi, lui laissant l'initiative du premier contact. Trevor a une longue expérience en la matière.

« Pourquoi, il ne faut pas le dire ? »

Les jumeaux échangent un regard, dévisagent Trevor avec une curiosité pleine d'espoir : «Oh non ! » soupirent-ils en chœur.

«Papa-Maman n'aiment pas ça ? »

Les jumeaux hésitent : « Ils ne savent pas... », commence l'un, « ... mais ils n'aimeraient sûrement pas ! » complète l'autre avec conviction.

Trevor et Martin échangent une pensée amusée : cette nouvelle mutation-là est au moins pourvue d'un solide instinct de conservation.

◆

L'école de Kittilee est une école nouvelle, installée dans un "temple" des Anciens, sur la place centrale. Elle ressemble à tous les autres édifices de ce type, contrastant ainsi avec l'architecture du reste de la ville ; bien assis sur le trapèze de ses murs massifs, couronné de verdure, ce temple a cependant été bâti sur une levée artificielle afin de ne pas être inondé à chaque sloche. Il s'élève au milieu des maisons-champignons, imposant et austère avec ses parois où alternent pierres bleues et pierres dorées – unique concession des bâtisseurs aux coutumes de la région.

Comme au Musée, Martin sent en entrant qu'une porte invisible se referme sur lui, écartant les voix multiples de la ville. Mais le silence qui règne dans les lieux n'est pas normal. Trevor est bien là, comme la petite femme maigre qui s'avance vers eux en contournant le bassin central et son arbre-à-eau, la directrice. Mais où se trouvent les enfants, les enseignants ? Il semble n'y avoir qu'une seule autre aura... En est-ce une, vraiment ? Un rayonnement obscur, menaçant, Martin n'a jamais rien perçu de tel, une violence indistincte, un grouillement d'images et de pensées avortées, avec de temps à autres un éclair douloureux d'intensité, trop bref pour être déchiffré. Pourtant, ce tourbillon semble en même temps pris dans une pâte visqueuse qui en paralyse la frénésie...

La petite femme s'approche en trottinant ; elle est soulagée de les voir : elle les attendait.

Mais ils n'ont pas annoncé leur venue. Ils ont décidé de visiter cette école où l'on n'avait – jusqu'à preuve du contraire – pas besoin d'eux, pour y arranger l'enrôlement des jumeaux !

« Jeanne Nanteuil », se présente la petite femme, yeux vifs et inquiets, rides souriantes, leur laissant à peine le temps de se présenter à leur tour. « Je ne savais vraiment plus quoi faire ! Elle est sous sédatif, mais j'ai toujours peur qu'elle ne se réveille. »

D'un commun accord, ils la suivent sans poser de questions. Martin est à la fois anxieux et accablé : ils vont sans doute se retrouver confrontés à l'un de ces cas douloureux dont Trevor lui a parlé mais qu'ils n'ont pas encore rencontrés depuis qu'ils travaillent ensemble. Il ne peut se retenir de lancer une onde exploratrice...

Et se retire aussitôt, trop tard. Assommé, aveuglé par une éruption stridente, il se sent tomber, de très loin, comme s'il avait quitté son corps : il est pris dans un ouragan, il carambole dans un espace grouillant de monstruosités invisibles, terrifiantes. Son corps se dilate, sa substance devient diaphane, son esprit se recroqueville comme une feuille calcinée. Dans un dernier sursaut, il rappelle à lui la discipline enseignée par Élias, la variante de l'œuf invisible qu'il n'avait jamais eu l'occasion de mettre vraiment en pratique jusqu'alors. Une barrière hésitante s'esquisse autour de lui, une zone de fraîcheur, de silence... Avec un dernier effort, il étend l'invisible protection à ses deux compagnons.

Pendant un moment d'une durée indéterminable, la tempête involontairement déclenchée continue à rager autour d'eux. Martin ne peut rien faire pour l'apaiser : toute son énergie passe dans le maintien de la barrière qui les en protège. Puis il reprend conscience de son corps douloureux, d'une surface dure sur laquelle il est... couché ? Il ouvre les yeux. Jeanne Nanteuil et Trevor sont affaissés près de lui, très pâles, respirant avec peine. Il va les chercher l'un après l'autre, ranimant leur faible étincelle intérieure. Lorsqu'ils ouvrent les yeux, il se tourne de nouveau, prudemment, vers la source de la tempête. C'est redevenu à peu près paisible là-bas, une bête féroce qui dort, les griffes agitées de tressaillements.

« J'ai dû faire évacuer l'école, vous pensez », murmure la directrice d'une voix enrouée.

Trevor et Martin échangent un regard : une vraie télépathe – complètement folle. Trevor hoche la tête, trop secoué pour parler : *Encore jamais rencontré un cas de ce type. Il va falloir que tu te débrouilles tout seul, mon garçon. Je peux juste servir d'appoint. Protéger Nanteuil aussi, peut-être.*

◆

Tous les lits du dortoir sont vides, sauf un, près duquel se trouve un pied métallique portant un système à soluté. « Elle », a dit Jeanne Nanteuil. À première vue, difficile d'en juger : les cheveux hirsutes fraîchement coupés très courts autour du visage émacié, couvert de bleus et d'égratignures, à peine désarmé par le sommeil... Et quel âge lui donner ? Elle pourrait avoir quinze saisons, ou vingt, ou trente. Martin écarte le drap : les cicatrices du cou se prolongent sur l'épaule droite, et des marques scarifiées de coupures et de brûlures griffent le torse, rosâtres sur la peau très brune. Avec douceur, Martin assied la fille inconsciente pour l'appuyer contre sa poitrine : le dos est zébré de traces rectilignes, des coups de fouet sans doute, apparemment anciens.

Il repose le corps inerte, le recouvre, résistant à son désir de toucher de nouveau l'esprit perdu. Il retourne dans la cour ; la directrice et Trevor sont assis sur le rebord du bassin, encore en train de récupérer. Jeanne Nanteuil agite ses petites mains sèches : « Je la maintiens sous sédatif, je la nourris par perfusion. Physiquement, elle est en meilleur état que lorsqu'il nous l'a amenée, mais....

— Qui ? Qui vous l'a amenée ? »

La petite femme et Trevor regardent Martin avec la même surprise. Il n'y prête pas attention : il regarde l'image d'Élias dans le souvenir de Jeanne Nanteuil. Plus vieux, plus maigre, les traits plus creusés, les cheveux en brosse rase, de la moustache... mais parfaitement reconnaissable.

« Schemmering, dit la directrice. Anton Schemmering. Un normal, mais bien disposé. Il l'a trouvée dans la forêt et il nous l'a amenée. Il m'a dit que vous alliez passer. »

◆

Le mur entoure la fille, lisse, épais et transparent. Impossible d'y toucher : la main dérape, n'arrive pas à trouver d'appui. La fille voudrait peut-être sortir, mais elle ne peut pas. Elle ne peut plus. La clé est perdue, la prolifération anarchique de la paroi a englouti la porte. Parfois, de l'autre côté, le garçon s'approche et longe le mur : des pièges y sont cachés, des trappes vomissent des bêtes aux dents pointues, aux griffes acérées, des flammes dévorantes et pourtant d'un froid mortel. Il faut être prudent, prudent, *prudent*, répète l'écho. Avec prudence, il marche le long du mur. Avec prudence, il essaie de voir au travers, il observe les images qui passent et repassent dans l'épaisseur transparente. Toujours les mêmes : le petit corps blanc tombe dans l'eau remplie de remous, les langes se détachent et flottent paresseusement près de la surface ; la femme nue grimace, dents humides, yeux fiévreux, l'homme s'accroupit sur elle, luisant de sueur, avec le bâton qui sort de son bas-ventre, et la femme crie, de durs éclats coupants dans la nuit, et l'homme est étendu à terre, le sang jaillit par saccades de son ventre, le couteau brille d'une lueur rouge, encore, encore.

Un cri aigu, un long gémissement : la fille est là de l'autre côté de son mur. Elle aussi, elle regarde les images. Alors – avec prudence – le garçon l'appelle. Les images se défont et tremblent, elles perdent leurs couleurs, elles s'effacent. Le garçon regarde la fille, mais il ne sait pas si elle le voit. Quelque part dans sa poitrine il a chaud, il a mal, mais il sait qu'il ne faut pas abandonner. Et, pendant qu'il lutte contre la faiblesse qui l'envahit, la fille se détourne, elle s'éloigne, et d'autres images viennent habiter la transparence infranchissable qui l'entoure et l'accompagne partout où elle va.

◆

La fille est accroupie dans un coin, nue, les cheveux dans les yeux, les mains nouées autour des genoux ; sur le sol, partout, des vêtements en lambeaux, la literie en miette, un océan de plumes. Dans un autre coin, Martin assis par terre se tient la tête entre les mains. Sa joue droite saigne. Il signale avec lassitude qu'il n'a pas besoin d'aide. En soupirant, Trevor revient aux jumeaux. Ils sont en train de faire une partie d'échecs avec lui. Ils ont appris très vite, mais ce qui les amuse le plus, c'est de jouer sans toucher les pièces. Le cavalier du roi blanc saute par-dessus un pion, glisse vers une case stratégique, s'immobilise : « Échec et mat ! » crient les petits en chœur. Trevor fronce le nez, renverse son roi sur l'échiquier. Aussitôt toutes les pièces blanches se mettent à danser en l'air une sarabande de victoire.

◆

Claire donne des coups furieux dans le mur qui n'est plus si transparent, plus si lisse. On peut y toucher, maintenant. Il bouge par endroits, elle le sent. Martin est de l'autre côté, elle voudrait bien le rejoindre, mais le mur ne veut pas s'ouvrir. Il est si ancien. C'est elle qui l'a bâti, elle le sait. Elle l'a bâti, et elle ne peut pas le défaire ? Elle s'immobilise en face de Martin, les lèvres tremblantes. Le mur se charge de nuées de désespoir. Mais de l'autre côté, Martin sourit. Il ne faut pas pleurer. Il faut désirer très fort que le mur s'en aille. Il faut chercher la première pierre, celle sur laquelle repose tout le reste, et alors, quand on l'aura trouvée, le mur s'écroulera.

Claire voudrait que le mur disparaisse. Mais aussi, elle a peur : si le mur l'écrasait en tombant ? Et, surtout, qu'arrivera-t-il quand il ne sera plus là ? Les images prisonnières dans le mur, où iront-elles ? Elles ont des dents, ces images. Libérées du mur, ne la dévoreront-elles pas ?

Mais, dit Martin, les images ne sont pas dans le mur. Elles se trouvent dans la tête de Claire. En réalité, Claire

peut mettre n'importe quelle image dans le mur, de nouvelles images. Martin lui montre comment faire : l'ombre
s'efface, le nuage de désespoir qui a obscurci le mur ; à
la place apparaissent des collines bleues inondées de
soleil, où courent de grandes licornes agiles.

Et pendant que Claire regarde les images qui se suc-
cèdent, le mur tremble imperceptiblement, comme la
surface d'un étang à l'aube.

◆

Les exercices de concentration ont vraiment donné
de bons résultats avec les jumeaux, est en train de penser
Trevor en contemplant le plafond tout près de son nez, et
en louchant un peu. Il espère qu'ils le laisseront retomber
plus doucement que la fois précédente. Il prend conscience de la présence de Martin, essaie machinalement
de se redresser, se cogne la tête : *Besoin d'aide ?*

Non, et toi ?

Trevor émet un gloussement : *Tu peux me redescendre ?*

Martin sourit et va toucher l'aura des jumeaux, qui
sont en train de faire des horreurs dans la cuisine de
l'école, comme d'habitude. Par saccades, Trevor rejoint
le plancher.

◆

Claire est debout devant Martin. Entre eux palpite
une mince pellicule transparente, comme un mirage de
chaleur. Claire contemple Martin, suppliante : elle
voudrait qu'il vienne la rejoindre, elle a trop peur de
sortir malgré tout. Et si l'ombre du mur ne voulait
quand même pas la laisser passer ? Martin secoue la
tête, fait quelques pas en arrière. Il va s'en aller tout
seul si Claire ne veut pas venir. Elle pousse un cri de
désespoir, mais Martin commence à s'éloigner. Alors,
elle ferme les yeux et s'élance à travers le mur. Et le
mur disparaît enfin.

35

Tess sourit sous sa frange grise, et ses yeux ont une expression presque tendre : les oiseaux-parfums déploient autour de Tobee les draperies de leurs messages muets et parfumés tandis que des chachiens en extase se frottent contre ses jambes au risque de la faire tomber. Éric a passé un bras autour de la licorne qui a traversé la prairie pour s'arrêter devant lui. À cette heure matinale, le Parc de la Tête est presque désert, il n'y a pas de curieux pour les observer ; de toute façon, les visites d'animaux indigènes sont assez fréquentes à présent dans le Parc pour ne plus étonner autant.

Ils sont heureux, les humains et les animaux, les humains avec les animaux, et Martin en est heureux pour eux. Il le serait sans doute davantage s'il ne voyait que, malgré leur volonté de l'ignorer, une part de leur plaisir leur vient du fait qu'il en est exclu. « Les vrais télépathes ne sont pas des parleurs-aux-animaux, on dirait », a constaté Tess : les animaux se sont approchés d'eux en ignorant Martin – en ignorant Tess aussi, d'ailleurs, mais ça lui est visiblement égal. Martin ne leur en veut pas : il les comprend trop bien. Et, quelles qu'en soient les composantes exactes, ce bonheur est du bonheur – ils n'en éprouvent pas si souvent. Pour un bref instant, quelque chose de lumineux s'est levé en eux, dissipant la constante pénombre qui les enveloppe ; une fraîcheur nouvelle baigne leurs regards, des images anciennes se lèvent dans leur mémoire, des joies communes dont ils chérissent au moins l'innocence passée à défaut d'avoir pu la faire durer.

Martin s'est d'abord fermé à eux, par habitude, mais une pensée joyeuse et affectueuse de Claire l'a tiré de son isolement volontaire : *Regarde-les, Martin, ils sont tellement mieux eux-mêmes ainsi !* Elle a raison, bien sûr :

Éric, Alyne, Tobee, et Tess – surtout Tess – avant la
trahison du temps et l'accumulation des décisions, des
compromis, des culpabilités. C'est tout ce que veut voir
Claire dans son indulgence ; Martin le voudrait aussi,
mais le regard de la compassion ne l'aveugle plus autant ;
il y a un autre Éric, une autre Alyne, une autre Tobee –
une autre Tess – en qui la source d'eau vive, à force d'être
détournée de la surface, s'enfonce de plus en plus profond,
une nappe sans cesse plus mince qu'un jour peut-être
rien n'irriguera plus, et qui disparaîtra.

La pitié, la lucidité. C'est trop pénible d'être ainsi
écartelé. Martin se ferme de nouveau.

Avec les animaux, ils s'approchent de la Mer revenue, de son voile de brume scintillante qui se perd dans
le ciel, et Martin est presque content de retrouver ce
spectacle, même si le décor luxuriant du Parc n'évoque
en rien la savane familière. Les oiseaux-parfums exul-
tants plongent dans la brume, en ressortent pour foncer
droit sur eux, s'éparpillent et se reforment plus loin pour
revenir et recommencer, une navette de plaisir.

« Voyager sur la Mer avec des oiseaux-parfums », dit
Martin. Il a gardé un ton soigneusement neutre, et Tess
choisit de ne pas y voir une critique.

« Sans eux, on devrait avoir recours à tout un appa-
reillage compliqué, comme pour l'*Entre-deux*, au début
de la colonisation : des ballons de communication au
bout d'un filin, flottant au-dessus de la zone d'influence
de la Mer – et on aurait besoin des Tours de communication, aussi, exactement le contraire de ce que nous voulons
faire. Mais comme la plupart des oiseaux, les oiseaux-
parfums sont capables de voler sur la Mer, ils ne voient
pas le brouillard – et nous pouvons communiquer avec
eux. Ils nous aideront pour les manœuvres d'accostage.
Les Anciens ne procédaient pas du tout ainsi : la brume ne
les dérangeait apparemment pas. Mais c'est une solution
nouvelle, originale, *exotique*. Les médias adorent. Et nous,
ça nous arrange : sans les oiseaux, pas de façon simple
de voyager, et donc sans les parleurs-aux-animaux non
plus... Pour le reste, le bateau lui-même et la propulsion,
toute la technologie est au point depuis longtemps. S'il
n'y avait pas eu l'accident de l'*Entre-deux* et si la politique

ne s'en était pas mêlée, naviguer sur la Mer serait sans
doute devenu une routine pour nous, comme ce l'était
pour les Anciens. Il suffit de rentrer au port deux semaines avant le départ, et d'attendre deux semaines après le
retour pour recommencer à naviguer, en évitant ainsi sa
période d'activité accrue.

— Voyager sur la Mer... » murmure Claire avec un
grand sourire de stupeur émerveillée.

Tess lui passe un bras maternel autour des épaules en
disant « Eh oui ! ». Claire s'est jetée au cou de l'Organisation avec tant d'enthousiasme et de gratitude, elle
accepte tout avec une telle avidité naïve, elle est si
ouverte... Tess en a été touchée, comme les autres. Ou
bien est-ce d'avoir constaté que les facultés de Claire
n'égalent pas celles de Martin ? Il préfère laisser à Tess
le bénéfice du doute.

D'ailleurs, le voyage projeté fait encore partie de la
propagande, et les sentiments de Tess ne l'empêcheront
d'utiliser personne. Au contraire des sensitifs ou des para-
télépathes, les vrais télépathes peuvent communiquer sans
problème avec le rivage depuis la Mer et communiquer
entre eux, on l'a vérifié quelques jours plus tôt, discrètement, avec Martin dans une barque au large et Claire dans
une autre. Ils s'intégreront très bien au projet, même s'ils
n'y avaient pas été prévus au départ. On ne précisera pas
trop au public la nature et l'étendue de leurs facultés, de
toute façon, cette partie de l'expérience est réservée à
l'Organisation ; ils vont simplement servir comme les
autres à illustrer avec éclat, une fois de plus, le rôle
essentiel et bénéfique que peuvent jouer pour Virginia
les "nouveaux", comme on commence de s'habituer à
les appeler dans la population. Plus on considérera les
nouveaux comme utiles au bien commun des Virginiens,
mieux on les acceptera en dépit de leur différence, c'est le
credo de l'Organisation et, pour l'instant, il semble fondé.

Quand on lui répète cet argument pour défendre la
stratégie de l'Organisation, Martin ne peut s'empêcher
de penser aux cicatrices sur le dos de Claire. Et ceux qui
sont comme les jumeaux, comment va-t-on les intégrer ?
« Mais exactement comme les autres ! » a dit Tess avec
désinvolture, même si l'apparition de nouvelles facultés

de ce type parmi les mutants semblait l'avoir d'abord déconcertée : elle n'y voit pas un *progrès*... « Au contraire. L'action sur la matière, c'est bien plus facile à accepter que des capacités purement *mentales*. C'est moins... » Elle a hésité devant le premier terme qui lui venait, "important", et devant le second, "intrusif", pour se rabattre enfin sur : «... invisible. » Martin n'a pas voulu relever la logique curieuse de l'argument.

La logique de l'opération Rendez-vous est cependant difficile à critiquer, elle – c'est le nom qu'on a donné au projet de navigation sur la Mer. Non seulement sa réussite placera une fois de plus des "nouveaux" dans une lumière favorable, mais elle permettra de tourner une page importante dans l'histoire des transports et des communications sur Virginia. Depuis le début de la colonisation, le tabou lié à la navigation sur la Mer a toujours contaminé la circulation sur l'océan lui-même, pratiquement nulle excepté le long de la Digue du Golfe, et encore ; on a toujours refusé d'installer sur les côtes océanes des bases portuaires qui seraient englouties toutes les deux saisons, ainsi que l'infrastructure nécessaire sur terre pour tirer avantage de transports maritimes. Si l'on veut apprivoiser l'océan en l'absence de la Mer, a conclu Tess, il faut commencer par apprivoiser la Mer elle-même. Tess voit loin.

Et c'est ainsi que, partis de Broglie et de Zlazny, à chaque extrémité de la Digue, deux bateaux munis d'un équipage entièrement constitué de "nouveaux" se croiseront bientôt dans le Golfe, échangeront leurs cargaisons et rejoindront chacun le port de départ de l'autre. On peut opérer sans danger sur la Mer, la preuve en sera ainsi faite ; et si l'on n'utilise pas les instruments modernes sophistiqués que sa présence rend inopérants, ma foi, les Anciens ne les utilisaient pas non plus, et ils naviguaient couramment sur la Mer comme sur l'océan.

Et c'étaient des vrais télépathes. Mais cela personne ne le dira. Pas plus qu'on ne le dit jamais lorsqu'on évoque ainsi les Anciens dans la campagne publicitaire de l'Organisation. Il est encore trop tôt pour ce genre de révélation, a décidé Tess tout au début, quand ils l'ont appris, et les autres ont opiné. Plutôt laisser les Immortels raconter leurs idioties, un apprivoisement comme un autre, et compter d'autre part sur les découvertes de Daniel Flaherty et de ses équipes, aidés en secret par les plaques de Michaël.

— Une solution de Virginiens à des problèmes virginiens », murmure plutôt Martin. C'est ce que répète la propagande de l'Organisation. Un slogan sûr de plaire aux Vieux-Colons constituant massivement l'électorat de Sandra Doven, et qui fait appel à la fierté nationale des Gadgés sans trop insister sur le renoncement partiel aux technologies terriennes qu'on leur a imposé.

« C'est ce qu'il nous faut, non ? »

Martin n'avait pas non plus eu d'intention critique en faisant cette remarque, mais Tess a apparemment épuisé sa tolérance à son égard ; elle s'est raidie, il se raidit aussi – c'est le grain de trop dans la balance qu'il a difficilement maintenue en équilibre depuis son retour sur la côte Ouest avec Claire, et surtout depuis le début de la matinée.

« Ça ne convaincra pas les partisans du Mouvement indépendant pour le renouveau. »

Claire pose une main implorante sur le bras de Martin ; Alyne et Tobee, qui discutent devant eux, se retournent, inquiètes. Tess adresse à Martin un grand sourire féroce : « Tant mieux. Tant qu'ils protestent, nous savons où ils sont.

— Et ensuite ?

— Le Mouvement cessera, faute de sympathisants. »

Conscient de la main de Claire sur son bras, de la pression peinée de Claire dans son esprit, Martin fait un effort pour rester calme. « Ces gens-là ne demandent pourtant pas grand-chose. Le retour du *Mercure* à la Terre, la reprise des relations diplomatiques et commerciales... »

Tess hausse les épaules en se détournant, mais elle reste en alerte, sombrement satisfaite de cette amorce de querelle. Martin soupire, partagé entre la lassitude et une irritation qu'il a de moins en moins envie de combattre : « Beaucoup de gens trouvent normal et nécessaire de renouer avec la Terre. Ce n'est plus un risque. Le ComSec a été assez affaibli par la création de la Confédération solaire. Ou ne lisez-vous plus les rapports de vos propres agents ? »

Alyne essaie de s'interposer, comme à son habitude : « Les changements ne sont pas encore assez définitifs ici pour que nous courions ce risque, Martin. Dans une Année ou deux, quand la mentalité gadgé aura reculé davantage et que les transformations de Virginia seront devenues irréversibles, on pourra envisager de renouer. Mais pas maintenant. La présence de la Terre viendrait tout brouiller de nouveau. »

Et le général Von Anspach a menacé de démissionner très publiquement si on rend à la Terre le *Mercure* et les croiseurs, un risque sérieux pour la stabilité du gouvernement, compte tenu de l'influence de sa faction. Mais peut-être Alyne ne pense-t-elle pas en ces termes. Martin hausse les épaules. Deux saisons plus tôt, il aurait eu pitié d'elle, comme d'Éric et de Tobee malheureux d'être pris entre Tess et lui. Mais il a de moins en moins de patience : « Et combien de temps continuerez-vous de dissimuler à la population les propositions de Ho Zhiang pour le ComSec ? Une flotte de croiseurs en échange du *Mercure*, ça me paraît raisonnable, à moi. »

Tess se retourne avec brusquerie, heureuse de pouvoir être légitimement irritée : « Comment le sais-tu ? Tu fais de l'espionnage, maintenant ? Les communications WOGAL sont strictement réglementées ! »

Martin réagit avec d'autant plus de vivacité qu'il refoule un tressaillement coupable : il l'a appris par hasard lors d'un contact non prémédité avec Éric, qui ne s'en est pas rendu compte. « Mais si les élus du peuple recommencent à exiger un accès, pourrez-vous le leur refuser sans qu'ils protestent ? C'est ce que le MIR a l'intention de demander, et vous le savez. Vous ne pourrez pas empêcher bien longtemps la reprise de contacts plus généralisés avec la Terre. Ou bien êtes-vous prêts à utiliser vos facultés pour obliger les gens à vouloir le contraire de ce qu'ils désirent, toujours pour leur bien ? »

Claire lui lâche le bras, ce qui redouble son irritation. Maudits soient Tess et son besoin contagieux de tout définir en termes d'affrontement ! Les trois autres les observent, hésitant à intervenir. Finalement, Éric se racle la gorge. Martin sait ce qu'il lui en coûte de parler – sans en éprouver de gratitude : il est temps qu'ils se décident à prendre parti !

« Il n'a pas tort, Tess. On ne pourra peut-être pas attendre deux Années. Ou alors en mobilisant toute l'Organisation pour la... propagande. Et même là. On ne pourrait pas maintenir la pression tout le temps. »

Tess frappe presque du pied par terre : « Je refuse de discuter ça ici ! Ça ne regarde que l'Organisation.

— Et je n'en fais pas partie ? dit Martin.

— Non ! »

La réplique a jailli avant que Tess puisse la contrôler. Martin la sent prendre conscience de ce qu'elle a dit, s'affaisser un peu sur elle-même, saisie d'un regret douloureux. Ses yeux ont un regard blessé lorsqu'elle les fixe de nouveau sur Martin, mais il est tout à coup au-delà de l'indulgence, dans une zone où la lucidité n'a plus pour contrepartie qu'un silence de gel. « Qui n'est pas avec vous est contre vous », conclut-il, étonné de se sentir si détaché. « On en est arrivé là, alors ? »

Claire pousse un petit gémissement inarticulé et se met à pleurer.

◆

Tôt ce soir-là, après une journée de trêve tacitement décidée pour ménager Claire, et consacrée à discuter des détails du voyage et de sa promotion dans les médias, Martin laisse la jeune fille chez les Sondheim avec qui elle habite désormais à Cristobal, et reprend avec soulagement le chemin du Musée ; c'est encore là qu'il se sent le mieux. Après deux saisons dans le nord de la Nouvelle-Dalécarlie, son climat sec, ses paysages discrètement austères, il a du mal à se réhabituer à l'horizon encombré, à la chaleur tropicale et à la végétation exubérante de Cristobal. Et il se sent épuisé après le heurt de la matinée : il ne lui reste plus grand-chose du capital de bonne volonté et d'affection qu'il avait accumulé envers Tess et les autres. Même plus de colère – de chagrin. Seulement une vaste lassitude. Ses pas ralentissent pourtant à mesure qu'il approche du Musée : la paix que lui procurent les hauts murs et même celle, plus totale, qu'assurent les souterrains, ne sont-elles pas une illusion, une fuite absurde ? Un refuge ! C'est juste qu'il n'a nulle part ailleurs où aller. Personne. Les quelques membres du groupe d'Élias avec lesquels il avait été en contact ont disparu comme lui et, de toute façon, leurs relations avaient été des plus utilitaires. Ceux des groupes qu'il avait entraînés avant l'Indépendance se sont depuis longtemps dispersés sur tout le continent. Il est seul à Cristobal, comme huit saisons plus tôt – plus seul que huit saisons plus tôt.

C'est le congé de mi-semaine, les rues sont bondées ; des couples passent autour de lui, examinent les marchandises offertes dans les devantures, bavardent avec animation, se dirigeant sans doute vers des spectacles suivis de dîners d'amoureux. Beaucoup sont plus jeunes que lui... Il se reprend avec un sursaut : il n'est pas si vieux ! Il a vingt-neuf saisons. Seulement vingt-neuf saisons. Dans le Nord, la déférence évidente bien qu'inconsciente de Trevor et des autres le lui a fait oublier, comme plus tôt la manière dont l'ont bien vite traité Tess et ses compagnons – en égal, même si inconsciemment ils voient en lui, et renâclent à voir, un supérieur. Il a pris ses distances vis-à-vis des uns comme des autres, mais il s'est conformé sans bien s'en rendre compte à l'image qu'ils lui renvoyaient de lui.

Il s'immobilise devant une vitrine, cherche son reflet : pas très grand, un peu trop maigre peut-être, les épaules un peu relevées, les mains enfoncées dans les poches, les mèches noires trop longues sur le front soucieux et, oui, des rides, mais bien moins qu'il ne l'aurait cru... Seulement vingt-neuf saisons. Personne ne le voit ainsi dans le groupe de Tess, pas même Alyne. À plus forte raison Claire, pour qui il est un preux chevalier sans peur et sans reproche. Marianne Flaherty, peut-être, quelquefois ? Mais Marianne a consacré toutes ses capacités maternelles à son mari et à Michaël. Qui pourrait le voir tel qu'il est ? Un véritable égal – Élias, et Élias a disparu. Personne d'autre. Même pas Claire, malgré sa tendresse, sa confiance, sa bonne volonté.

Oh, elle serait prête, il le sent bien chaque fois qu'il la touche. Après deux saisons passées exclusivement avec lui, elle est prête. Et tous les autres s'y attendent, il le sent bien. Lui ? Il n'est pas sûr. Il y a bien des façons d'être vierge ; son corps l'est techniquement toujours, s'il sait sur le sujet bien plus qu'il n'en voudrait savoir. Il n'a jamais pu se résoudre à passer à l'acte avec qui que ce soit. À cause de tout ce qu'il a vu, peut-être, ou encore des circonstances : si même l'une des jeunes para-télépathes qu'il a entraînées lui avait plu, la courtiser lui aurait paru déplacé, voire dangereux compte tenu des circonstances. Mais l'occasion ne s'est jamais présentée : aucune ne l'a jamais touché. La seule qui l'ait touché, et qui l'ait vu, malgré tout, c'est Claire. Et Claire se donnera sans rien retenir, il le sait bien – il connaît déjà tout d'elle. Mais elle de lui ? Non. Même dans les moments d'intense communion qu'ils ont partagés, ils ne partageaient pas tout. Il a enfermé ce qu'il sait d'Élias dans une zone à laquelle nul ne peut avoir accès ; s'ils doivent vivre ensemble, bien sûr, il le lui dira, il saura lui faire comprendre la nécessité du silence. Mais le supportera-t-elle ? Sera-t-elle capable de se taire ?

Malgré lui, alors, la pensée qu'il essayait de refouler : s'il voulait continuer à le lui cacher, elle ne le saurait jamais. *Elle ne pourrait pas.* Une vraie télépathe, Claire, mais moins puissante que lui. Il veut croire qu'il peut l'accepter. Mais elle ? Pendant combien de temps ? Jamais, jamais il n'aura des enfants qui ne connaîtront pas leur père !

D'où est-ce que ça vient, ça ? Il se met à rire – un rire ironique, qui ne le soulage pas vraiment. *Pauvre Martin qui n'a jamais connu son papa ! Après tout ce temps, voilà que ça te rattrape ?* Mais ce n'est pas une fatalité, n'est-ce pas ? Les histoires anciennes ne sont pas obligées de se répéter. Et la crainte n'a jamais été un argument. Il doit à Claire comme à lui-même d'en trouver d'autres, et s'il n'en trouve pas, de faire le pari de la confiance. Ils ne pourront jamais être ensemble, sinon.

Une petite voix cynique ajoute : ce n'est pas non plus comme si les vrais télépathes pullulaient, comme si j'avais le choix. Il la force à se taire, honteux, et reprend le chemin du Musée.

Au Musée, dans sa chambre souterraine, Élias l'attend, bien entendu.

◆

Il ne pensera pas « bien entendu » à ce moment-là, seulement beaucoup plus tard. Sur le coup, il reste muet, la tête vide, simplement sensible d'une façon toute physique à cette présence physique : Élias plus vieux, plus maigre, plus voûté, les cheveux blancs coupés ras, la barbe carrée qui s'est ajoutée aux moustaches d'Anton Schemmering et, seuls à n'avoir pas changé, les yeux gris pâle profondément enfoncés dans les orbites et pourtant toujours si clairs qu'on y cherche le regard comme dans des yeux d'aveugle. Puis il sent l'invitation, s'ouvre à son tour avec joie, avec gratitude. Stupéfait de sentir comme ils entrent aisément en contact, sans les précautions, les réticences, les craintes qui lui rendent toujours si pénible l'accès à Tess et à ses compagnons. C'est comme rentrer au chaud après une marche épuisante dans une tempête de neige, comme étirer des membres engourdis par un trop long séjour dans une armure.

Le vieil homme penche la tête de côté, un geste familier même après tout ce temps, et Martin en a la gorge curieusement serrée ; les yeux pâles l'observent un peu de biais, emplis d'une tristesse et d'une compréhension infinies : *On vieillit vite dans ce métier, eh ?*

Ils reprennent chacun leur distance, dans un mouvement simultané de pudeur. Les jambes soudain un peu molles, Martin se cherche une chaise, s'assied en face du lit sur lequel s'est installé le vieil homme. Après un moment, incapable de choisir parmi les questions qu'il voudrait poser toutes en même temps, il revient à sa première réaction : « Je vous croyais mort. »

Élias a son petit sourire en biais : « Pas encore. Mais il valait mieux pour toi que je disparaisse complètement. Je ne voulais pas rendre ton travail avec l'Organisation plus difficile. »

Pas trop de division dans ses allégeances. Martin hoche la tête. Il en sait assez maintenant pour comprendre, mais il a quand même envie de protester. Élias se penche vers lui avec une expression un peu anxieuse : « Crois-moi, Martin, ç'aurait été beaucoup plus dur pour toi si j'étais resté là.

— Vous étiez quand même là », ne peut s'empêcher de remarquer Martin. « Quand vous êtes intervenu à Dalloway, vous étiez encore à Cristobal ? »

Le vieil homme incline la tête, comme soulagé : « Non, à Morgorod. C'est plus près. Le reste du temps, oui, j'étais à Cristobal. De temps en temps, il fallait bien, quand même, je vérifiais où vous en étiez, toi et l'Organisation. C'est trop important. Je ne restais pas longtemps, juste un petit contact... »

Il a presque l'air implorant. Et, oui, Tess se serait sûrement fait tuer à Dalloway s'il n'était pas intervenu. Mais Morgorod, c'est plus de deux mille kilomètres de Dalloway. Il ne lui avait jamais dit qu'il pouvait... Et puis, des "petits contacts" indétectés... Martin se rembrunit : c'est ce que l'Organisation essaie à grande échelle avec la population de Virginia, et il n'est pas d'accord avec l'Organisation. Que ce soient Tess et les siens ou Élias, il ne devrait pas y avoir deux poids deux mesures, non ?

« Te rappelles-tu l'histoire de Tayguèn ? » demande soudain le vieil homme et, pris complètement au dépourvu, Martin oublie les questions qui s'ébauchaient en lui.

« Tayguèn ? La grande prêtresse ? » Une brève ironie au rappel de la mise en scène de sa rencontre avec Tess et les autres – vite assombrie par le souvenir de ce qu'elle lui a révélé, trop souvent confirmé depuis. « Les envahisseurs ont tout démoli sur leur passage, et puis la Mer est revenue... Je n'ai jamais vraiment su la fin, c'est vrai. »

Élias s'est levé pour faire quelques pas au hasard, l'air pensif. Il boite de la jambe droite, remarque Martin, un peu alarmé.

« La Mer est revenue », dit-il pour tirer le vieil homme de la rêverie où il s'est visiblement enfoncé, « engloutissant ceux des envahisseurs qui s'étaient installés dans les régions côtières en dessous de mille mètres, et rendant leurs armes inoffensives presque partout ailleurs. Bon, c'est ce qui nous a donné l'idée de choisir le moment du retour pour déclencher l'insurrection officielle, afin de limiter les dégâts éventuels... Et alors ? »

Le vieil homme s'est arrêté, appuyé d'une main sur le petit bureau, fixant la housse un peu poussiéreuse qui recouvre l'écran du terminal. Au bout d'un moment, il soupire, revient s'asseoir avec difficulté sur le lit en face de Martin, se remet à parler sans le regarder : « Les envahisseurs se fabriquèrent d'autres armes contre lesquelles la Mer ne pouvait rien parce qu'il fallait seulement des mains pour les manier. Ils se vengèrent sur la population d'une catastrophe qu'ils ne comprenaient pas mais lui imputaient sans doute. Tayguèn était alors la grande prêtresse, et les souffrances de son peuple la touchaient durement. Une nuit, elle eut une vision : elle rêva qu'une de ses ancêtres lui parlait ; elle avait été grande prêtresse elle aussi et avait rejoint la Mer depuis bien des siècles. Elle expliqua à Tayguèn que ses mères, et les mères de ses mères, étaient fort affligées de ce qui se passait et désiraient secourir le peuple de Tyranaël avec l'aide de la Mer. Mais le plus puissant télépathe de la planète devait accepter pour cela de subir un sort pire que la mort. »

Silence. Toujours perplexe, Martin complète : « Et c'était Tayguèn la télépathe la plus puissante, puisque c'était la grande prêtresse... »

Élias hoche la tête : « Tayguèn n'hésita pas un instant : elle était prête à se sacrifier pour son peuple ou elle n'aurait pas été digne d'en être la grande prêtresse. L'âme des ancêtres toucha alors la sienne, et elle la dirigea en une seule vague mortelle sur les envahisseurs qui périrent jusqu'au dernier, foudroyés sur place. Leurs vaisseaux désamarrés allèrent plonger dans le soleil. Comme, à leur mort, ils se dissolvaient sans laisser de trace, on ne sut jamais à quoi ils ressemblaient sans leur armure, et on les nomma simplement « Ceux-des-étoiles-noires » parce qu'ils étaient venus d'une région du ciel où les étoiles mortes sont nombreuses. »

Le vieil homme se tait, et Martin n'a toujours aucune idée de ce qu'il devrait comprendre ; un soudain agacement le saisit : si Élias a quelque chose à dire, pourquoi ne pas le dire de façon explicite ?

« Claire est encore fragile », remarque le vieil homme, comme si cette phrase, et non ce qui la précédait, constituait la conclusion de son récit.

Martin le dévisage, déconcerté, tout en considérant presque malgré lui les données offertes. Il n'a pas consulté la plaque lui-même, mais Élias a toujours semblé persuadé qu'elle évoquait des faits réels. Peu probable : les Anciens ont imaginé l'existence d'autres races dans l'espace, voilà tout. Et l'âme des ancêtres, les aïeules salvatrices, les envahisseurs qui se dissolvent sans laisser de traces, ça ressemble bien à de la fiction.

L'âme des ancêtres "avec l'aide de la Mer"... Qu'est-ce que la Mer vient faire là-dedans, au juste ? Et Élias qui reparaît au moment d'un voyage sur la Mer avec Claire et les autres...

« Le voyage ? Vous ne voulez pas que nous fassions ce voyage ? »

Le vieil homme hoche la tête avec une évidente satisfaction : « Au moins ni Claire ni toi. La Mer agit peut-être... comme un amplificateur. Je ne sais pas quel effet elle pourrait avoir sur vous. Si on déchiffre correctement l'histoire de Tayguèn...

— Une histoire inventée !

— Tayguèn a existé. Tu devrais aller toucher la plaque d'adixe qui se trouve au fond de la petite grotte, dans le bandeau de la Tête. Il est clair que le sculpteur n'a pas sculpté une figure légendaire mais une figure historique.

— Et elle parle de Ceux-des-étoiles-noires, la plaque ? » Martin n'a pu empêcher sa voix de prendre un accent ironique.

— Non, mais du sacrifice de Tayguèn, qui a sauvé son peuple. »

Martin fronce les sourcils. Il y a dans la voix du vieux une intonation à la fois obstinée et fébrile qu'il ne lui a jamais entendue mais qu'il a remarquée ailleurs, chaque fois que quelqu'un se bloque dans des positions irrationnelles. C'est d'une incroyable absurdité : Élias est là, il a des millions de questions à lui poser, et le vieux lui parle de Tayguèn ? !

« Admettons », dit-il pourtant, en se rendant compte avec stupeur qu'il essaie *d'amadouer* le vieil homme. « Qu'aurait donc fait la Mer, si on déchiffre correctement l'histoire de Tayguèn ?

— Tayguèn a sans doute concentré sur la Mer l'énergie mentale des télépathes de Tyranaël, et la Mer l'a renvoyée à travers Tayguèn, amplifiée. »

Martin examine l'idée un moment, encore sous le coup de ce qui vient de lui traverser l'esprit : Élias est-il en train de devenir sénile ? « Une gigantesque barrière-miroir ? Tess et les autres n'ont jamais rien senti de particulier sur la Mer, dit-il avec prudence. Claire et moi non plus.

— Vous n'êtes pas restés très longtemps ! Et les autres ne sont pas de vrais télépathes. »

Martin essaie d'envisager l'autre hypothèse. Aucune plaque ne concerne la Mer de façon directe jusqu'à présent, dans tout ce qu'a consulté Michaël. Mais Élias aussi déchiffre des plaques. Le vieil homme n'est pas sénile, il sait quelque chose. Et il l'a dissimulé à tout le monde, selon sa bonne habitude.

« Avez-vous des preuves ? » demande-t-il enfin, soudain agacé, et comme s'il parlait à un enfant. Un éclair de colère traverse le vieux, mais Martin insiste : « Comment faisaient les Anciens ? Ils naviguaient couramment sur la Mer.

— Qui te dit qu'ils y envoyaient leurs télépathes ? » réplique le vieil homme avec irritation. « Ou que leurs télépathes étaient comme les nôtres ? »

Il se détourne brusquement, mais quelque chose est passé en lui, non plus de la colère mais comme s'il en avait trop dit ; Martin se rappelle malgré lui le soupçon qu'il a si souvent écarté pendant son séjour en Nouvelle-Dalécarlie : « Les nôtres ? Qu'est-ce qu'ils ont de particulier, les nôtres ? Et qui y a-t-il, à part vous, Michaël, Claire et moi ? »

De nouveau la colère, puis le vieux semble se tasser un peu sur lui-même : « Martin, pourquoi vous préviendrais-je d'un danger inexistant ? Je ne suis pas votre ennemi. »

Très brève, très claire, l'image des deux chaînes se dessine soudain en Martin. Mais ce n'est pas ce rappel qui le fait réagir, se raidir : le vieux est passé au travers de sa frontière mentale comme si elle n'avait même pas existé.

Et il n'a pas répondu à la question. Martin le dévisage un moment en silence, atterré de se sentir si méfiant : « Si vous possédez des informations que nous n'avons pas, pourquoi ne pas les partager avec nous ? »

Le visage du vieil homme prend une expression angoissée. « Mais je n'en ai pas, Martin, je te l'assure. Juste des inquiétudes très sérieuses. Ne peux-tu me faire confiance là-dessus ? »

Et Martin comprend très bien ce qu'il essaie de dire : ils sont semblables, s'ils ne peuvent avoir confiance l'un en l'autre, en qui ? Mais après tout ce temps, il n'en est plus si sûr. Tess et les autres l'ont usé. Il a peut-être seulement vingt-neuf saisons, mais il n'est plus le petit Martin débarquant de son Sud-Est à Cristobal. Il a quand même honte des objections qui lui montent aux lèvres, il en est peiné, il ne sait comment les formuler : il reste silencieux. Juste un peu trop longtemps. Le vieil homme se lève en prenant appui sur le lit. « Je vous aurai prévenus, dit-il d'un ton abrupt. Sois très prudent. Et qu'au moins Claire ne parte pas. »

Il sort en claquant la porte. Martin reste assis, les bras croisés, incertain, malheureux, exaspéré. Quand il se sentira assez calme pour chercher l'aura du vieil homme dans les souterrains, il ne la trouvera pas, ni dans la ville quand il sortira du Musée.

36

Depuis un moment, la brume a changé. Depuis le départ, elle était pourtant restée immuable, dense, parcourue de son scintillement presque subliminal. Le voyage en était même curieusement immobile : rien ne défile le long des bastingages, la Mer est seulement un éclat bleu immuable, visible jusqu'à quelques encablures du bateau… Aucune résistance perceptible dans cette matière énigmatique sur laquelle ils naviguent ; pas de sillage, sinon un obscurcissement fugitif dans le bleu, derrière les turbines ;

malgré le battement sourd des machines, on a l'impression de faire du sur-place. Mais les heures tournent au cadran de l'horloge de bord, les moteurs fonctionnent, les hélices brassent la Mer à l'arrière, propulsant le bateau ; les oiseaux-parfums partent de temps en temps comme un éclair multicolore dans la brume, reviennent en adoptant la configuration qui signifie "Rien à signaler", et le voyage continue. C'est, malgré tout, un voyage.

Accoudée près de Martin sous l'auvent qui les protège du soleil invisible mais néanmoins présent, Tess contemple le dôme brumeux qui délimite la zone de visibilité. Elle n'y a pas perçu de changement, mais accepte le commentaire de Martin sans le relever par autre chose qu'un « C'est possible » remarquablement neutre. Aux journalistes qui l'ont interrogée avant le départ, elle a répondu qu'elle prend des vacances. À Martin et aux autres, elle a expliqué sa présence à bord par la nécessité de convaincre le public de la parfaite sécurité de l'entreprise : si la présidente y envoie sa première secrétaire, c'est qu'elle a confiance, n'est-ce pas ? Mais la boutade adressée aux journalistes semble plus vraie à Martin : Tess s'est mise en vacances – en vacances d'elle-même.

Elle passe une main dans sa tignasse grise : « Un jour, nous nous installerons sur les îles du Golfe et sur ce qui reste du continent Ouest quand la Mer est là. »

Elle a déjà repris le monologue auquel elle était en train de se livrer lorsque Martin l'a interrompue. Elle est revenue plusieurs fois sur le sujet depuis le début du voyage, moins pour défendre le projet aux yeux de Martin que parce que ce futur lui plaît, et qu'elle aime à l'imaginer. Les grandes îles surnageant des anciens continents de l'Est et de l'Ouest, et dont la Mer a jusque-là bloqué l'accès, sont des terres modérément fertiles, mais on y établira des colonies de nouveaux – avoués ou non. La Mer protégera ces colonies pendant au moins la moitié de l'Année, puisque sans nouveaux il restera problématique d'y naviguer. Le reste du temps, une fois qu'on aura commencé à naviguer sur l'océan... Les projections de Tess deviennent alors plus floues, comme si pour une fois elle ne voulait pas vraiment envisager des conflits potentiels. Elle préfère dériver sur les réactions positives de la foule qui a assisté à leur départ de Broglie comme au départ du bateau de Zlazny. Pourtant, sous l'approbation ou l'intérêt de surface, Martin a pu sentir chez beaucoup le recul habituel devant tout ce qui touche à la Mer. Voyons jusqu'où ira la bonne volonté de Tess. Il fait la remarque à voix haute, en se sentant un peu pervers.

Il a la surprise de voir Tess se tourner vers lui avec un sourire et conclure sur un ton qui semble lui concéder ce point : « Des Années de conditionnement négatif ne s'effacent pas en quelques saisons, Martin. »

Il résiste à l'envie de prolonger l'argument. L'effet de ce que l'Organisation appelle « déconditionnement » (le terme également employé par Élias, mais Martin a plus que jamais peine à y voir autre chose qu'un conditionnement égal et inverse) est moins persistant qu'ils ne le désireraient, comme si la propagande secrètement apaisante n'avait pas affaire à un réflexe culturel de crainte, mais à une méfiance instinctive, issue d'une expérience personnelle de chacun avec la Mer, toujours renouvelée. Les effets physiques de la Mer s'étendent à toutes les zones de la planète situées en dessous de deux mille mètres ; si elle a aussi un effet sur le système nerveux humain, elle touche peut-être beaucoup de monde sur Virginia... Mais c'est supposer que la Mer a bel et bien un tel effet – qu'Élias a dit la vérité. Martin ne l'a pas cru, pas en tout cas au point d'en parler à Tess et aux autres, mais l'hypothèse continue néanmoins à le préoccuper. Si le vieil homme n'avait pas de motifs plus importants qu'une légende ancienne pour vouloir les empêcher, Claire et lui, de participer à l'opération Rendezvous, pourquoi s'est-il donné la peine de reparaître pour le prévenir ? Crainte non fondée de vieillard en train de devenir sénile ? Obscure jalousie, peut-être, de le voir revenu même pour peu de temps dans le giron de l'Organisation ?

Le fait est que la brume a changé. Difficile de dire exactement en quoi – un scintillement plus prononcé, peut-être ? Cette brume est censée être une illusion d'optique : les photographies prises d'avion ou depuis l'espace ne la montrent pas ; elles ne montrent pas non plus les portes secrètes menant dans les souterrains, ce qui est normal si les murs et les mosaïques qui les dissimulent sont des hologrammes, comme le prétendait Élias (maintenus même en présence de la Mer?). Mais pour la Mer, il ne peut être question d'hologramme, n'est-ce pas?

Et si la brume est une illusion, pourquoi change-t-elle?

«Parce que tu changes?»

Avec un petit sursaut intérieur, Martin se rend compte que Tess l'observe avec curiosité. Sans doute a-t-il pensé tout haut sans s'en rendre compte.

«Tu ne vois toujours rien?» lui demande-t-il.

Tess considère un moment la brume, sans réagir à ce qu'elle considérerait d'habitude comme un rappel agaçant des facultés supérieures de Martin: «Non.»

Il hésite, se permet un contact très bref avec elle, fronce les sourcils: «Tu as mal à la tête.» Il vérifie rapidement la condition de Tobee, de Chan et des deux machinistes dans la soute. Ils sont eux aussi en proie à une légère migraine.

«Le stress», remarque Tess inconsciente de la rapide incursion de Martin auprès des quatre autres. «Normal, non?»

La transformation de la brume se fait de plus en plus nette au cours de l'heure suivante. Elle ondoie, elle tremble, elle vibre; sa lointaine ressemblance avec une véritable brume a disparu: ses mouvements évoquent une lourde fumée tordue par le vent, mais le scintillement devenu plus intense interdit cette autre analogie qui aurait pu être rassurante. De toute façon, il n'y a pas de vent. Les oiseaux-parfums tournent autour des caisses où l'on a transplanté leurs fleurs-à-cœurs. Ils sont parfaitement sereins, comme l'indiquent les formes colorées qui passent dans l'essaim. À bord du *Rendez-vous I*, Claire voit également bouger la brume; elle se sent très bien, et ses compagnons aussi, malgré un vague mal de tête.

Deux heures plus tard, Martin perçoit un changement chez ses compagnons: le mal de tête a été remplacé par une légère sensation d'ivresse.

«Je vais très bien», insiste Tess, mais sans l'agressivité immédiate qu'elle manifeste toutes les fois où elle a le sentiment qu'on empiète sur son domaine privé. « Je ne me suis même jamais sentie aussi bien depuis long-temps. »

Tobee est du même avis ; dans la soute, Céline sifflote en surveillant la chaudière et, dans la cambuse, Robert prépare à manger en chantonnant. Tout le monde est bien, Tess est bien. Détendue, presque amicale. Inhabituel chez elle – mais il n'y a pas de quoi s'inquiéter, sûrement ?

Juste après la méridienne, dans ce que l'horloge indique comme l'après-midi malgré la luminescence toujours égale de la brume, les oiseaux-parfums indiquent l'approche de l'autre bateau – le contact entre Martin et Claire est resté de la même intensité, malgré la diminu-tion de la distance : « On ne pourra pas utiliser les télé-pathes pour ça », a conclu Tess, philosophe et pour une fois sans sous-entendu. Les manœuvres d'accostage se font sans encombre ainsi que l'échange des cargaisons. Tout le monde est très gai.

« C'est tout de même curieux que ni Claire ni moi ne soyons affectés », ne peut s'empêcher de remarquer Martin.

« Affectés ! » s'exclame Tess en souriant, « Ce n'est pas une maladie, que je sache !

— Touchés, si tu préfères...

— Mais vous l'êtes : vous voyez la brume bouger ! Et nous... nous sommes bien. On ne va pas s'en plaindre, eh ? »

S'il s'agit d'une influence neurophysiologique de la Mer, Claire devrait la ressentir, et lui aussi. N'auraient-ils pas même dû la subir en premier ? Étant des vrais télépathes, ils sont plus susceptibles. Ou bien trop puis-sants – trop bien défendus ? " Défendus "... Pourquoi envisager ce qui se passe en termes d'"attaque" ? Il est le seul, en tout cas. Claire est calme. Tess a sans doute rai-son : il ne va pas se plaindre de ce que leurs compagnons se sentent de bonne humeur.

Chaque bateau repart, celui de Martin vers Broglie, celui de Claire vers Zlazny. Tess et Tobee engagent une partie d'échecs à l'ombre de l'auvent. Martin en suit dis-traitement l'évolution tout en surveillant les mouvements de la brume : c'est comme le déroulement de grandes

draperies qui ondulent avec une lenteur presque calculée, comme si quelqu'un, derrière...

Il se raidit, se force à se détendre. Des couleurs glissent à présent dans le chatoiement moiré de la brume.
Mais ce n'est sûrement pas plus menaçant que le reste ?
Un bref contact avec Claire, à bord de l'autre bateau, lui
confirme qu'elle perçoit la même chose que lui.

C'est beau.

Elle a raison, c'est beau, ces irisations d'arc-en-ciel.
Et pourtant, comme en contemplant les irisations de
l'essence dans l'eau du canal de Cristobal, il y a déjà si
longtemps, Martin éprouve un vague malaise, le sentiment
d'une irruption potentiellement dangereuse malgré sa
beauté.

Claire, regarde-moi, comment suis-je ?

Tendu. De qui te défends-tu ? Il n'y a personne.

Elle ne comprend pas, mais elle voit bien ce qu'il
ressent, une présence vague, quelque chose, quelqu'un.

« C'est vrai qu'elle bouge, cette brume ! » dit soudain
Tess. Au bout d'un moment, les autres acquiescent.
Aucun d'entre eux ne voit les couleurs, cependant, sur
l'autre bateau non plus.

« On dirait qu'il y a des phases d'accoutumance, remarque Tobee. Nous passons des paliers que les vrais
télépathes doivent sauter s'en même s'en apercevoir.

— Nous verrons les couleurs avant d'arriver à Bird,
j'espère, conclut Tess avec bonhomie, ça a l'air joli. Joue,
c'est ton tour. »

Martin observe la sarabande hypnotique des couleurs
dans les replis de la brume ; il ne peut s'empêcher de
chercher ce qui l'oppresse dans l'espace sans dimensions, mais il ne touche que Claire ou ses compagnons.

« Comment Max, qui jouait si mal, a-t-il pu t'apprendre
à jouer si bien ? » dit soudain Tess.

Martin se retourne pour l'observer, étonné : jamais
elle n'évoque ses premiers compagnons assassinés par la
BET. Elle a enfoui ce souvenir plus profondément encore
que celui des morts de l'Indépendance. Mais Tobee ne
semble pas surprise : « Max m'a montré les mouvements
des pièces, mais c'est avec Marc que j'ai vraiment appris. »

Elle enchaîne sur une anecdote qui s'est déroulée quelque part dans le Sud-Est, alors qu'ils se trouvaient tous ensemble dans un endroit appelé Vichenska, il y a longtemps, bien avant même d'avoir créé le groupe ; et Tess se rappelle, ajoute des détails ; elles évoquent d'autres incidents, elles rient ensemble.

Les draperies de la brume continuent à se dérouler, glissent les unes sur les autres, les unes dans les autres, une fusion au ralenti qui télescope sans arrêt formes et couleurs. Ce n'est plus de la fumée : les replis semblent plus denses à présent, comme sculptés dans une matière de moins en moins mobile.

L'humeur de Tess et de Tobee semble changer aussi : la tonalité de leurs souvenirs est plus mélancolique. Elles se frottent parfois le front ou les tempes, d'un geste machinal.

« Toujours mal à la tête ? »

Elles sursautent, échangent un regard perplexe, se tournent vers Martin avec la même ébauche de haussement d'épaules : « Pas vraiment, commence Tess, c'est plutôt...

— ... comme un air de musique obsédant », complète Tobee.

Les miens voient les couleurs, maintenant, dit Claire depuis l'autre bateau.

Le voyage n'est plus immobile. La brume multicolore a acquis l'apparente solidité d'un paysage à travers lequel le bateau se déplace de façon perceptible. Les couleurs ne changent plus que lentement, avec difficulté, comme prises dans une épaisse gelée. Des formes s'ébauchent, que l'œil ne peut s'empêcher d'interpréter : ici une enfilade de colonnes, là une amorce d'horizon montagneux, plus loin une perspective architecturale baroque où passent des ébauches de bêtes immenses, dos, gueules, queues serpentines... On doit combattre le réflexe de les contourner pour les éviter, mais le bateau traverse sans les dissiper ces masses immatérielles. De temps à autre, à la requête de Tobee, les oiseaux-parfums vont s'enfoncer dans les régions éloignées de cet univers incertain, en ressortent bientôt pour effectuer un passage au-dessus du pont. "Pas de danger", c'est le message immuable de leurs dessins et de leurs couleurs.

Pas de danger pour eux, mais pour les humains ? Martin se sent accablé d'une angoisse pénible dont il n'arrive toujours pas à déceler la source. Les autres ont les sourcils constamment froncés à présent sur une migraine qui leur martèle les tempes. Tess refuse pourtant obstinément de s'inquiéter et de pousser les machines : la démonstration doit être accomplie exactement comme prévu ; les futurs bateaux iront plus vite, d'accord, on restera moins longtemps sur la Mer ; s'il le faut, on se contentera d'effectuer du cabotage le long des côtes à distance moyenne, ce sera déjà économiquement très rentable ; on pourra même attendre un peu pour les colonies de nouveaux dans les îles, ce n'est pas plus grave que cela.

Personne ne semble étonné de ces déclarations conciliantes, ce qui surprend Martin bien davantage – l'inquiète : les défenses de Tess se sont défaites, elle est ouverte comme il ne l'a jamais vue, fragile, vulnérable ; les images douloureuses du passé s'amoncellent en elle, prêtes à déborder. Mais personne ne semble en avoir conscience – pas même Tess.

Tobee s'est endormie sur son siège. Elle s'agite. Elle rêve. Elle se réveille avec un sursaut juste au moment où Martin allait lui secouer l'épaule. Mais tout ce qu'elle peut lui confirmer, c'est que le rêve n'était pas agréable. Pas vraiment désagréable non plus, d'ailleurs. Seulement... déconcertant, comme un cauchemar qui ne se décide pas à tourner en cauchemar.

Claire, quelqu'un rêve, chez toi ?

Pat. Pat a fait un cauchemar : l'impression d'être lentement dissous dans une chose immense.

Tobee fronce les sourcils : « C'est ça. Je me rappelle, maintenant. C'est ça qui m'a réveillée. Mais ce n'est pas si déplaisant... »

Cette fois, d'un commun accord, ils poussent les machines après avoir prévenu ceux qui les attendent à Broglie et à Zlazny. Ils ne sont plus très éloignés de leur destination ; s'il arrive quoi que ce soit, on viendra les chercher avec des caboteurs ordinaires hâtivement amenés des canaux à la Mer. Un peu rassuré, Martin va se coucher. Il tombe de sommeil.

◆

Son rêve s'efface, aussitôt oublié. Un cri. Un cri l'a réveillé. Il trébuche en escaladant l'escalier, bondit sur le pont.

La brume a disparu. Autour du bateau, il n'y a plus qu'une noirceur totale, épouvantable. Tess a reculé jusqu'à la paroi de la cabine de pilotage, la bouche ouverte sur un hurlement silencieux. Tess ne voit pas la noirceur. Elle voit un jeune homme brun à la poitrine éclatée, un homme roux et maigre à la tête ensanglantée. Tobee est accroché au bastingage, rigide, les yeux fixes, répétant comme une litanie : « Marc... Max... Marc... Max... » Elle aussi voit les deux hommes.

À elle aussi ils sourient.

Martin cesse de regarder avec elles et il ne voit rien, rien que la noirceur. Et puis il entend. Un bruit d'abord imperceptible, comme un souffle, mais qui monte, qui se déploie comme un ouragan. Des voix. Des milliers, des millions de voix. Et soudain le noir se couvre de lumières qui sont des regards, de millions de regards, partout. Qui le regardent fixement.

Martin ferme les yeux, il se bouche les oreilles, mais c'est dans sa tête que crient les voix, que les yeux sont ouverts...

Martin !

Claire, une flamme vacillante prête à s'éteindre. Il se tend vers elle de toutes ses forces, le bruit s'amenuise, les yeux s'éloignent un peu...

Martin, j'ai peur. Martin, ils sont par terre, et ils crient !

Pat, Albert, et le petit mécanicien noir, Akébé. Martin rouvre les yeux : Tess et Tobee et Chan sont étendus sur le pont, et ils crient aussi, ils se débattent, non, leur esprit crie et se débat pour échapper à ce qui l'écrase. Martin se porte instinctivement vers eux, mais Claire hurle : *Ne me laisse pas !*

Il faut les aider, il faut...

Ne me laisse pas !

Le bruit revient, un bruit qui n'est même plus un bruit mais une pression qui vient de partout, dedans, dehors.

Martin sent le lien qui l'unit à Claire se distendre, devenir horriblement ténu, il ne doit pas se briser, il ne faut pas...

MARTIN !

Une autre présence, comme battue par une bourrasque ; il faut un moment à Martin pour la reconnaître : Élias. Il ne pose pas de question, il suit la direction offerte, qui ne va nulle part dans l'espace mais qui est le salut.

(C'est une nuit étoilée...)

Les yeux se ferment.

(C'est une nuit étoilée. Des insectes vibrent dans l'herbe...)

Les voix reculent.

C'est une nuit étoilée. Des insectes vibrent dans l'herbe. Dans les ruines anciennes d'où il peut apercevoir à l'horizon les épaules neigeuses du mont Babel, Martin s'essuie le front et recommence à creuser. Le manche de la pelle est lisse dans sa paume. Bientôt, le coffre est complètement découvert. Martin époussette la serrure maculée de terre, fait sauter le fermoir terni. Le coffre s'ouvre dans un bâillement d'huître. Martin bâille aussi. Il a sommeil. Le coffre est tapissé de coussins bleus. Martin entre dans le coffre, s'y couche avec un soupir d'aise et referme le couvercle.

Il rêve qu'il vole. Au-dessus des plaines, au-dessus des montagnes, loin, loin. La planète est un grand animal lancé dans l'espace et qui ronronne doucement contre sa peau. Les étoiles lui font signe. Une étoile surtout, plus brillante que les autres. Et lui, figure de proue de la planète, il va vers elle.

MARTIN !

Il ouvre les yeux. Planches de bois sous sa joue. Chaleur sur son dos. Il tourne la tête et le reste de son corps suit, l'épaule, le torse, le bassin, les jambes ; il est couché sur le dos, maintenant. Un ciel à la fois brumeux et scintillant s'arrondit au-dessus de lui. Et, entre le ciel et lui, une bulle de cristal transparent.

MARTIN !

Il s'assied sur le pont. Le pont du bateau. Le pont du bateau qui est sur la Mer.

Tout lui revient d'un seul coup, une avalanche douloureuse qui le plie en deux. Claire ! Il la cherche, la trouve à peine : des bribes de sensations très vagues, les contours pâlis d'un esprit profondément enfoui dans... Elle est dans le coma !

Elle dort.

C'est Élias, cette aura ? Mince, fragile, menacée... Elle est là pourtant, arrondie autour de Martin, étirée entre Martin et le ciel scintillant de la brume. Il regarde autour de lui : trois corps sont étendus sur le pont ; deux autres sont à demi écroulés dans l'escalier qui monte de la cale. Tess, Tobee, Chan, Robert, Céline. Martin se relève, va d'un pas chancelant se pencher sur Tess. Comme Tobee, comme les autres, elle a les yeux grands ouverts. Martin cherche leurs auras : rien.

Tu ne peux pas. Je t'ai enfermé. Sécurité.

Ils ne sont pas morts ?

Non. En train de devenir fous.

Martin se tend davantage vers ses compagnons, sent la barrière mince mais étonnamment résistante qui l'en sépare. Il faut faire quelque chose, on ne peut pas les laisser ainsi !

Peux rien de plus... Déjà du mal pour toi.... Mets-les dans la Mer.

Martin n'est pas sûr d'avoir bien compris, l'aura du vieux part en lambeaux comme de la fumée déchiquetée par le vent. Puis elle revient, plus nette, plus insistante.

Dans la Mer, mets-les dans la Mer, elle les soignera.

Martin ne comprend pas.

FAIS-LE !

L'ordre emplit toute la bulle de cristal, se répercute de tous côtés sur Martin en éclats impérieux, il n'y a plus de place pour protester, même plus de place pour comprendre, juste pour faire. Martin se penche sur Tess, la prend dans ses bras, la soulève, Tess qui ne pèse rien, une statue de plume. La porter jusqu'au bastingage, la faire basculer. Un bref éclair bleu, puis plus rien. Martin reste là, vide de pensée, vide de volonté, attendant l'ordre qui le remettra en mouvement. Les vêtements de Tess flottent le long du bateau. Il n'y a plus de Tess.

L'ordre se répète, impossible à refuser, et Martin va chercher Tobee, et Chan, Robert, Céline. Quand il a fini, il s'immobilise, les bras ballants. Il attend. Il attend que le vieux lui parle de nouveau. Mais quand la présence se manifeste, elle est encore plus faible. Elle dit à Martin qu'on vient le chercher depuis la côte. Elle lui ordonne de descendre arrêter les machines. Il obéit. Les moteurs ralentissent, s'arrêtent. Il remonte sur le pont quand la voix le lui ordonne. La bulle de cristal qui le sépare du ciel est de plus en plus impalpable, un instant il perçoit presque quelque chose, autre chose... Mais il ne faut pas regarder de ce côté, dit la voix, et Martin obéit. Il y a un bruit dans le lointain, qui se rapproche. Un nuage coloré se soulève : les oiseaux-parfums qui volent à la rencontre des arrivants. Un choc sourd contre la coque, des voix inquiètes, des mains amies, une sensation de piqûre au bras gauche.

Et une dernière fois la voix du vieux, une voix désespérée, presque morte : *Adieu, Martin*.

La bulle de cristal n'est plus qu'une bulle de savon. Elle crève. Et l'autre présence est là, la clameur qui se refermerait comme une gueule sur Martin si le somnifère n'interposait son édredon gris et doux, et Martin s'y enfonce, loin, profond, dans un mélange de désespoir et de gratitude.

37

Il passe une longue semaine dans un silence mental complet. Les Sondheim l'ont emmené dans l'école d'une petite ville aux environs de Cristobal. Il n'y a personne d'autre dans l'école, qui a été fermée pour la circonstance. Il ne cherche pas leur contact, ils n'essayent pas de le toucher. Quand il est capable de se lever, il ne le fait pas tout de suite ; il se contente de rester plusieurs jours encore au lit à dormir ou à regarder le plafond, à écouter la pluie d'Été qui tombe parfois, brève et torrentielle ; ou juste à être, les yeux fermés, attentif aux seules perceptions limitées que lui transmettent ses mains sur le drap, sa nuque contre l'oreiller, son dos sur le matelas, l'odeur des fleurs posées sur sa table de nuit, et le silence, le silence. Quand il se lève, il va d'abord s'asseoir près de la fenêtre qui donne sur la cour intérieure de l'école et son grand arbre-à-eau. Quand il sort de sa chambre, il fait seulement le tour de l'étage sous la galerie à colonnades, s'arrêtant de longs moments pour contempler l'eau du bassin en contrebas, le jeu de la lumière et du vent sur la surface grise ou bleue.

Il se sent assez fort enfin pour se tourner vers ceux qui lui tiennent compagnie. Une vague de soulagement répond à sa première tentative de contact et au bout de quelques minutes Alyne et Éric entrent dans la chambre, un peu essoufflés. L'impulsion d'Alyne est de l'embrasser mais elle se retient, lui effleure seulement le bras en disant son nom avec un sourire un peu tremblant. Il doit se reprendre à deux fois pour dire « Claire ? » d'une voix que le long silence a rouillée.

Il perçoit le petit recul intérieur d'Alyne, l'assombrissement d'Éric. « Elle est à Cristobal, dit Alyne. Michaël s'occupe d'elle.

— Mais comment va-t-elle ?

— À vrai dire, nous n'en savons trop rien, finit par admettre Éric. Il l'a emmenée dans les souterrains du Musée. Nous ne pouvons pas y aller sans lui. Seuls les vrais télépathes... »

Martin renonce à les presser davantage ; il se sent trop faible pour les obliger à lui dire ce qu'ils préfèrent de toute évidence lui voir apprendre par lui-même. Claire est vivante, c'est l'essentiel.

Il part le lendemain. Pendant le bref voyage, sans véritable intérêt mais avec une fugitive impression de déjà-vu, il sent l'atmosphère collective empreinte à la fois de crainte et d'excitation. Les journaux font état de la reprise imminente des relations avec la Confédération solaire et, d'une façon plus allusive, à de graves dissensions au sein du gouvernement virginien. On spécule à mots couverts sur la mise en sommeil soudaine et inexpliquée des projets de navigation sur la Mer ; des bruits de démissions courent, de remaniements ministériels, d'élections anticipées. Le *Virginia News*, le principal journal anglam qui a jusque-là tenu en sourdine ses opinions pro-terriennes, parle de " la première sérieuse crise de confiance depuis l'Indépendance ".

Martin referme les journaux sans aller plus loin que la première page. Il ne se sent plus concerné, un détachement qui est une liberté ou un vide, il ne sait trop, mais cela n'a pas d'importance. Ce n'est rien, la fatigue. L'important à présent, c'est Claire. Elle est tout ce qui lui reste, maintenant. Il va retrouver Claire, il va l'emmener loin de tout cela, retourner chez lui dans le Sud-Est, rebâtir autour d'elle, avec elle, sa vie interrompue, et oublier. Sûrement, il pourra oublier ? Claire l'aidera. Ensemble, ils oublieront.

Au Musée, Marianne Flaherty vient à sa rencontre avec une joie sincère qui ne dissimule cependant pas son inquiétude. Elle le conduit dans un couloir désert, s'arrête d'un air hésitant non loin d'une porte au-delà de laquelle brille la familière luminescence bleue, et qu'elle ne voit pas : « Michaël est en bas, il t'attend. »

Elle pose une main sur son bras au moment où il va s'engager dans l'escalier : « Martin, n'essaie pas de toucher Claire. Attends. »

Il incline la tête, un peu surpris par l'urgence de sa voix, puis il passe la porte. Plus de bruit. Seulement l'aura de Michaël.

Martin, n'essaie pas de la toucher !

Il s'arrête à mi-chemin dans l'escalier, étonné de voir Michaël monter les marches à sa rencontre.

Je n'allais pas la toucher, Marianne m'a prévenu.

Michaël se détend un peu, mais son visage garde une expression anxieuse. « Tu vas tout à fait bien, maintenant ? » demande-t-il à haute voix, sa façon à lui d'être poli. Martin hoche la tête. Il y a un petit silence gêné. Ils ne se connaissent pratiquement pas. Michaël a près de dix saisons de plus que lui et ne quitte presque jamais le Musée. Quand il n'est pas dans les souterrains à déchiffrer et à transcrire des plaques des Anciens, il fait de la musique ; il est timide et renfermé ; les quelques rares fois où ils se sont rencontrés, ils ne se sont pas vraiment touchés – ils sont tous deux de vrais télépathes, bien que de puissance très inégale, mais Élias avait déconseillé à Martin de le faire. Tout cela est insuffisant pour expliquer le présent embarras de Michaël, mais Martin se refuse à le pousser.

« Comment va Claire ? » demande-t-il plutôt.

La gêne de Michaël devient plus palpable : il abandonne la parole articulée. *De mieux en mieux. Viens. Mais rappelle-toi : n'essaie pas de la toucher.*

Au bout de cet escalier-là, il n'y a pas de couloirs souterrains mais tout de suite une grande salle emplie d'étagères où s'entassent les fines plaques métalliques. D'autres salles s'ouvrent sur la première, mais Michaël les traverse toutes sans ralentir. Ils arrivent enfin devant une porte que Michaël pousse avec précaution, un doigt sur les lèvres.

La pièce est assez grande ; elle a été divisée en quatre par des cloisons mobiles ; une section constitue évidemment la cuisine, une autre la salle de bain. Dans la troisième se trouvent une table et des chaises, beaucoup de coussins par terre, des jouets d'enfants. Deux lits placés côte à côte constituent tout l'ameublement de la dernière section, avec une petite armoire. Dans celui de droite, aux bords relevés comme ceux d'un berceau, Claire dort. Elle suce son pouce.

La stupeur de Martin lui fait oublier le double avertissement reçu : *Claire ?*

Michaël s'efforce avec maladresse de neutraliser l'élan réflexe qui l'a pousser à toucher la jeune fille, mais c'est trop tard. Le visage de Claire se chiffonne, elle ouvre brusquement de grands yeux terrifiés et se met à crier, des hurlements inarticulés, suraigus. Michaël se précipite pour la prendre dans ses bras, la berce en murmurant des paroles apaisantes. D'une main, il attrape dans le lit un petit chat en peluche orange qu'il agite devant elle. Elle sourit à travers ses larmes, tend les mains vers le jouet en hoquetant encore par intermittences. Il le lui donne, et elle le serre contre elle en émettant des sons roucoulants.

Martin détache ses doigts l'un après l'autre du rebord du lit, recule d'un pas, réalise qu'il a chancelé : le bras de Michaël lui encercle la taille. Ils passent dans la section voisine et Martin se laisse asseoir sur une chaise, la tête vide, les oreilles pleines des petits bruits satisfaits qui émanent de Claire.

Je croyais que tu savais. Élias ne t'a rien dit ?

Martin répète sans comprendre : « Élias ? »

Elle est retombée en enfance, tu vois. Elle a toujours le pouvoir, mais il faut la réhabituer tout doucement. Même moi j'entre très rarement en contact direct avec elle. Elle ne connaît que moi. Tu lui as fait peur.

Dans l'espace entre les deux sections, Martin peut voir Claire. Elle agite avec enthousiasme la bestiole en peluche ; un peu de salive lui coule sur le menton.

Michaël se racle la gorge. « Il m'a dit que tu venais », murmure-t-il d'une voix hésitante. « Maintenant que tu es rétabli, elle pourra guérir plus vite. »

Pauvre Michaël, il est presque transparent, inutile même de le regarder. Après l'accident, il s'est tout entier consacré à la réhabilitation de Claire, mais il est maintenant résigné à la céder de nouveau à plus fort que lui. Martin se passe une main sur la figure ; le contact de sa peau mal rasée lui semble étrange. Il secoue la tête : « Non.

— Mais tu es bien plus doué que moi, tu sais comment...

— Tu t'en tires très bien. »

Dans son agitation, Michaël reperd la parole : *Mais elle a tout oublié, il va falloir tout lui réapprendre, son passé... C'est toi qui connais tout ça !*

« À quoi bon ? Elle n'a pas besoin de se rappeler... la Mer. Et pour le reste, elle avait appris à vivre avec ses souvenirs, mais elle ne les aimait pas. Elle s'en fera d'autres avec toi. »

La précaire barrière de Michaël vole en éclats ; un instant il est nu devant Martin : cette immense solitude, et cet espoir qui grandit : *Mais pourquoi ? Elle est à toi.*

« Personne n'appartient à personne, Michaël. »

Ils restent un moment silencieux à écouter les légers craquements du lit où Claire joue avec son chat en peluche.

Il me l'a dit... que tu me la laisserais.

Martin fronce les sourcils : « Il ? »

Élias, l'autre jour.

Cette fois, Martin entend vraiment ce qu'a dit Michaël.

Élias ! Quand ?

Il voit une expression de surprise et de douleur brouiller le visage de Michaël, se maîtrise, répète à haute voix : « Quand ? »

Avant-hier. Il m'a dit que tu venais.

◆

Martin a planté sa tente sous les arbres-rois ; c'est un coin où ne passe jamais personne, dans les collines au nord, de l'autre côté du détroit de Cristobal. Il passe ses journées à l'ombre, quelquefois il lit, il se baigne dans les petits étangs, il pêche ; une fois, il est même monté sur la colline d'où l'on peut voir la Mer, il a regardé la brume, longtemps, au moins une minute. Il n'y est pas retourné. Ce n'est pas la raison de sa présence.

Son ombre s'allonge en tournant autour de lui : le soir tombe encore une fois. Il se lève et revient à son campement tandis que la petite lune dorée monte à l'orient. Il n'allume pas le feu tout de suite ; il regarde la lumière intérieure du ciel céder à la nuit, et clignoter les premières étoiles, bientôt pâlies par le lever de la deuxième petite lune. Alors seulement il allume son feu et fait rôtir ses poissons.

Il n'a pas compté les jours. Il est en train de boire son café, comme tous les soirs, quand le vieil homme apparaît dans le cercle éclairé par la gazole. Sans rien dire, il lui tend une tasse pleine. Élias la prend, s'assied souplement en tailleur.

J'étais dans le Sud, je n'ai pas pu venir plus tôt.

Martin le regarde, un long moment. Le visage du vieil homme se crispe un peu ; il répète à haute voix : « J'étais dans le Sud, je n'ai pas pu venir plus tôt. »

Il a encore changé. Pas à cause de la nouvelle coupe de cheveux, qui épouse étroitement la forme allongée de son crâne, ni du visage rasé de près ou des archaïques lunettes cerclées de métal : il n'est plus fatigué, il semble plus énergique que jamais. Un rapide coup d'œil machinal : une barrière est en place, sans faille, un écran lisse et brillant. Mais Martin s'en moque : il n'a pas l'intention de la traverser. Les yeux au loin, il boit son café à petites gorgées. Quand il a terminé, il se penche et secoue la tasse au-dessus des braises encore rougeoyantes ; les gouttes de liquide s'évaporent en sifflant.

« Tu voulais me voir, dit enfin le vieil homme.

— Pourquoi ne m'avez-vous pas dit la vérité sur la Mer ? »

Élias sort une petite pipe noire qu'il se met à bourrer avec soin. Martin est vaguement surpris, il ne l'a jamais vu fumer. Mais ce n'est pas important. Il répète : « Pourquoi ?

— Je te l'ai dit : je n'étais pas sûr. Je croyais que ça suffirait. Je croyais que tu avais encore assez confiance en moi pour m'écouter. Je me suis trompé. »

La voix est triste mais calme : une constatation. Martin attend d'être sûr de sa propre voix pour dire : « Tess et les autres sont morts. »

Élias allume sa pipe avec un tison, sans le regarder : « Pas morts. Dans la Mer.

— C'est la même chose ! » Martin n'a pu empêcher sa voix de monter, cette fois.

Le vieil homme tire une bouffée, une autre, lentement. « Les Anciens avaient une croyance. » Une bouffée. « Ils pensaient que s'ils laissaient la Mer absorber leurs corps... » Une bouffée. « ... ils assuraient la paix de leur âme. Une éternité de paix.

— Des imbécillités d'Immortels !

— C'est ce que disent les plaques.

— Et vous les croyez.

— Oui. »

Martin fourrage dans le feu ; il se demande tout à coup ce qu'il fait là, ce qu'il a bien pu attendre de cette rencontre. Qu'est-ce qui lui a pris ? Ils n'ont rien à se dire.

« Qu'allez-vous faire, à présent ? » demande-t-il quand même, par acquit de conscience, sans véritable curiosité.

« Continuer à renforcer mon groupe et attendre que la crise éclate », répond le vieil homme du même ton égal.

Malgré lui, Martin hausse les épaules : « La crise n'est pas inévitable.

— Le MIR veut renouer avec la Terre. »

Martin attend ; il en a fini avec les petits jeux d'Élias Navanad, ou d'Anton Schemmering, ou quelle que soit sa présente identité : il n'essaiera pas de deviner où il veut en venir. Le vieil homme reprend : « Beaucoup parmi les membres les plus jeunes de l'Organisation se sont ralliés au MIR, le savais-tu ? »

Martin se permet un bref étonnement : pourquoi des membres de l'Organisation s'opposeraient-ils à la politique d'isolation décidée par les instances dirigeantes ?

« Tu n'as guère eu de contacts avec les membres ordinaires de l'Organisation, Martin. Tess et les autres étaient atypiques. Parmi les plus jeunes, beaucoup ne voient pas pourquoi les nouveaux devraient à tout prix acheter la bienveillance des normaux en se rendant utiles. Et parmi les plus âgés, certains préfèrent que les normaux ne sachent rien de leur existence, au moins tant que le rapport numérique ne joue pas en leur faveur. »

Silence. Bouffées de fumée, lentes, dans la lumière un peu vacillante de la gazole. Le vieil homme soupire : « Une fois la Terre revenue, il sera très facile de démontrer à l'Organisation que, pour le bien de tous les nouveaux, il faut renverser la vapeur et tenir leur existence secrète.

— Après tout ce qui a déjà été publicisé ?

— Une vague d'anomalies sans lendemain. Il leur sera très facile de la faire oublier. Mais ils ne sont pas assez forts pour une telle politique.

— Pas assez nombreux », ne peut s'empêcher de rectifier Martin, agacé de se laisser intéresser malgré lui à ce que dit le vieil homme.

« Pas assez forts. Posséder leurs facultés, et celles qui sont en train de se développer, sans que personne le sache, ce sera une terrible tentation. Ça l'a toujours été, mais jusqu'à présent Tess et les autres avaient des scrupules. Les nouvelles générations élevées dans l'Organisation ne se sentiront bientôt plus aucune obligation envers les normaux. Il leur sera très facile de gouverner Virginia en secret. Et comment le feront-ils, à ton avis ? »

Martin regarde fixement les braises du feu. Ne pas répondre. Ne pas se laisser entraîner encore une fois. Le silence s'allonge, habité par les seuls bruits de la nuit.

« Comment va Claire ? »

Martin se raidit, assez surpris de voir Élias aborder le sujet pour laisser échapper la réponse automatique : « Bien. » Irrité, les lèvres inutilement serrées, il tisonne le feu, qui consent une courte flamme, une gerbe d'étincelles, puis s'étouffe de nouveau.

Le vieil homme tire sur sa pipe, constate qu'elle est éteinte, en tape le fourneau à terre à plusieurs reprises sans regarder Martin : « Je ne pouvais pas vous protéger tous les deux. Je n'avais plus assez... d'énergie. »

Sa voix a faibli sur le dernier mot ; Martin lui jette un coup d'œil en biais, concède : « Je vous croyais vraiment mort. »

— Je l'étais », dit Élias avec un drôle de sourire fixe.

Martin se mord les lèvres pour ne pas poser de question.

Au bout d'un moment, le vieil homme reprend – et ce n'est pas une explication : « J'étais très... fatigué. La Mer m'a achevé. Je devais choisir entre Claire et toi. »

Et il relève la tête, regardant fixement Martin, comme s'il savait exactement ce qu'il va dire, ne peut pas ne pas dire : « Mais vous avez choisi comment ? »

Le vieil homme détourne les yeux, murmure : « Comment. »

Et cette fois peu importe si Martin joue son jeu, donne la réponse, si son calme s'est envolé, si la colère et le chagrin résonnent bien clairs dans sa voix : « Moi, je pouvais encore vous servir ! »

Élias hoche la tête, répète : « Je me suis trompé. J'aurais dû le savoir. » Sa voix est empreinte d'une ironie désolée, dirigée contre lui-même. Après une petite pause, il reprend : « Tu retournes dans le Sud-Est. »

Martin peut bien lui répondre, maintenant, ça n'a plus d'importance non plus : « Demain matin.

— Et les autres, que leur as-tu dit ?

— Que je partais.

— Et ils te laissent faire ? »

Martin sait exactement ce qu'il veut dire. « Je les ai convaincus », dit-il d'un ton sec. Il ne veut pas se rappeler la tonalité de ses échanges avec Krasznic et les autres à ce moment-là, leur méfiance, la coloration menaçante de l'aura de Krasznic, la façon aussi dont ils ont tous reculé avec crainte quand il leur a dit : « Et comment pensez-vous m'empêcher de partir ? »

Le vieil homme hoche tristement la tête. « Ils ne te trouveront pas, de toute façon », murmure-t-il. De nouveau, longuement, le silence. Élias contemple les braises.

« La Mer... » dit enfin le vieil homme. « Quelle puissance terrible ! » Sa voix a un timbre différent, plus rauque. « Dieu veuille qu'ils ne songent jamais à l'utiliser comme Tayguèn. »

Martin l'observe un moment ; le vieux semble parfaitement sérieux. Peut-être bien qu'il est sénile, au fond. « Tayguèn est morte », dit-il avec une soudaine compassion lasse.

Le vieil homme a son drôle de sourire fixe : « Non. L'histoire raconte qu'elle a subi "un sort pire que la mort". »

Martin finit par jouer le jeu de nouveau – quelle importance ? « Lequel ?

— La solitude », dit le vieil homme, tout bas. « Une éternité de solitude. Son esprit s'est détaché de son corps, condamné à errer dans le silence jusqu'à la fin des temps. »

Martin regarde les braises presque mortes. Il a sommeil. Une petite bête crie quelque part au fond des bois, terreur, douleur. Le vieux se lève.

« Merci pour le café, Martin. »

Il attend encore un peu, dans le silence. Puis il se détourne, et son ombre se fond avec la nuit, sous les arbres.

ÉPILOGUE

Les règles officielles, en quelque sorte exotériques, du jeu ancien de la Perfection sont assez simples : on y joue avec une grande carte des trois continents – devenue une simple carte du continent principal et des îles après l'arrivée de la Mer. Le jeu comprend un dé à six chiffres et à six couleurs, deux jeux de cartes dont l'un représente les vingt-huit métiers reconnus et l'autre un certain nombre d'endroits sur la carte, des villes, des villages, mais parfois des bois, des collines, des étangs – pourquoi ceux-là et pas d'autres, Simon l'ignore ; il y a aussi des pions minuscules aux couleurs du dé et des figurines représentant chaque métier. Le nombre des joueurs peut varier, mais ils doivent toujours être au moins deux. On se voit attribuer au début par les cartes un point de départ et un métier, par le dé un chiffre et la couleur correspondante. La couleur confère au joueur une des facultés des Anciens : le jaune pour les *danvérani*, les télépathes, le vert pour les *tzinao*, "ceux-qui-volent", le noir pour les *keyrsani*, "ceux-qui-portent", un roux fauve pour les *aïlmâdzi*, les "Rêveurs", des espèces de visionnaires, et le rouge pour les *kvaazim*, sans doute une variante des *keyrsani*, une variété qui n'existe pas parmi les humains, ou pas encore – tant mieux sans doute, car le mot signifie "destructeur".

Mais il y a deux autres catégories de joueurs dont Simon ne voit encore guère pour l'instant à quoi elles correspondent : les *hékel*, en bleu, et les *krilliadni* en blanc.

"maîtres" et "chasseurs" – ou "maître" et "chasseur", le mot est de toute façon invariable. C'est du moins le sens qu'il a reçu des plaques à l'époque où il n'avait pas encore appris leurs langages, des percepts/concepts dont la pente sémiotique générale l'a fait pencher pour ces traductions, même si, il s'en est ensuite rendu compte, elles sont loin de couvrir adéquatement toutes les connotations des termes anciens. Ce sont les joueurs les plus importants, semble-t-il : au début du jeu, même s'il n'y a que deux joueurs, on tire les couleurs au dé jusqu'à ce qu'il y ait un "maître" et un "chasseur".

Le but du jeu est apparemment assez simple : il s'agit de finir le premier, d'avoir déposé tous ses pions sur la carte après avoir exercé les vingt-huit métiers. On est alors "parfait". Décrit ainsi, le jeu de la Perfection semble un croisement un peu compliqué entre le jeu de l'Oie et celui des Sept Familles, mais une tradition non écrite extrêmement complexe vient régir le déroulement du jeu. Pour autant que Simon ait pu en juger à ce qu'il a transcrit jusqu'à présent des plaques, il existe quantité de règles *ésotériques* – parfois il peut les inférer du contexte, parfois pas du tout. Les joueurs anciens se livraient à des discussions interminables pour évaluer – et permettre – tel ou tel choix, et l'intérêt principal du jeu, voire son but, résidait dans ces évaluations. Certaines parties duraient des Années ! Le choix des itinéraires compte, comme la façon dont on enchaîne les métiers successifs ; il existe des itinéraires conseillés – il n'a pas la moindre idée de ce qui rend un itinéraire préférable à un autre ; il y a des séquences de métiers à rechercher – il ignore ce qui les rend désirables ou admirables.

Les rôles respectifs du *hékel* et du *krilliadni* sont particulièrement difficiles à comprendre. Le "chasseur" ne chasse apparemment rien, et il ne possède aucune faculté particulière ; il semble bénéficier d'un avantage, cependant : si au cours du jeu un joueur tire au dé le chiffre du "chasseur", celui-ci peut lui demander de prendre sa place – et donc son métier – libre quant à lui de choisir le métier qu'il désire et d'avancer ses pions pendant trois tours tandis que l'autre joueur voit sa propre progression complètement bouleversée. Le "maître", au contraire, ne semble maître de rien du tout ; il est pourtant pourvu de toutes les facultés des autres, mais il ne les utilise jamais pour lui-même ; il paraît en fait au service de tous les autres joueurs ; Simon a même l'impression que le jeu tout entier est organisé pour faire perdre le *hékel*.

Curieux concept : l'un des joueurs sait au départ qu'il va certainement perdre – dès qu'il a tiré le bleu – mais il joue quand même.

Simon est confiant de trouver ailleurs d'autres éléments d'information pour résoudre ces énigmes – même si la recherche est assez aléatoire : les bordures des plaques, qu'il avait espérées être des titres ou des repères en quelque sorte bibliographiques, sont en réalité seulement le nom de leur auteur, ou du moins de la personne qui les a enregistrées – "imprégnées", devrait-il peut-être dire, même s'il n'a toujours pas découvert comment l'on procédait. Et si les auteurs sont classés par ordre alphabétique, il n'y a aucune suite dans les sujets qu'ils abordent.

Tant à apprendre – à essayer de comprendre. Et si peu de temps pour s'y consacrer. Dans cette vie encore, sa troisième, l'étude et la méditation devront sûrement céder le pas à des préoccupations plus profanes mais plus urgentes. Depuis deux Mois, ses incursions secrètes dans les souterrains sont des instants volés, d'autant plus précieux. Il devra sûrement retourner encore dans le Nord, le Sud ou l'Est. Repartir, revêtir l'un de ses nombreux masques et aller secourir ici, conseiller là, mentir et tricher et manipuler ailleurs... C'est son jeu à lui, sans doute – le jeu de sa vie, le jeu de son imperfection.

De ses vies. Qu'est-ce qui lui a redonné, par deux fois, à chaque fin de partie un nouveau tour ? Il l'ignore toujours. Les plaques lui offriront peut-être un jour d'autres données lui permettant d'échafauder d'autres hypothèses, mais pour l'instant ce n'est pas le cas. Alors, "partie", "jeu", il préfère penser en ces termes. Au moins, dans un jeu, on peut entretenir l'espoir d'être un joueur, alors que dans une expérience incompréhensible on n'a guère d'autre rôle que celui de cobaye. En songeant au jeu de la Perfection, cependant, il ne peut s'empêcher de penser que l'un des joueur n'y a pas une grande marge de manœuvre.

Qui est-il, dans ce jeu qui se joue peut-être? Le "chasseur" qui change de métier presque comme bon lui semble et se sert des autres à loisir quand le hasard le lui permet? Mais dans le jeu des Anciens le "chasseur" reste toujours fondamentalement le "chasseur", son identité est fixe et immuable, si ses métiers sont, comme pour les autres joueurs, transitoires. Et lui, il ne se sent parfois même plus capable d'écrire "je" dans son journal à éclipses. Son image dans le regard et l'esprit des autres lui paraît toujours plus vraie que ses identités d'emprunt, à présent – même si c'est une image difficile à accepter, comme celle qu'il a vue dans le regard de Martin.

J'ai mal joué, Martin. J'ai perdu. Pas Claire, qui ne retrouvera jamais complètement ses facultés, mais elle n'était pas ce que je recherchais de toute façon. Pas Michaël non plus, qui a toujours été trop blessé lui aussi, mais qui seul se tire de tout cela mieux pourvu qu'au départ. Je t'ai perdu, toi, Martin, avec qui j'ai cru un moment que ma solitude prendrait fin, même si tu n'étais pas non plus un égal, même si je suis toujours le seul de ma sorte – pour combien de temps encore?

Mais que pouvait-il faire d'autre? Ils étaient tous là, pris dans la Mer, ils avaient besoin de lui, il a fait ce qu'il pouvait, il a fait de son mieux, sauvé ce qui pouvait l'être. Triage. Et non, il n'a pas menti à Martin, il était en train de mourir, il croyait être en train de mourir, encore, ses dernières forces il les leur a données.

Il ne pouvait pas le lui expliquer, bien sûr. C'est ce qu'il se dit. Il ne veut pas penser que même s'il avait pu expliquer rien n'aurait changé, Martin l'aurait malgré tout jugé et condamné de la même façon.

"Jugé et condamné". Quel vocabulaire. Et les émotions qui vont de pair. Assez caractéristique de sa... "Résurrection" vous a décidément un air par trop solennel. "Réjuvénation", oui, c'est le terme le plus approprié. Bien juvéniles, en effet, ces chagrins et ces angoisses. Le désir furieux de se faire pardonner, les ruminations obsessives sur l'injuste traitement que vous a fait subir l'être aimé. Qu'est-ce qui lui a pris, aussi, de se fixer ainsi sur ce gamin? Un arrière-arrière-arrière-petit-neveu. La belle affaire. Les liens du sang ne veulent plus rien dire, dans ces conditions. *Mais je n'étais plus le seul,* écrit-il, *j'étais le* premier. *Un autre de ma lignée avait ces facultés, même s'il n'était pas aussi puissant que moi. La culpabilité se diluait un peu, n'est-ce pas, Martin ?*

Voilà, il se met lui-même en jugement. La phase suivante sera d'essayer de se justifier à ses propres yeux. Autant en faire l'économie. Plutôt passer tout de suite à l'ironie : ses hypothétiques partenaires inconnus à ce jeu, qui l'auraient par deux fois ranimé en fin de partie (et combien d'autres fois à venir ? Non, ne pas y penser, ne rien craindre, ne rien espérer), ont-ils pensé, ces joueurs, à l'incroyable *ennui* qu'ils lui infligent ? Retrouver au début de chaque vie le même cycle d'émotions et de comportements, redevenir un jeune homme dans la peau d'un vieillard... Il a relu ses journaux au hasard : toutes les questions sont là, toutes les hypothèses, plusieurs fois, et il n'en a pas d'autres, avoir été relancé une fois de plus dans la partie ne lui a rien appris de nouveau ; sinon ce fait incontournable, inexplicable : il est encore là – après une deuxième vie trop longue. Il a cent soixante-quatre saisons. Et maintenant quoi ? Une nouvelle partie de cent saisons ? Moins ? Plus ? Qui va-t-il être cette fois-ci ? Un chercheur maniaque ? Ça n'en prend pas le chemin. Un bon vieux grand-père ? Il ne pourra sans doute pas se permettre ce luxe non plus. Un autre conspirateur, un autre manipulateur, un autre arroseur arrosé ? Sans doute. Entre ne rien oser faire et s'imaginer qu'il peut tout contrôler, il finira bien par trouver un équilibre ?

Ne pas y penser.

De nouveaux volumes à ajouter à son journal, en tout cas. Avec les mêmes doutes, les mêmes culpabilités, les mêmes rationalisations. Quel ennui !

Mais non : après le dégoût, après le désir d'en finir, maintenant, tout de suite, encore – auquel, encore, il ne se laissera pas aller —, il y aura de nouveau la colère, puis l'obstination, puis l'ironie une fois de plus et enfin la curiosité, sa plus sûre alliée : on me donne du temps ? Très bien, je sais à quoi l'occuper. Mais pas nécessairement à écrire dans son journal, même s'il s'est habitué à ces rendez-vous épisodiques – cette face dans le miroir, qui parle en même temps que lui.

Pas le "chasseur", alors, le "maître", le pauvre maître sans pouvoirs – non, bien pis : qui les a tous mais ne peut s'en servir à son gré. Il est le *hékel*. C'est dit, voilà sa prochaine identité après Anton Schemmering. Hékel. Adrien Hékel. Non, en transcription phonétique ce serait "Jékel", avec un "j" identique à la *jota* de l'ancien espagnol. "Arturo Jékel".

Le joueur qui sait qu'il doit perdre, mais qui joue quand même. Et puisque tout le jeu vise si obstinément à le faire perdre, ce *hékel*, ne pourrait-on quand même imaginer que, d'une façon tordue, perdre soit sa façon à lui de gagner ?

Sergines – Chicoutimi
1965-1996

ÉLISABETH VONARBURG...

... fait figure de grande dame de la science-fiction québécoise. Elle est reconnue tant dans la franco-phonie que dans l'ensemble du monde anglo-saxon et la parution de ses ouvrages est toujours consi-dérée comme un événement.

Outre l'écriture de fiction, Élisabeth Vonarburg pratique la traduction (*la Tapisserie de Fionavar*, de Guy Gavriel Kay), s'adonne à la critique (no-tamment dans la revue *Solaris*) et à la théorie (*Comment écrire des histoires*), tout en offrant aux auditeurs de la radio française de Radio-Canada une chronique hebdomadaire dans le cadre de l'émission *Demain la veille*.

Depuis 1973, Élisabeth Vonarburg a fait de la ville de Chicoutimi son port d'attache..

Catalogue Alire

PELLETIER, JEAN-JACQUES

Blunt – Les Treize Derniers Jours

Pendant neuf ans, Nicolas Strain s'est caché derrière une fausse identité pour sauver sa peau. Ses anciens employeurs viennent de le retrouver, mais comme ils sont face à un complot pouvant mener la planète vers l'enfer atomique, ils tardent à l'éliminer : Strain pourrait peut-être leur servir une dernière fois...

ROCHON, ESTHER

Aboli

Une fois vidé, l'ancien territoire des enfers devint un désert de pénombre où les bourreaux durent se recycler.
Mais c'étaient toujours eux les plus expérimentés et, bientôt, des troubles apparurent dans les nouveaux enfers...

Ouverture (AVRIL 1997)

VONARBURG, ÉLISABETH

Tyranaël

1- Les Rêves de la Mer

Eïlai Liannon Klaïdaru l'a «rêvé»: des étrangers viendraient sur Tyranaël...
Aujourd'hui, les Terriens sont sur Virginia et certains s'interrogent sur la disparition de ceux qui ont construit les remarquables cités qu'ils habitent... et sur cette mystérieuse «Mer» qui surgit de nulle part et annihile toute vie !

2- Le Jeu de la Perfection

3- Mon frère l'Ombre (MARS 1997)

4- L'Autre Rivage (SEPT. 1997)

5- La Mer allée avec le soleil (NOV. 1997)

LE JEU DE LA PERFECTION
est le quatrième titre publié
par Les Éditions Alire inc.

Il a été achevé d'imprimer
en octobre 1996 sur les presses de

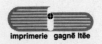

imprimerie gagné ltée

IMPRIMÉ AU CANADA